COLEG
Y WERIN

HANES CYNNAR YR YSGOL SUL YNG NGHYMRU
(1780 – 1851)

HUW JOHN HUGHES

CYHOEDDIADAU'R
GAIR

I
selogion yr Ysgol Sul ddoe, heddiw ac yfory

ac i gofio'n annwyl am
Miss Menai Williams
(1923 – 2013)
Pennaeth Adran y Gymraeg
Y Coleg Normal, Bangor
Cristion a ffrind.
Bu'n ffyddlon i'r Ysgol Sul
gydol ei hoes.

ⓑ Cyhoeddiadau'r Gair 2013
Testun gwreiddiol: Huw John Hughes
Golygydd iaith: Dyfed Evans
Golygydd Cyffredinol: Aled Davies
Clawr: Rhys Llwyd

ISBN 978 1 85994 751 7
Argraffwyd ym Mhrydain.

Cyhoeddwyd gan
Cyhoeddiadau'r Gair, Cyngor Ysgolion Sul Cymru,
Ael y Bryn, Chwilog, Pwllheli, Gwynedd LL53 6SH.
www.ysgolsul.com

CYNNWYS

CYDNABYDDIAETH

Yn ystod fy ngyrfa rwyf wedi ymwneud â byd addysg a chrefydd. Mae'r ddau fyd wedi bod yn rhan greiddiol o'm gweledigaeth a'm galwedigaeth. Cefais fy hyfforddi yn athro ac am rai blynyddoedd bûm yn athro cynradd ac wedyn yn hyfforddi athrawon yn y Coleg Normal ym Mangor. Ochr yn ochr â hyn cefais fy ordeinio'n weinidog gyda'r Annibynwyr a bûm yn gweinidogaethu yn Llanberis, Moelfre ac Eglwys Annibynnol Bangor. Trwy'r amser bûm yn gefnogwr brwd i'r Ysgol Sul, yn ddisgybl, athro ac ysgogydd, a pharatoi deunyddiau i ddosbarthiadau'r plant a'r oedolion fel ei gilydd. Yn ystod fy nghyfnod yn y Coleg Normal, roedd pwysau mawr ar y staff i ymgymryd â gwaith ymchwil a chyhoeddi. Dechreuais feddwl am yr Ysgol Sul a'i chyfraniad fel testun ymchwil. Ond ar y pryd roedd gennyf gymaint o heyrn yn y tân, darlithydd, gweinidog a rhedeg busnes (Pili Palas) felly penderfynais fynd ati'n hytrach i gyhoeddi llyfrau i blant. Ond ar ôl i mi 'ymddeol' roeddwn yn benderfynol o fynd yn ôl at faes yr ymchwil. Yn 64 oed dyma ddechrau o ddifrif a chofrestru yn y Brifysgol ym Mangor, yn yr Adran Ddiwinyddiaeth dan ofal y tyner a'r hynaws Barchedig Ddr. Robert Pope oedd ar y pryd yn ddarlithydd yn yr Adran. Fedrwn i ddim cael neb gwell; roedd yn batrwm o sut y dylai tiwtor ymagweddu a chynnal ei fyfyriwr, trwy gwestiynu a thrafod yn hollol onest ac agored. Llwyddais i gwblhau'r gwaith oddi mewn i'r cyfnod o dair blynedd. Mae arnaf ddyled hefyd i lu o gyfeillion fu'n gefn ac yn sbardun yn enwedig pan oedd y dystiolaeth yn brin a'r corff a'r ysbryd yn gwegian. Nid wyf am enwi neb rhag ofn i mi anghofio rhywun a phechu. I chi i gyd diolch o galon, ond rwyf am fynegi fy niolch i'r triawd fu'n llywio'r arholiad llafar (y *viva*). Y Dr Eryl Wyn Davies, am gadeirio'r cyfarfod mor ddidrafferth a chynnes, yr Athro Densil Morgan (mewnol) a'r Dr.Eryn White (allanol) am ddarllen y gwaith mor drylwyr a chynnal seminar fywiog yn ogystal a gwyntyllu a thrafod y gwaith gyda thrylwyredd. Mae fy niolch yn fawr i'r tri ohonoch ac am eich awgrym i gyhoeddi'r gwaith a'ch sylwadau a welir ar glawr cefn y gyfrol hon ac i'r Dr Pope am ei gyflwyniad ar ddechrau'r gyfrol.

Ni fyddwn wedi cyflawni'r gwaith hwn heb gymorth parod pennaeth a staff Llyfrgell ac Archifdy Prifysgol Bangor ac yn arbennig gyfraniad Mrs Siân Robinson, Ceidwad y Llyfrau Prin oedd yn fwy na pharod i ymchwilio a darganfod cyfrolau a hynny mewn byr amser a phob amser yn siriol a hawddgar. Bu y llyfrgell Genedlaethol, Aberystwyth hefyd yn ddyfal a chyfeiriaf at yr hynaws Ddr. Huw Walters, ei barodrwydd a'i wybodaeth drylwyr o gefndir maes fy ymchwil. Bu'r Dr. Maredudd ap Huw hefyd yn barod iawn ei gymwynas, yn hynod effeithiol a hynny ar fyr rybudd yn aml iawn. Bûm ar ofyn Archifdai Môn a Gwynedd ac eto yr un oedd yr hanes, parodrwydd i fynd o'u ffordd i gynorthwyo a dangos diddordeb yn y gwaith. Mae fy niolch, yn fawr, hefyd, i'r Parch Aled Davies, Cyfarwyddwr Yr Ysgol Sul yng Nghymru am bob cyfeillgarwch dros y blynyddoedd ac am fod mor barod i gyhoeddi'r gyfrol ar ran Cyhoeddiadau'r Gair, ac i'r Parch. Ddr. Rhys Llwyd am gynllunio'r clawr. Yn olaf, ond nid y lleiaf, mae fy niolch i Mrs Gwenda Evans, am fy nioddef cyhyd, am brosesu'r gwaith ar gyfer yr ymchwil ac am fynd ati i ail osod y cyfan ar gyfer y gyfrol hon. Nid gwaith hawdd oedd hyn gan na chefais fy mendithio ag ysgrifen daclus a phrin iawn yw fy ngwybodaeth ym maes technoleg fodern. Llwyddodd i drosi ysgrifen a nodiadau traed brain yn gampwaith i'r llygaid. Ond mae'n rhaid ychwanegu mai ar fy ysgwyddau i yn unig y gorffwys y cyfrifoldeb am unrhyw wallau a brychau.

Huw John Hughes
Gŵyl y Pasg 2013.

"Nid yw Cymro yn debyg o anghofio lle hanfodol yr Ysgol Sul yng nghefndir addysg ein cyfnod. Yn wir, y perygl yw syrthio i'r arfer o gyfeirio'n huawdl at yr Ysgol Sul fel iachawdwriaeth addysgol y genedl; canmol heb ymchwil a beirniadaeth, a gadael y mater yn y fan yna."
W. M. Williams, *Addysg. Cyfres Pobun* (Lerpwl 1944) 19

"The tremendous significance of the Sunday School Movement, began by Robert Raikes, has never been adequately appraised."
F. Booth, *Robert Raikes of Gloucester* (Redhill 1980) 133

"Y mae cysylltiad mor agos wedi bod rhwng yr Ysgol Sabbothol yng Nghymru â chrefydd, fel y mae yn anhawdd ysgrifennu hanes crefyddol unrhyw ran o'r wlad, heb roddi lle arbennig i'r sefydliad daionus hwn."
R. Owen, *Hanes Methodistiaeth Gorllewin Meirionydd: o'r dechreuad hyd y flwyddyn 1888* (Dolgellau 1889 – 91) 505

BYRFODDAU

B.C.	*Y Bywgraffiadur Cymreig hyd 1940*
C.C.H.M.C.	*Cylchgrawn Cymdeithas Hanes y Methodistiaid Calfinaidd*
C.D.H.	*Caernarvon and Denbigh Herald*
C.LL.G.C.	*Cylchgrawn Llyfrgell Genedlaethol Cymru*
D.N.B.	*Dictionary of National Biography*
L.T.C.	*The Life of Thomas Charles of Bala*
LL.G.C.	Llyfrgell Genedlaethol Cymru
LL.P.B.	Llyfrgell Prifysgol Bangor
N. W. Ch.	*North Wales Chronicle*
N.W.G.	*North Wales Gazette*
T.C.H.N.M.	*Trafodion Cymdeithas Hynafiaethwyr a Naturiaethwyr Môn*
T.H.S.C.	*Transactions of the Honourable Society of Cymmrodorion*
T.H.S.G.	*Trafodion Hanes Sir Gaernarfon*

TROEDNODIADAU

Er mwyn cadw pris y gyfrol yn rhesymol mae'r nodiadau ar gyfer pob pennod i'w gweld ar wefan www.ysgolsul.com, neu gellir cael copi printiedig gan y Wasg, drwy yrru siec am £2 i 'Cyhoeddiadau'r Gair', Ael y Bryn, Chwilog, Pwllheli, Gwynedd LL53 6SH.

CYFLWYNIAD

Afraid dweud fod hanes crefydd yng Nghymru, yn ogystal â'r dylanwad a gafodd ar fywyd y genedl, wedi bod yn bynciau trafod llu o haneswyr dros y blynyddoedd. Ac eto, ni chafwyd unrhyw ddadansoddiad manwl o hanes a chyfraniad yr Ysgol Sul hyd gyhoeddi'r astudiaeth glodwiw hon.

Ffrwyth ymchwil drylwyr a gwreiddiol yw'r gyfrol, ac felly ceir ynddi drafodaeth awdurdodol am ddechreuadau a datblygiad yr Ysgol Sul, cyfraniad mawrion ein hanes fel Griffith Jones a Charles o'r Bala, a pherthynas yr Ysgol Sul â digwyddiadau tyngedfennol yn hanes y genedl, megis Brad y Llyfrau Gleision. Yn ei dechreuadau, ysgogwyd yr Ysgol Sul gan yr argyhoeddiad bod pobl mewn perygl mawr o ddamnedigaeth dragwyddol oni bai iddynt glywed yr efengyl a derbyn 'Crist a'i holl fanteision'. Felly mae'r elfen ddiwinyddol yn bwysig yn hanes yr Ysgol Sul. Ond diwinyddiaeth Brotestannaidd oedd hon, ac felly pwysleisiwyd yr angen i bobl allu darllen yr Ysgrythurau yn eu hiaith eu hunain. Un o ganlyniadau y Diwygiad Protestannaidd oedd hybu addysg y werin yn gyffredinol yng ngwledydd y gorllewin ac, yng Nghymru, chwaraeodd yr Ysgol Sul ran bwysig yn y datblygiad hwnnw. Ni ellir deall hanes, datblygiad ac arwyddocâd yr Ysgol Sul heb ystyried y traddodiad diwinyddol ar un llaw a datblygiad addysgol ar y llall. Ychydig o bobl sydd â'r wybodaeth angenrheidiol i gyflawni'r dasg hon; roedd awdur y llyfr hwn mewn sefyllfa dda i elwa ar ei brofiad fel athro, darlithydd a gweinidog er mwyn trin pob agwedd yn ddeallus, yn drylwyr, yn gytbwys ac yn groyw.

Yn y gyfrol hon, mae Huw John Hughes yn cyfrannu'n helaeth at ein dealltwriaeth o hanes Cymru, ei chrefydd a'i diwylliant, llanw a thrai Cristnogaeth, a'r datblygiad o gyfundrefn addysgol a hyrwyddodd ddysg ac a ysgogodd uchelgais y Cymry i ehangu eu gorwelion personol a chenedlaethol. Mae'n bleser mawr i mi gael cymeradwyo'r astudiaeth gynhwysfawr hon, gan wybod bydd y sawl sydd yn ei darllen yn elwa'n fawr o ysgolheictod ei hawdur yn ogystal â rhwyddineb ei arddull rugl a choeth. Diolchwn iddo am ei waith ac am ei barodrwydd i'w gyhoeddi.

Robert Pope
Prifysgol Cymru, Y Drindod Dewi Sant
Llanbedr Pont Steffan

RHAGYMADRODD

Y tueddiad wrth ymdrin â hanes addysg yng Nghymru yn y gorffennol oedd edrych ar y maes o safbwynt y Wladwriaeth a'r amryw Ddeddfau, gan roi sylw penodol i ysgolion a cholegau. Eithr unochrog yw'r darlun hwn. Yn y canrifoedd a fu atodiad oedd Cymru yn y cyswllt *England and Wales* gan gredu mai'r un nodweddion a'r un dyheadau a berthynai i'r ddwy wlad. Mae'n rhaid edrych ar hanes addysg, felly, o fewn fframwaith ehangach sef y trosglwyddo a fu o'r diwylliant Cymreig, crefyddol o un genhedlaeth i'r llall a'r saernïo a fu ar ein hetifeddiaeth fel cenedl.

Prin fod llyfrau ar addysg yn dadansoddi nac yn ystyried sut y llwyddodd gwerinwr tlawd ddwy ganrif yn ôl i feistroli sgiliau llythrennedd a hynny heb ddiwrnod o addysg ffurfiol. Yn y cyd-destun eang hwn mae pwyso a mesur cyfraniad yr Ysgol Sul a anwybyddwyd i raddau helaeth gan haneswyr ac addysgwyr fel ei gilydd. Odid brawddeg neu ddwy neu baragraff ar y mwyaf a geir yn y mwyafrif o lyfrau ar addysg a chrefydd yng Nghymru a Lloegr. Yn Lloegr, ar y dechrau, pwrpas cymdeithasol yn unig oedd i'r Ysgolion Sul a hynny i gadw'r tlodion yn eu lle a'u gwneud yn ymwybodol o'u safle yn y gymdeithas. Ond yng Nghymru o'r cychwyn, dan ddylanwad Efengyliaeth, sylfaenwyd holl weithgaredd yr Ysgol Sul ar y Beibl gan osod ei neges oddi mewn i fframwaith ddiwinyddol y Galfiniaeth Gymedrol gan bwysleisio prif athrawiaethau'r ffydd a'r profiad o dröedigaeth.

Ni ellir edrych ar ddatblygiad yr Ysgol Sul mewn gwagle; mae'n rhaid olrhain a dadansoddi'r digwyddiadau cymdeithasol a chrefyddol ynghyd â'r dylanwadau ar y plentyn a'r cysyniad o blentyndod a ddatblygodd yn y ddeunawfed ganrif.

Y Cefndir

Blagurodd yr Ysgol Sul mewn cyfnod o chwyldro a chwalfa. Siglwyd Ewrop yn niwedd y ddeunawfed ganrif gan gynyrfiadau'r Chwyldro Ffrengig ac i raddau helaeth cynhyrfwyd Prydain gan rym ei grychiadau. Drwgdybid y Methodistiaid, er eu bod o ran enw'n perthyn i'r Eglwys Sefydledig, am fod eu seiadau preifat yn agored i amheuaeth o du'r Wladwriaeth ac edrychid arnynt fel cefnogwyr Jacobinaidd ac ymhen amser daeth yr Ysgolion Sul, hefyd, dan lach am yr un rhesymau.

Ar ddechrau'r bedwaredd ganrif ar bymtheg ysgydwodd y Chwyldro Diwydiannol drefniadaeth gwlad gyda'r mudo o gefn gwlad i'r trefi a'r ansicrwydd a ddaeth yn ei sgil. Chwyldrowyd y patrwm economaidd, chwyddodd y cyflogau a heidiai'r bobl i'r ardaloedd diwydiannol i chwilio am waith. Yn 1801, 7,705 oedd poblogaeth Merthyr Tudful ond erbyn 1851 cynyddodd i 38,000 a 70,000 yn 1861[1] a'r un oedd y darlun yn ardaloedd y chwareli yn Arfon ond ar raddfa dipyn llai.[2] Mewn cyfnod o gyffro a newidiadau carlamus greddf dyn yw chwilio am gwmpawd i lywio'r ffordd ymlaen o'r dryswch gan gofio amgylchiadau truenus llawer o'r tlodion. Sefydlwyd elusennau i'w cynorthwyo ac erbyn 1820 roedd 55 o elusennau meddygol, crefyddol ac addysgol wedi agor eu drysau yn Llundain yn unig.[3] Ond roedd angen rhywbeth dyfnach a fyddai'n sadio, rhoi nod ac ar yr un pryd yn rhoi gwerth ac urddas ar fywyd unigolion mewn tryblith. Ofer oedd troi at y Llywodraeth am gymorth gan mai agwedd *laissez faire* oedd gan y Senedd ym mheirianwaith y wlad. Oes aur y tirfeddianwyr oedd y ddeunawfed ganrif ac os nad oeddynt yn deg a chyfiawn tuag at eu deiliaid gallai ansawdd bywyd fod yn druenus. Nid oedd heddluoedd yn bod; roedd cyfiawnder yn nwylo ynadon oedd wedi codi o blith y bonheddwyr a'r cyfreithiau wedi'u llunio i amddiffyn y tirfeddianwyr a chosbi'r lladron a'r difrodwyr yn llym.[4] Roedd un noddfa arall y gallai'r dyn cyffredin droi i chwilio am gyfiawnder a chymorth sef yr Eglwys Sefydledig. Yn y blynyddoedd cyn y Chwyldro Diwydiannol roedd statws a rhwydwaith yr Eglwys yn gweddu i'r dim i'r patrwm o bentref a phlwyf ac felly'n diwallu anghenion cymunedau bychain gwledig. Y gŵr bonheddig yn ei balas a lywodraethai'r plwyf ac ef oedd noddwr yr Eglwys leol a chanddo ef yn aml oedd yr hawl i benodi offeiriaid. Y drefn, gan amlaf, oedd penodi o'r teulu bonedd ac ar y cyfan roedd y berthynas rhyngddynt a'r tlodion yn un oddefol a phob un yn ymwybodol o'i safle o fewn y gymuned. Daeth tro ar fyd pan deimlwyd dirgryniadau'r Chwyldro Diwydiannol drwy'r wlad a bellach ni allai'r sefydliad Eglwysig ymateb i'r newidiadau.[5] Adlewyrchir hyn yn ystadegau Leeds lle nad oedd ond un eglwys blwyf yn 1831 ar gyfer poblogaeth o 70,000[6] a chwynai ficer Llanddeiniolen, Gwynedd, fod trwch y boblogaeth oedd yn gweithio yn y diwydiant llechi yn byw dair i bum milltir i ffwrdd o eglwys y plwyf.[7] Myn W. R. Ward nad methiant i ymateb i anghenion pobl yn y dinasoedd oedd gwendid pennaf yr Eglwys ond yn hytrach ei methiant yng nghefn gwlad lle canolwyd yr holl adnoddau.[8] Darlun tywyll a geir; absenoldeb a difaterwch esgobion ac offeiriaid, cyflwr trychinebus yr adeiladau a'r plwyfi yng ngofal offeiriaid oedd yn feibion i deuluoedd bonedd a'r gwaith o ddydd i ddydd yn cael ei gyflawni gan guradiaid am nesa peth i ddim.

Yr un oedd y sefyllfa yng Nghymru. Llwyddodd Benjamin Hoadley, esgob cloff Bangor i gadw draw o'i esgobaeth am y cyfnod y bu yno rhwng 1715 a 1721[9] a'r un oedd hanes Hugh Davies, (1739 – 1821) y botanegydd a'r offeiriad a dreuliodd ddwy flynedd lawn yn casglu a chofnodi planhigion Môn tra roedd curadiaid yn gofalu am ei blwyfi ym Miwmares ac Aber.[10] Bu'n rhaid i'r Cymry, hefyd, wynebu Seisnigrwydd yr offeiriadaeth. Mynegodd dau o esgobion Llanelwy, Robert Hay Drummond, esgob rhwng 1748 ac 1761 a'i olynydd Richard Newcome, fod yr iaith Gymraeg yn llyffethair ac y dylid prysuro ei thranc.[11] Penodwyd Thomas Bowles, Sais rhonc, yn offeiriad plwyfi Trefdraeth a Llangwyfan, Môn lle nad oedd ond pump o gyfanswm o bum cant o blwyfolion yn deall Saesneg.[12]

Oddi mewn i sefyllfa lesg a bregus y datblygodd Efengyliaeth yn rym dylanwadol. Yn Lloegr, sylweddolodd John Wesley, oedd yn aelod ffyddlon o'r Eglwys, mai ei briod waith oedd atgyfnerthu a chynnal y gwaith mewn ardaloedd lle roedd yr Eglwys yn wan.[13] Offeiriaid yn yr Eglwys Sefydledig yng Nghymru oedd Daniel Rowland (1713 – 1790) a Griffith Jones (1683 – 1761) ac er nad oedd gan y cyfundrefn fawr o gydymdeimlad â'u brwdfrydedd ymlaen yr aethant i bregethu i'r werin ac i'w haddysgu.

Efengyliaeth

Nid term hawdd i'w ddifinio yw 'Efengyliaeth' a gellir tybio mai'r sect newydd sef y Methodistiaid a fabwysiadodd y gair gyntaf a dilynodd yr enwadau eraill yn fuan wedyn. Yn ei ragymadrodd i gyfrol George Lewis, *Drych Ysgrythyrol neu Gorff o Dduwinyddiaeth* cydnabu Lewis Edwards nad tasg hawdd oedd diffinio nodweddion Efengyliaeth ond mae'n tanlinellu rhai elfennau allweddol sef 'fod crefydd yn gwreiddio yn y galon ac nid yn y deall yn unig' a bod y teimlad hwn yn ei dro 'yn cynhyrchu gweithgarwch a'r awydd i achub eraill'.[14] Yn ei grynhoad dywed, 'Os cyfiawnhad oedd pwnc mawr y Diwygiad Protestannaidd felly pwnc mawr y Diwygiad Methodistaidd oedd ailenedigaeth.'[15]

Mae David Bebbington yn mynd ati i grynhoi nodau amgen Efengyliaeth dan bedwar pennawd, sef y pwyslais ar dröedigaeth, diwydrwydd a'r galw am weithgarwch ym maes cenhadu, addysgu a gwasanaethu cymdeithas, parchu a rhoi lle canolog i'r Beibl a chofleidio'r ddiwinyddiaeth sy'n canoli ar farw aberthol Crist.[16] Pa mor berthnasol oedd y nodau hyn i Gymru? Effaith Efengyliaeth ar Gymru, ym marn Lewis Edwards, oedd ei chodi 'i dir mwy rhydd, mwy eang a mwy efengylaidd' a myn fod mwy o ehangder yn athrawiaethau'r Efengyl fel y datblygwyd hwynt gan Rowland, Harris, Pantycelyn, Thomas Charles a Jones o Ddinbych na chanoli'n unig ar farw Crist.[17] Esgorodd Efengyliaeth yng Nghymru ar glymu Cristnogion â'i gilydd ar draws ffiniau enwadol a bu'r dylanwad hwn, y 'Cytgord Efengylaidd' yn ddylanwad hynod drwm ar fywyd y genedl yn ystod y bedwaredd ganrif ar bymtheg.[18]

O groth yr Efengyliaeth hon y tarddodd ac y datblygodd yr Ysgol Sul yng Nghymru.[19] Adwaith oedd y mudiad hwn i fydolrwydd a hunan fodlonrwydd y ddeunawfed ganrif ac yn benodol protest yn erbyn llacrwydd moesol a chrefydd arwynebol. Pwysleisid ymroddiad a dyfalbarhad, diwydrwydd a difrifoldeb. Er mor sylfaenol oedd athrawiaeth, nid sustem o ddiwinyddiaeth oedd yn bwysig i'r Efengylwyr ond yn hytrach ffordd o fyw, nid adrodd rhestr o gredoau ond rhannu profiadau byw a hynny er mwyn cenhadu, addysgu ac arwain yr unigolyn ar hyd ffordd iachawdwriaeth Er fod Methodistiaeth yng Nghymru wedi cychwyn yn annibynnol ar Loegr ni ddylid ei ystyried yn ynysig – cangen ydoedd o goeden gref Efengyliaeth eang â'i gwreiddiau yn yr Almaen.[20]

Erbyn chwarter olaf y ddeunawfed ganrif cysylltwyd Efengyliaeth yn Lloegr â'r *Clapham Sect*, sef nifer o offeiriaid a lleygwyr duwiol a chefnog, yn eu plith William Willberforce, Henry Thornton (banciwr) a Hannah More, ysgogydd yr Ysgolion Sul yn ei chymdogaeth yng Ngwlad yr Haf. Arbenigedd aelodau Clapham oedd lledaenu nodau Efengyliaeth ymysg y dosbarth canol a'r dosbarth uwch a bu hyn yn sail i weithgareddau dyngarol megis y mudiad i ddileu'r fasnach mewn caethion[21] ac yn symbyliad i gynorthwyo'r difreintiedig a'r tlawd yn eu cymunedau.

Efengyl bersonol a bwysleisid: y pechod gwreiddiol, natur lygredig dyn, digonolrwydd yr Iawn, cyfiawnhad trwy ffydd a'r craidd oedd, 'eich geni drachefn'. Pwysleisid hefyd yr ymarweddiad bucheddol, er nad oedd yn amod iachawdwriaeth roedd yn arwydd ohono gan fod gweithredoedd dyn, hyd yn oed ei weithred leiaf, o'r pwys mawr gan fod iddi ei chanlyniadau, nid yn unig yn y byd hwn ond yn y byd a ddaw. Treiddiai'r feddylfryd hon trwy holl amrediad bywyd beunyddiol yr Efengylwyr.

Er bod D. Eifion Evans yn honni bod mwyafrif o offeiriaid a lleygwyr yr Eglwys Sefydledig yng Nghymru'r bedwaredd ganrif ar bymtheg[22] yn perthyn i'r mudiad Efengylaidd, efallai fod ystadegau Nigel Scotland yn nes ati, pan ddywed fod traean o'r chwe mil o glerigwyr Lloegr a Chymru yn yr 1840'au yn efengylaidd.[23] Ond ymhlith yr Anghydffurfwyr yn bennaf y daeth yn fudiad dylanwadol a grymus. Mewn cymdeithas gyfnewidiol rhoddwyd cwmpawd i'r unigolyn i'w ddilyn a chadarnle i sefyll mewn anialwch. Esgorodd Efengyliaeth ar amrywiaeth o ddulliau i hyrwyddo'r mudiad ac ymhlith y nodweddion amlycaf oedd y dyhead ysol i genhadu ac addysgu a chario'r neges i bob cwr o'r wlad gan gyfathrebwyr oedd yn ddealladwy i'r gwrandawyr a hynny yn y Gymraeg gan mai o blith y bobl gyffredin y cododd y mwyafrif o'r Efengylwyr yng Nghymru. Rhoddwyd blaenoriaeth i'r Beibl ond nid digon oedd rhannu Beiblau: rhaid oedd addysgu'r bobl a bu'r Efengylwyr yn gyfrifol am 'ddyfeisio a phoblogeiddio cyfrwng oedd i dyfu'n eithriadol bwerus, sef Yr Ysgol Sul'.[24] Cyfrwng ydoedd oedd yn ddyfeisgar fentrus ac yn ystwyth greadigol lle rhoddwyd urddas i'r unigolyn, boed blentyn neu oedolyn, 'it created dynamic communities of self giving love.....it reached out to many at the margins of respectable society.....it communicated the beauty and the power of the Christian gospel in a wide variety of settings and through that gospel provided a wide range of individuals with purpose before God and meaning for this life......'[25] Roedd y feddylfryd hon wedi ei sylfaenu ar nodweddion Efengyliaeth gyda'r pwyslais ar ddiwydrwydd diarbed, ehangder yr athrawiaethau a phrofi tröedigaeth.

Datblygiad plentyndod

Atgyfnerthwyd mudiad yr Ysgolion Sul gan y sylw cynyddol a roddwyd i ddatblygiad y plentyn a'r cysyniad o blentyndod gan athronwyr ac addysgwyr yn y ddeunawfed ganrif.

Man cychwyn sawl astudiaeth ar hanes datblygiad plentyndod yw cyfrol y Ffrancwr, Philippe Ariès (1962), a ddadleuai nad oedd y cysyniad o blentyndod yn bod yn yr Oesoedd Canol ac nad oedd gan rieni unrhyw ddiddordeb yn eu plant. Sail ei ymresymiad oedd fod plant yn cael eu gwisgo a'u trin fel oedolion a'u bod yn dechrau gweithio pan oeddynt oddeutu saith oed.[26] Nodwedd arall o'r cyfnod oedd marwolaethau plant bach ac ym marn

Ariès cyfyngai hyn ar y berthynas emosiynol a fodolai rhwng oedolyn a phlentyn a'r rheswm am y difrawder a'r diffyg cariad tuag atynt oedd i osgoi'r hiraeth a'r boen o'u colli.[27] Esgorodd damcaniaeth Ariès ar ddihidrwydd rhieni tuag at eu plant gryn ddadlau ymhlith haneswyr mwy diweddar, megis Pollock (1983), ac o'i hastudiaeth o ddyddiaduron a chyhoeddiadau rhwng 1500 ac 1900 daeth i'r canlyniad nad oedd profiadau plentyndod mor ddirdynnol a didostur â hynny.[28]

Gellir crynhoi meddylfryd yr Oesoedd Canol yng ngwaith yr ysgolhaig Johannes Wallensis (John of Wales),[29] brodor o Ogledd Cymru, a dreuliodd y rhan helaethaf o'i oes fel aelod a darllenydd yn Urdd Sant Ffransis ym Mharis. Paratôdd gyfres o bregethau *ad status* ar wahanol bynciau gyda'r bwriad iddynt gael eu defnyddio fel modelau gan bregethwyr eraill. Yn y pregethau ar blentyndod tanlinellir dwy agwedd benodol sef disgyblaeth ac ufudd-dod. Canmolir y rhieni sy'n ddisgyblwyr llym gan fod hynny'n paratoi'r unigolyn ar gyfer caledi a threialon bywyd a chymeradwyai ychydig o ganmoliaeth pan fyddai hynny'n berthnasol. Yn ei farn ef nod amgen y plentyn oedd caru, ufuddhau, anrhydeddu a helpu'i rieni yn enwedig mewn cyfnodau o argyfwng a thlodi[30] a dyletswydd pennaf y rhieni oedd hyfforddi'r plentyn yn y sgiliau fyddai'n ei baratoi ar gyfer cymdeithas.[31]

Erbyn yr ail ganrif ar bymtheg, yn nhyb Houlbrooke (1984), roedd aelodau o'r teulu yn ymddwyn yn fwy serchus tuag at ei gilydd ac reodd hyn yn nes at feddylfryd yr Ysgol Sul. Iddo ef roedd gwrthod defodau ac arferion megis cadw at y traddodiad israddol o ofyn bendith y rhieni bob bore a hwyr yn arwydd fod plant a rhieni yn closio'n nes at ei gilydd.[32] Arferion eraill oedd yn dangos y pellter rhwng rhieni a phlant oedd yr orfodaeth ar i'r bechgyn dynnu eu hetiau ym mhresenoldeb eu rhieni a'r genethod i foesymgrymu i'w mamau.[33] Nodwedd arall, arwyddocaol oedd y modd y cyfarchai rhieni eu plant, 'my dear child' neu 'my darling' yn hytrach na chyfarchiad oeraidd, 'plentyn' neu 'mab/merch' a ddangosai nid yn unig agosatrwydd ond hefyd barch y rhieni tuag at eu plant.[34] Cadarnheir hyn gan Ozment (2001) pan ddywed fod tair ffactor yn gyfrifol am y trawsnewid hwn sef fod teuluoedd erbyn hynny wedi dod yn fwy cefnog, fod dysgeidiaeth foesol yr eglwys yn fwy llewyrchus a bod adfywiad yr addysg glasurol a gyfrannwyd yn pwysleisio amynedd a pherswâd yn y dull o fagu plant.[35]

Erbyn y ddeunawfed ganrif daeth y plentyn a'i anghenion yn ganolbwynt ymdrechion unigolion a mudiadau fel ei gilydd. Dau begwn yn y ddadl ar 'natur' plentyn yn y cyfnod hwn, oedd ar y naill law athroniaeth John Wesley a esgorodd o'i brofiad ar lin ei fam, 'break their wills betimes.....begin this work before they can run.....let the child....be taught to fear the rod and cry softly.....Break his will now and his soul will live'.[36] Yn y pegwn arall pwysleisiai Rousseau, yn ei gyfrol *Émile*, ddaioni cynhenid plentyn ac effeithiau drwg y gymdeithas arno, 'treulir oed afiaith yng nghanol dagrau, cosbau, bygythiadau a chaethiwed.'[37]

Buan iawn y daeth plentyndod dan ddylanwad y Mudiadau Rhamantaidd ac Efengylaidd. Cyfnod i'w drysori a'i ddyrchafu oedd plentyndod i feirdd y Mudiad Rhamantaidd. I Blake diniweidrwydd plentyn oedd y nodwedd amlycaf a dylid amcanu at barhau'r rhinwedd hon i gyfnod oedolion. Gogwyddai Wordsworth ryw gymaint oddi wrth y cysyniad hwn gan honni fod Duw wedi tywallt ei holl fendithion ar y cyfnod cynnar ac wedi hyn dirywio oedd y plentyn yn hytrach na thyfu i aeddfedrwydd.[38]

Yn raddol cefnwyd ar optimistiaeth Rousseau a'r Rhamantwyr a bu'n rhaid dod i'r afael â gofynion gerwin cymdeithas ddiwydiannol. Datgelwyd y gerwinder a'r amodau gwaith oedd y plant yn ei hwynebu mewn ffatri, melin a phwll a daethpwyd i'r casgliad eu bod yn cael eu trin fel caethweision. Cododd yr Efengylwyr fel un llais yn erbyn y gorthrymder hwn a sylfaenwyd eu dadleuon ar ddiffyg hyfforddiant crefyddol a moesol, y peryglon beunyddiol, yr amgylchfyd llygredig, yr oriau meithion a'r cosbi corfforol.[39]

Yn y canrifoedd blaenorol gweithiai'r plant ar y ffermydd a'r tyddynnod neu ddilyn crefftau cartref ond gyda thwf y ffatrïoedd a diwydiant gorfodwyd y plant ieuainc i adael eu cynefin. Er bod amaethyddiaeth yn parhau'n brif gynhaliaeth tan ganol y bedwaredd ganrif ar bymtheg yn raddol ymwthiai dylanwad y grym diwydiannol ac am y tro cyntaf daeth y lle gwaith yn lle estron a dieithr i'r mwyafrif llethol. Byddai diwydianwyr yn dewis plant ar sail eu hyblygrwydd a'u hystwyther ond yn fwy na dim am y gellid talu cyflogau isel iddynt. I'r teuluoedd, er prinned y cyflogau, roedd yn foddion i gael dau ben llinyn ynghyd.[40] Eithr roedd yr ymelwa gan ddiwydianwyr a chyflogwyr ar lafur plant yn wrthgyferbyniad llwyr i'r delfrydu ar gyfnod plentyndod yn y ganrif flaenorol yn enwedig ymhlith y dosbarth canol.

Bu'r gwrthwynebiad hwn, yn ei dro, yn fan cychwyn i ymgyrchu brwd i ddileu llafur plant. Mor ddiweddar ag 1842 datgelodd y Comisiwn Brenhinol ar gyflogaeth plant yn y cloddfeydd a'r pyllau mai saith oed oedd oedran dechrau gweithio. Eithr dyfynnir un rheolwr yn mynnu nad oedd ganddo neb dan ddeg oed yn gweithio iddo, pan dorrodd un o'r gweithwyr ar ei draws, 'Sir, my boy is only a little more than four'.[41] Dechreuodd y Llywodraeth ymyrryd a gwelwyd Deddfau Ffatrïoedd yn dod i rym i leihau oriau gwaith a sefydlu isafswm oedran gweithio. Yn 1833 cyfrannodd y llywodraeth swm o

£20,000 y flwyddyn i hybu gwaith ysgolion y Gymdeithas Genedlaethol a'r Gymdeithas Frutanaidd ym Mhrydain ac er mor bitw oedd y cyfraniad gellid edrych arno fel man cychwyn pendant a flagurodd a dwyn ffrwyth yn ymyrraeth y Llywodraeth, yn Neddf Addysg Forster 1870, i sicrhau fod ysgol o fewn cyrraedd pob plentyn rhwng pump a deuddeg oed.[42]

Cyfnod i'w warchod oedd cyfnod plentyndod ac esgorodd hyn ar dwf a datblygiad mudiadau elusennol a dyngarol ac yn dilyn yr 1830'au rhoddwyd cryn bwyslais ar gael plant i fwynhau eu plentyndod. Heidiodd dyngarwyr i agor cartrefi i blant amddifad, i agor ysgolion a chreu cymdeithasau i atal creulondeb i blant. Cristnogion oedd y mwyafrif o'r dyngarwyr hyn a bu'r gystadleuaeth enwadol yn fan cychwyn i elfen genhadol gref i gyrraedd plant yr ymylon – y tlodion a'r difreintiedig.[43]

Nid ar eu pennau eu hunain, bellach, y gweithredai'r dyngarwyr ond gyda chymorth a chefnogaeth strwythurau economaidd, cymdeithasol a pholiticaidd y cyfnod. Yn y cyd-destun eang hwn, dan gochl Efengyliaeth y datblygodd yr Ysgolion Sul yn ganolfannau democrataidd i addysgu, a chynnal y tlawd a'r bregus ac ar un pryd cynnig iachawdwriaeth a gobaith yn y byd hwn a thu hwnt.

Y Beibl

Gan fod y Beibl a Chalfiniaeth wedi chwarae rhan allweddol yng ngwaith a chyfnod cynnar yr Ysgol Sul edrychir yn fras ar le'r plentyn yn y dystiolaeth Feiblaidd a beth oedd dysgeidiaeth John Calfin (1509 – 1564) ar ddatblygiad plentyndod.

Mynegiant o'r ymrwymiad rhwng Duw a'i bobl oedd y cyfamod a ddaeth yn gysyniad sylfaenol yn niwinyddiaeth yr Hen Destament a'i ddyrchafu wedyn gan Iesu yn y Swper olaf a'i selio yn ei farwolaeth (1 Cor. 11: 23 – 25) ac o'r cychwyn croesawyd a gwerthfawrogwyd y plentyn fel aelod llawn o'r cwlwm hwn. Nid tyfu'n ddeiliad o'r cyfamod oedd y plentyn; yn hytrach roedd yn etifedd, ac arwydd allanol o'r cyfamod oedd defod yr enwaedu. Ysgythrwyd arwydd yr addewid ar gorff pob gwryw a arwyddai ei fod yn gynwysedig yn y berthynas, nid ar y cyrion ond yn gyfrannog yn addewidion Duw i'r genedl.[44]

Drwy'r Hen Destament dangosir ar y naill law anufudd-dod y genedl yn torri'r cyfamod ac ar y llaw arall gariad Duw tuag at ei bobl oedd yn mynnu maddau a chyfannu. Yn llenyddiaeth y proffwydi amlygir plentyn penodol yn symbol o obaith, 'Canys bachgen a aned i ni, mab a roed i ni......' (Eseia 9: 6), pan fyddai'r genedl wedi'i hadfer a'r cyfamod wedi'i selio ar galonnau'r bobl. Dyrchefir y plentyn yn symbol o'r adfywiad cyfamodol, nid i Israel yn unig, ond i eraill beth bynnag oedd eu cefndir a'u tras.

Ochr yn ochr â'r darlun hwn pwysleisir natur lygredig dyn a'i bechod, ac nid oedd unrhyw un, beth bynnag oedd ei gefndir a'i oedran, yn rhydd o'r llygredd hwn. Pegwn eithaf y pechod gwreiddiol yw'r ddysgeidiaeth ddinistriol honno sy'n pwysleisio pechod plentyn cyn ei eni a'r unig ffordd ymwared oedd trwy ufudd-dod a chosb gorfforol. Mae digonedd o gyfeiriadau, yn enwedig yn llyfr Diarhebion, i gadarnhau'r agwedd hon a'r unig feddyginiaeth oedd trwy ymyrraeth tad llym neu Dduw oedd yn disgyblu:

Casáu ei fab a wna'r un sy'n arbed y wialen, ond ei garu y mae'r sawl a rydd gerydd gyson. (Diarh. 13: 24)

Cerydda dy fab tra bo gobaith iddo, ond gofala beidio â'i ladd. (Diarh. 19: 18)

Yn y Testament Newydd mae perthynas ac agwedd Iesu at blant yn cadarnhau a dyrchafu'r cysyniad cyfamodol. Crynhoir y berthynas ym Marc 10, lle mae Iesu'n derbyn, cofleidio a bendithio plant a'u dysgu fod y deyrnas yn eiddo iddynt. Maent yn fodelau ar gyfer mynediad i'r deyrnas ac yn symbolau o 'fawredd' a geilw ar y disgyblion i'w hefelychu a chanlyniad eithaf hyn oedd derbyn Iesu a'r 'hwn a'i hanfonodd'.[45]

Elfen ganolog y chwyldro hwn oedd bod plant yn cael eu gosod yn fodelau i'r oedolion. Yn sicr roedd hyn yn gysyniad hollol newydd o fewn Iddewiaeth a'r amgylchfyd Groegaidd-Rufeinig lle'r oedd y plentyn o dan ddylanwad ac awdurdod ei dad (*patria potestas*)[46] a lle'r edrychid ar blentyndod fel cyfnod o hyfforddiant a pharatoad ar gyfer byd oedolion.[47]

Ceidwadol yw Paul yn ei ddysgeidiaeth ar le'r plentyn gan ei fod wedi canolbwyntio ar ufudd-dod plant i'w rhieni a'r tadau i beidio â 'cythruddo'r plant' ond 'eu meithrin yn nisgyblaeth a hyfforddiant yr Arglwydd' (Col 3: 20 – 21; Effes. 6: 4). Ufudd-dod y plentyn a bwysleisir yn hytrach na chyfrifoldeb y rhieni tuag ato. Gellir olrhain y feddylfryd hon i agweddau tebyg mewn llenyddiaeth Iddewig a llenyddiaeth Roegaidd-Rufeinig.[48] Yn ei dadansoddiad â Grundy-Vole cyn belled â honni bod plant yn gyd-gyfranogion â'r oedolion ym mywyd ffydd a'u bod yn gynrychiolwyr Crist. Mae Iesu'n gwahodd plant i ddod ato, nid am ei fod am agor drysau byd oedolion iddynt ond yn hytrach am ei fod yn awyddus iddynt dderbyn yr hyn oedd yn eiddo ac yn ragorfraint iddynt sef deiliaid o'r Deyrnas.[49]

Gan fod Calfiniaeth wedi dylanwadu'n drwm ar arloeswyr yr Ysgol Sul yng Nghymru yn y ddeunawfed ganrif a dechrau'r bedwaredd ganrif ar bymtheg mae'n werth ceisio dadansoddi dysgeidiaeth John Calfin (1509 –

1564)[50] ar ddatblygiad plentyndod. Ni ellir haeru ei fod wedi trin a thrafod y cyfnod hwnnw'n fanwl, er ei fod yn cydnabod y cyfnod a bod gofalu am gyneddfau meddyliol, deallusol ac ysbrydol plentyn yn bwysig, eto i gyd ymylol a thameidiog yw ei ymdriniaeth. Awgryma, fel y dangosodd Rousseau fod tri cham penodol yn natblygiad plentyn a phob un yn parhau am oddeutu saith mlynedd; 'babandod' cyfnod o anrhydedd, balchder a pharch sy'n para hyd saith oed; 'plentyndod', cyfnod o aeddfedrwydd meddyliol, ysbrydol a moesol; a 'llencyndod' cyfnod o falchder, gwrthryfela a'r ymwybyddiaeth o'r cyneddfau rhywiol.[51]

Po ieuengaf y plentyn, lleiaf yn y byd yr amlygir effeithiau pechod ond pwysleisia fod plant o bob oedran yn ddarostyngedig i felltith y natur syrthiedig hon a'r ffordd ymwared oedd trwy fedydd a ffydd. Roedd y sacrament hwn yn brawf gweledol i'r rhieni bod eu plant yng ngofal Duw a heb yr addewid hon o'i ras a'i haelioni gallai'r rhieni ymddangos yn anniolchgar tuag at Dduw ac anwybyddu eu cyfrifoldeb i hyfforddi eu plant mewn duwioldeb.[52] I Calfin roedd bedydd yn arwydd gweledol o Air Duw, wedi'i sylfaenu i gynorthwyo'r gwendid dynol gan ei fod yn arwydd o faddeuant yr holl bechodau, gwreiddiol, gweithredol, y presennol a'r dyfodol. Gwêl bwysigrwydd bedyddio i sicrhau fod plant yn etifeddion o gymuned cyfamod gras Duw. Un ffordd bendant o'u hyfforddi yn y gymuned hon oedd paratoi catecismau perthnasol ar gyfer pob oedran.[53] O safbwynt y berthynas â'r rhieni, lle'r plentyn oedd plygu i awdurdod, bod yn unplyg foesol ac amlygir hyn dro ar ôl tro yn ei gatecismau, Y Deg Gorchymyn a'r *Institutes*.[54] Â cyn belled â mynnu os oedd rhieni'n arwain eu plant i ddiystyru cyfraith Duw, yna ni ddylai'r plant eu galw wrth yr enw 'rhieni' ond yn hytrach yn 'ddieithriad'. Iddo ef, dyletswydd rhieni oedd cydnabod bod plant yn 'ddrych o ras Duw' ac felly'n arwydd gweledol o ofal Duw am y teulu hwnnw.

Ynglŷn â disgyblaeth y cam cyntaf oedd troedio'n bwyllog ac ymataliol yn enwedig gyda phlant anystywallt ond os na fyddai'r dull hwnnw'n llwyddiannus rhaid oedd ceryddu'n llym. Nid oedd hyn yn gyfystyr â'r honiadau camarweiniol bod plant Genefa yn y cyfnod hwn yn cael eu dienyddio am anufuddhau i'w rhieni. Sylfaen dysgeidiaeth Calfin oedd pwysleisio'r urddas o genhedlu a meithrin plant fyddai'n ei dro yn arwain rhieni da i'w hyfforddi mewn duwioldeb. Golygai hyn greu trefn gymdeithasol glos a chynnes yr hyn a nodweddai feddylfryd yr unfed ganrif ar bymtheg ac a ddaeth yn sylfaen gadarn i weithgarwch yr Ysgol Sul.

Athronydd a ddylanwadodd ar ddatblygiad addysg yn y ddeunawfed ganrif oedd John Locke (1632 – 1704).[55] Yr hyn a geir yn ei gyfrol, *Some*

Thoughts Concerning Education yw llythyrau a ysgrifennodd at Edward a Mary Clarke, ac yntau'n alltud yn yr Iseldiroedd, ar sut i fagu ac addysgu eu plentyn. Perthyn y gyfrol i *genre* sy'n ymestyn yn ôl i gyfnod y Dadeni sef llawlyfr ar fagwraeth plentyn fyddai ar ôl iddo dyfu yn dod yn fodel o ŵr bonheddig.[56] Dwy elfen sy'n brigo i'r wyneb yw pwysigrwydd disgyblaeth, ac yn ei farn ef 'that great Severity of Punishment does but very little good, nay great Harm in Education'.[57] Credai y dylai plentyn blygu'i ewyllys i reswm pobl eraill ac adleisir hyn yn y feddylfryd Biwritanaidd o 'breaking the will' ond roedd pwrpas arall mwy dyrchafol ym meddwl Locke a hynny oedd creu oedolyn fyddai'n barod i blygu i'w reswm ei hun pan fyddai wedi cyrraedd oedran oedolyn. Yr ail elfen oedd fod y plentyn fel papur gwyn glân neu gŵyr yn barod i'w fowldio yn ôl dymuniad eraill, y *tabula rasa*, gyda'r pwyslais ar gyfrannu syniadau a gwybodaeth trwy'r synhwyrau'n unig.[58] Credai y dylid trin pob plentyn yn wahanol[59] a chredai fod merched, trwy fwytho a dangos tynerwch tuag at blant, yn gwneud mwy o ddrwg nag o les iddynt.[60] Ei uchelgais oedd creu gŵr bonheddig ond cydnabu y dylid argraffu ar ei feddwl 'a true notion of God as of the Independant [*sic*] Supreme Being, Author and maker of all things.......' ac y dylai plant ddysgu ar dafod leferydd y Pader, y Credoau a'r Deg Gorchymyn.[61] Prin fod ganddo ddim i'w ddweud wrth ddysgu 'tameidiau ar y cof' gwell oedd ganddo weld y plentyn yn darganfod trwy brofiadau byw a chyffrous.[62] Gellir dadlau fod y ddwy elfen, sef disgyblaeth a'r cysyniad o feddwl plentyn fel dalen wen lân, wedi dylanwadu ar ymdrechion addysgol Thomas Charles. Gwyddys ei fod yn gyfarwydd â'r *Arminian Magazine* ac ar dudalennau hwnnw y gwyntyllwyd cysyniadau athronyddol Locke.[63] Nid oes dwywaith nad oedd holl weithgarwch addysgol Charles wedi eu sylfaenu ar y gred fod addysg grefyddol, nid yn unig yn hanfodol ym mywyd plentyn ond ei bod yn llywio'i holl bersonoliaeth a'i baratoi ar gyfer byd arall. Rhoddai'r ddelwedd o 'bapur gwyn glân' bwyslais mawr ar y blynyddoedd cynnar, ffurfiannol ym mywyd dyn a gwelai Efengylwyr y cyfnod gyfle i feithrin y ddelwedd hon ar gyfer tröedigaeth grefyddol. Dylanwadodd hyn yn drwm ar Ysgolion Sul yr Unol Daleithiau yn y cyfnod cynnar (1820'au) gyda phlant ieuainc, saith i wyth oed yn profi tröedigaeth ac yn gofyn, 'Beth sy'n rhaid i mi ei wneud i gael fy achub?'[64] Bron na ellir dweud fod Thomas Charles wedi cofleidio cysyniadau Locke ar ddisgyblaeth. 'Y mae', meddai, 'llawer ffordd o geryddu plentyn heblaw ei guro, yr hyn a ddylid ei ochelyd hyd ag y mae ynom.'[65]

    Yr hyn sy'n arwyddocaol, wrth ymchwilio i'r maes yw mai ychydig o ymchwil sydd wedi'i wneud yn benodol ar hanes yr Ysgol Sul yng Nghymru.

Gellir cyfri'r cyfrolau a gyhoeddwyd ar un llaw: D. Evans, *The Sunday School in Wales* (1883); T. Levi, *Canmlwyddiant Ysgol Sabbothol Cymru* [1885]; G. W. Griffith, *Yr Ysgol Sul* (1936), W. A. Bebb, *Yr Ysgol Sul* (1944) a phamffledyn R. T. Jones, *Yr Ysgol Sul, Coleg y Werin* (1985) ynghyd ag ychydig erthyglau yma a thraw.

Y prif ffynonellau a ddefnyddiwyd ar gyfer yr astudiaeth hon oedd deunyddiau print o gyfnod cynnar yr Ysgol Sul megis cyfnodolion a llawlyfrau oedd wedi eu cyhoeddi'n bwrpasol at waith yr ysgolion. Lleolwyd y rhain yn llyfrgell Prifysgol Bangor a'r Llyfrgell Genedlaethol, Aberystwyth. Defnyddiwyd hefyd gyfnodolion enwadol o'r cyfnod ynghyd â newyddiaduron. Dadansoddwyd pregethau oedd wedi eu hargraffu a'u traddodi gyda'r bwriad o hybu ac ariannu gwaith yr ysgolion. Defnyddiwyd archifdai Llangefni a Chaernarfon i ymchwilio i ddogfennau'n ymwneud â hanes capeli unigol ond prin iawn, odid frawddeg neu ddwy, a gaed yn cofnodi bod ysgol yn rhan o gapel a'r un oedd yr hanes yn yr amryw gyfrolau oedd yn cofnodi a dadansoddi datblygiad enwadau. Cloddfa gyfoethog oedd y *Rheolau* a *Chyfarwyddiadau* a gyhoeddwyd gan wahanol enwadau, y Methodistiaid yn bennaf, i hybu trefn a gosod canllawiau pendant i'r ysgolion. Defnyddiwyd tair cyfrol gynhwysfawr, D. E. Jenkins, *The Life and Times of Thomas Charles* (1908) ynghyd â llythyrau eraill o eiddo Charles mewn cyfnodolion mwy diweddar.

Bu dau adroddiad o eiddo'r Llywodraeth, Adroddiad Addysg (1847) a'r Cyfrifiad Addysg oedd ynghlwm wrth Gyfrifiad Crefyddol 1851, yn chwarel ddihysbydd o ystadegau a oedd o'u dadansoddi yn dangos goruchafiaeth Ymneilltuaeth a'i ddylanwad ar y gymdeithas werinol Gymreig.

Cwestiynir yn yr ymchwil pa mor allweddol fu dylanwad yr Ysgol Sul yn Lloegr ar y datblygiad yng Nghymru a pha mor bellgyrhaeddol fu'r braenaru cynnar dan ddylanwad Griffith Jones, Morgan John Rhys ac Edward Williams. Gofynnir hefyd pa mor ddylanwadol fu ymgais Thomas Charles i ehangu gorwelion aelodau'r Ysgol Sul trwy amrywiaeth helaeth o lenyddiaeth ac fel y bu i'w ymdrechion fod yn sylfaen i ymgyrchoedd pellach yn hanes ei enwad ei hun ac enwadau eraill. Pan ymddangosodd canlyniadau a dadansoddiadau Adroddiad Addysg 1847 a Chyfrifiad Crefyddol 1851 gwelir pa mor llwyddiannus fu gwaith sefydliad yr Ysgol Sul. O dan yr wyneb ac yn sylfaen i'r cyfan mae'n rhaid gofyn a fu nodau amgen Efengyliaeth gyda'r pwyslais ar ddiwydrwydd di-arbed, tröedigaeth, canoli ar y Beibl a'r canolbwyntio ar athrawiaethau, sy'n amlwg yn y catecismau a'r *Geiriadur*

Ysgrythyrol, yn foddion i osod sylfaen gadarn a, hefyd, i ehangu a lledaenu gorwelion yr Ysgolion Sul yng Nghymru.

Mae'r bennod gyntaf yn rhychwantu dechreuadau'r Ysgol Sul yn Lloegr a hynny er mwyn dadansoddi'r dylanwadau a phwysleisio'r gwahaniaethau rhyngddynt â'r Ysgolion Sul yng Nghymru.

Yn yr ail bennod canolbwyntir ar y braenaru a fu yng Nghymru gan gymdeithasau ac unigolion.

Yn y drydedd a'r bedwaredd bennod olrheinir cyfraniad Thomas Charles, yr ysgogydd a'r trefnydd, gan fanylu ar ei ysgolion cylchynol a'r Ysgolion Sul, ei ddiwinyddiaeth, ei gyfrolau a'u dylanwad ar genedlaethau o blant ac oedolion. Yn y bumed bennod edrychir ar ledaeniad yr Ysgol Sul ar ôl ei farw a gwelir pa mor allweddol fu ei ymgyrchoedd cynnar i lwyddiant a pharhad y gwaith.

Dadansoddir y cynnyrch llenyddol a defosiynol oedd yng nghlwm wrth beirianwaith yr Ysgol Sul yn y chweched bennod ac fel y daeth yn rhan o ddiwylliant cymdeithasol, Ymneilltuol. Yn y bennod olaf dadansoddir casgliadau Adroddiad Addysg 1847 (Y Llyfrau Gleision) a Chyfrifiad Crefyddol 1851 a ddangosodd gynnydd a chyfraniad sylweddol yr Ysgolion Sul a'r hyder newydd a welwyd yng ngwead y gymdeithas Gymreig, Ymneilltuol.

Mae'r gyfrol yn cloi gyda dadansoddiad ar gyfraniad y mudiad ym maes addysg, crefydd, cymdeithas a'r iaith. Dengys yr ymchwil ystod eang a dylanwadol yr Ysgolion Sul a olygai ryngweithio rhwng gwahanol garfanau a pha mor allweddol fu ei ddylanwad ar barhad yr iaith Gymraeg, y diwylliant Cymreig a thwf Ymneilltuaeth.

1: Hau a medi yn Lloegr

'It is important, however, to remember to what extent the movement in England owes its origins to a desire of the well-to-do classes to keep the poor in order and in subjection.' D.M. Griffith, [1]

Cyn mynd ati i olrhain cyfraniad yr Ysgol Sul yng Nghymru mae'n rhaid yn gyntaf ddadansoddi'r sefyllfa yn Lloegr gan fod cryn weithgarwch wedi digwydd yno cyn i'r syniad gydio yng Nghymru. Yn y bennod hon edrychir ar y datblygiadau dros Glawdd Offa a hynny er mwyn gweld beth oedd y dylanwadau a fu ar Gymru a phwyso a mesur beth oedd y gwahaniaethau yn y ddwy wlad.

Y Dechreuadau

Cysylltir dechreuadau'r Ysgolion Sul ym Mhrydain â chwarter olaf y ddeunawfed ganrif ond mae'n rhaid cydnabod bod math o ysgolion ar y Sul yn bodoli mewn mannau o Ewrop cyn hynny. Gwyddom fod Archesgob Pabyddol, Milan, y Cardinal Carlo Borromeo (1538-1584),[2] a etholodd Gymro, Gruffydd Robert 'yn dad enaid iddo'i hunan',[3] wedi sefydlu cyfundrefn o ysgolion ar y Sul yn ei archesgobaeth a honnir bod dros ddeugain mil o blant yn cael eu dysgu gan dros dair mil o athrawon.[4]

Sefydlwyd ysgol ar y Sul ym Mharis ym mlwyddyn olaf yr ail ganrif ar bymtheg gan Abbé John Baptist de la Salle (1651-1719), yr offeiriad Pabyddol a'r addysgwr blaengar a roddodd le canolog i'r iaith frodorol fel sylfaen ar gyfer pob hyfforddiant. Sefydlodd Academi Gristnogol i hyfforddi oedolion yn ei blwyf Saint Sulpice ar y Suliau, yn nysgeidiaeth y ffydd Gristnogol a meysydd eraill megis pensaernïaeth, arlunio a geometreg.[5] Credir mai'r cofnod cyntaf o Ysgol Sul yn Lloegr oedd honno a agorwyd gan Nicholas Ferrar fel rhan o gymuned grefyddol a sefydlodd yn Little Gidding yn 1625.[6]

Yng Nghaerfaddon, dywedir i'r Parchg Joseph Alleine, (1634-1668), offeiriad cynorthwyol Taunton, a ddiarddelwyd am iddo wrthwynebu Deddf Unffurfiaeth (1662) gasglu oddeutu trigain o blant ynghyd i'w dysgu yng ngair Duw ar y Sul, ond bu'n rhaid iddo roi terfyn ar ei ymdrechion oherwydd ymyrraeth ei Esgob.[7] Yn 1770 agorodd Ficer efengylaidd Huddersfield, y

Parchg Henry Venn, Ysgol Sul i ddysgu darllen a holwyddori.[8] Yn 1699 sefydlwyd y 'Fowler's Sunday School Trust' yn Walsall, gan George Fowler a werthodd ddarn o dir a defnyddio'r arian i addysgu plant y tlodion ar y Sul. Erbyn 1855 roedd 70 o blant yn cael hyfforddiant ar fore a phrynhawn Sul yn ogystal â phrynhawn Iau.[9] O'r flwyddyn 1772 ymlaen bu'r Parchg John Marks Moffat, gweinidog gyda'r Annibynwyr yn Nailsworth, Caerloyw, yn casglu plant ar y Sul i'w hyfforddi yn nysgeidiaeth y Beibl a gwyddom iddo ohebu'n gyson â Robert Raikes.[10]

Ond nid clerigwyr a gweinidogion yn unig oedd yn cynnal Ysgolion Sul ond lleygwyr hefyd, ac ymhlith yr enwocaf o'r rhain, yn Lloegr, oedd Mrs Cathrine Boevey (1669-1726) gwraig gefnog, oedd yn berchennog Abaty Flaxley, Gwent Goch yn y Ddena, Sir Gaerloyw. Yn dilyn y gwersi a'r holwyddori byddai grŵp o hanner dwsin o blant yn eu tro yn cael pryd o fwyd gyda hi bob dydd Sul.[11] Oddeutu 1768 yn High Wycombe bu Hannah Ball yn weithgar gyda phlant yr ardal yn eu cymell i fynychu gwasanaeth crefyddol yn yr eglwys leol a chynnal Ysgol Sul yn y prynhawn a hefyd ar ddydd Llun oedd yn beth anarferol iawn.[12] Pan fu farw yn 1792 daeth ei chwaer Anne i'r adwy a bu hithau yr un mor ddiwyd â Hannah yn y gwaith.

Yma a thraw yn Lloegr agorwyd y math yma o Ysgol Sul ond bu'n rhaid cau llawer ohonynt oherwydd diffyg arian fel y digwyddodd i ysgol Cathrine Cappe yn Bedale yn 1765. Byddai'n arfer treulio'r Sul yn dysgu grwpiau o blant tlawd yr ardal i adrodd catecism Isaac Watts, dysgu darllen a chanu emynau. Er nad oedd ganddi fawr o arian cynhaliodd yr ysgol am rai blynyddoedd ond bu'n rhaid dirwyn y gwaith i ben. Sylwer bod merched yn amlwg iawn yn y gwaith o hyfforddi'r plant ac mae'n werth sylwi hefyd ar gyfraniadau gwŷr a gwragedd cyffredin o blith y dosbarth gweithiol oedd yn dilyn amrywiol alwedigaethau ond oedd barod i roi o'u hamser prin i sefydlu Ysgolion Sul. Ymhlith y sylfaenwyr hyn roedd gweision fferm, teilwriaid, nyddwyr, gofaint, garddwyr a gweithwyr piwter. Dadleuai Laqueur yn gryf o blaid y rhain gan atgoffa haneswyr nad dyngarwyr cyfoethog yn unig a sefydlai Ysgolion Sul ledled y wlad.[13] Dyma felly oedd yr hanes ar ddechrau ail hanner y ddeunawfed ganrif, Ysgolion Sul unigol yn codi yma ac acw dan ofal offeiriaid, gweinidogion, dyngarwyr a phobl gyffredin fel ei gilydd heb unrhyw fudiad na strwythur cenedlaethol i hybu'r gwaith.

Nid gweithgaredd dieithr oedd y dyhead i ddysgu plant ac ieuenctid difreintiedig gan fod hyn wedi'i amlygu ei hun ym mlwyddyn olaf yr ail ganrif ar bymtheg nid yn unig ym Mhrydain ond hefyd yn yr Almaen a Ffrainc. Sefydlodd offeiriaid yn Ffrainc ysgolion i blant eu plwyfi i ddysgu darllen a'r arloeswr yn yr Almaen oedd yr Athro a'r gweinidog Lutheraidd August Hermann Francke (1663 – 1727) a fu'n llwyddiannus gyda'i ysgolion yn Halle.[14] Addysg ar gyfer plant bach oedd nod y tair gwlad a chredai'r arweinwyr mai diffyg addysg oedd yn gyfrifol am anwybodaeth ac anfoesoldeb y bobl. Sefydlwyd y Gymdeithas er Taenu Gwybodaeth Gristnogol (SPCK) yn Llundain ym Mawrth 1699 gan bump o ddynion, pedwar lleygwr ac un offeiriad a phedwar o'r rhain â chysylltiadau â Chymru.[15] Pan sefydlwyd y gymdeithas roedd dau brif amcan, sef lledaenu'r efengyl i wledydd tramor a sefydlu ysgolion dyddiol holwyddorol yn Lloegr.[16]

Cysylltwyd yr ysgolion dyddiol hyn â'r plwyfi gan roi gofal yr holwyddori a'r hyfforddi i'r offeiriaid plwyf. Baich ychwanegol ar y clerigwyr oedd dysgu'n ddyddiol yn yr ysgolion a chwynai Deon Caerloyw, yn 1710, fod un offeiriad yn yr Esgobaeth yn ei chael hi'n anodd ac anghyfleus i ddysgu 85 o blant oedd dan ei ofal.[17] Cyflogwyd athrawon ychwanegol at y gwaith, sef aelodau o Eglwys Loegr. Prin iawn oedd yr hyfforddiant; dwy elfen oedd yn hanfodol sef cymeriad dilychwin a bywyd bucheddol crefyddol, hynny yw, teyrngarwch i'r Eglwys. Ar lawr y dosbarth rhoddwyd pwyslais ar gatecism yr Eglwys, dysgu darllen a'r pwyslais ar baratoi'r plant ar gyfer galwedigaeth trwy roi hyfforddiant mewn amryfal feysydd megis nyddu, gwnïo, gweu, garddio a thrin y tir. Er i'r Dr Daniel Waterland (1683-1740) yn ei bregeth flynyddol yn 1723 annog y Gymdeithas i agor Ysgol Uwchraddol ar gyfer hyfforddi athrawon ni wrandawyd ar ei neges.[18]

Amrywiai'r oriau dysgu yn yr haf o 7 – 11 y bore, ac 1 – 5 y pnawn, i 8 – 11 y bore ac 1 – 4 y pnawn yn y gaeaf. Roedd pob diwrnod i ddechrau a diweddu gyda gweddi ac yn llyfr gweddi swyddogol y Gymdeithas cynhwyswyd gweddi dros y Brenin a'r teulu brenhinol. Y nod oedd cadw cysylltiad clos rhwng yr ysgolion a'r eglwys blwyf trwy gymell y plant i bresenoli eu hunain yng ngwasanaethau'r Sul a'r gwyliau crefyddol.[19]

Plant rhwng 7 ac 11 oed oedd y rhelyw ond dan rai amgylchiadau roedd plant hyd 14 oed yn derbyn addysg yn yr ysgolion. Pedair blynedd oedd y cwrs gan amlaf a'r prif amcan oedd dysgu darllen – dysgu'r sgil o ddarllen i ddechrau cyn symud ymlaen i ddarllen y Testament Newydd a'r Salmau ac yna'r Beibl i gyd, dysgu ysgrifennu a'r pedwerydd cam oedd rhifyddeg.[20] Roedd y pwyslais yn gyfan gwbl ar ddysgu ar dafod leferydd heb fawr o egluro na dadansoddi. Rhoddwyd pwyslais hefyd ar ddisgyblaeth ac yn llawlyfr yr athro roedd caniatâd i ddefnyddio'r gansen a diarddel plant anystywallt. Cedwid cofrestr fanwl o gamweddau'r disgyblion o dan benawdau lle rhoddid llythyren gyntaf y gair wrth ochr enw'r drwgweithredwr:

A (Absent); ₐ(Late); C (Cursing); P (Playing in Church); S (Stealing); T (Truant).

Ar ôl marwolaeth y Frenhines Anne yn 1714 edwino fu hanes yr ysgolion ac ar ôl 1727 ni cheir sôn am sefydlu mwy o ysgolion a rhesymau gwleidyddol a chrefyddol oedd yn bennaf gyfrifol am hyn. O safbwynt crefyddol bu cryn ddadlau rhwng gwahanol garfanau o'r Eglwys ar faterion diwinyddol a dyna i raddau helaeth pam y cefnodd y Gymdeithas ar yr ysgolion er mwyn osgoi rhaniadau oddi mewn i'r Eglwys. Yr un oedd yr hanes yn wleidyddol. Gorchmynnodd William Wake, Archesgob Caergaint, fod pob athro ysgol a'i ddisgyblion i weddïo'n feunyddiol dros y brenin Siôr'!. Gan mai Jacobiaid oedd y mwyafrif o'r offeiriad a'r dyngarwyr buan iawn y diflannodd eu cefnogaeth a'u nawdd. Edrychid yn ddrwgdybus ar yr ysgolion fel meithrinfeydd Jacobinaidd a chan fod y plant yn gallu darllen rhoddai hyn statws i'r haen isaf o'r gymdeithas. Ofnwyd fod addysgu'r tlodion yn mynd i gefnogi'r dybiaeth eu bod yn gwybod mwy nag y dylent a byddai darllen pamffledi a phapurau'n eu gwneud yn aelodau amlwg a blaengar yn y gymdeithas.[21]

Yn gynnar iawn felly yn Lloegr yn y ddeunawfed ganrif, canrif elusengarwch a haelioni, roedd yr awch am addysg wedi cydio yn y bobl a bu'r SPCK yn fwy na pharod i ddiwallu'r angen.

Cyfraniad Robert Raikes (1736 – 1811)[22]

Cysylltir enw'r gŵr hwn â dechreuadau'r Ysgolion Sul yn Lloegr. Dylanwadwyd ar ei flynyddoedd cynnar gan bersonoliaeth gynnes a chariadus ei fam ar y naill law a dycnwch ac ymroddiad cymdeithasol ei dad ar y llaw arall. Roedd ei dad, a oedd yn olygydd sawl wythnosolyn[23] yn feirniadol ar ddudalennau ei bapurau ac yn ymosodol a chwyrn ar fethiannau'r Llywodraeth a dwywaith bu'n rhaid iddo ymddiheuro a thalu dirwy o £40.[24] Dengys hyn ei gymeriad cryf a'i ymroddiad llwyr ac ni fu pall ar ei gondemniadau a pharhau i ymgyrchu fu ei hanes. Pan fu farw yn 1757 daeth Robert, ei fab, oedd eisoes yn brentis yn y busnes yn berchennog ac yn olygydd y *Gloucester Journal* hyd 1802.

Gwyddai Robert am gyflwr moesol a chymdeithasol ei filltir sgwâr yng Nghaerloyw gan ei fod yn ymwelydd cyson â dau garchar yn y ddinas. Yn dilyn ei ymweliadau haerai fod diweithdra ac anwybodaeth yn esgor ar ymddygiad gwrthgymdeithasol ac annuwiol.[25] Dechreuodd ar ei waith yn y carchardai trwy annog y carcharorion oedd yn medru darllen i ddysgu'r gweddill. Gwelodd, o roi llyfrau addas iddynt, eu bod yn barod i hyfforddi eu cyd-garcharorion a thrwy hynny'n gwella'u sgiliau eu hunain. Sylwodd hefyd ar nifer o blant ieuainc yn y carchar ac meddai yn ei wythnosolyn yn 1763, 'It is shocking.....to observe the progress of these little wretches have already made in villainy'.[26] Ymateb adeiladol ac ymarferol Raikes i broblem anwybodaeth a diffyg disgyblaeth a'i symbylodd yn y lle cyntaf i agor Ysgolion Sul.

Sefydlodd Raikes ei Ysgol Sul gyntaf yn Sooty Alley, yn ardal Littleworth, Caerloyw, mewn ardal o lanhawyr simneiau oedd yn enwog am ei drygioni a thor cyfraith. Mewn llythyr, 25 Tachwedd 1783, yn ateb i'r Cyrnol Richard Townley o Belfield ger Rochdale[27] myn mai ar ddamwain y cychwynnodd yr ysgolion. Cafodd ei alw ar fusnes i un o faestrefi Caerloyw a gwelodd griw o blant 'wretchedly ragged' a holodd wraig o'r ardal am eu hynt a'u helynt a'i hateb oedd eu bod fel anifeiliaid gwyllt ar hyd y strydoedd. Yn ôl y wraig bu clerigwr yn ceisio hyfforddi'r plant ar y Sul a chafodd wybodaeth ganddi am wragedd eraill oedd yn cadw ysgolion yn yr ardal. Cafodd enw pedair ac aeth i'w hannog i hyfforddi'r plant yng Nghatecism yr eglwys ar gyflog o swllt yr un. Y clerigwr oedd y Parchg Thomas Stock, Rheithor Eglwys John the Baptist, oedd hefyd yn brifathro ysgol y Gadeirlan. Mewn llythyr, 2 Chwefror 1788, cyfeiria Stock ei fod wedi cyfarfod Raikes ar ddamwain ac i'r ddau ddechrau trafod cyflwr plant yr ardal. Yn dilyn y drafodaeth aethpwyd ati'n ddiymdroi i ymgynnull naw deg o blant dan ofal pedair o wragedd i gyfarfod am ychydig oriau ar y Sul. Stock, yn rhinwedd ei swydd fel offeiriad y plwyf gymerodd arno'i hun i arolygu'r gwaith a chyfrannu at draean o'r gost.[28] Yn ôl tystiolaeth un wraig ysgolion i fechgyn yn unig oedd y rhain ar y dechrau ond yn dilyn eu llwyddiant agorwyd ysgolion i'r genethod.[29]

Roedd Raikes yn eglwyswr pybyr, yn aelod ffyddlon a gweithgar yn eglwys St Mary de Crypt a mynychai'r Gadeirlan yng Nghaerloyw yn achlysurol gyda'i gyfaill busnes, Mr James Wood, banciwr.[30] Er fod Raikes yn ddyn crefyddol, 'but not to the extent of forsaking the world' ni ellir honni ei fod a'i fryd ar arwain y plant i'r profiad eithaf o 'dröedigaeth grefyddol'. Eto i gyd, canolodd ei holl ymdrechion ar sylfaen Gristnogol, 'Spelling books, catechisms, copies of Scripture'.[31] Tanlinellwyd hyn gan dystiolaeth y rhai a fu'n ddisgyblion iddo, 'we used to learn from a reading book, the collects, Bible and Testament', a rhoddwyd lle amlwg i'r catecism yn yr hyfforddiant, 'we used to learn reading Catechisms and Answers – Mann's Catechism and Lewis's, I think'.[32]

Wrth bwyso a mesur ei gyfraniad y camsyniad a wneir yn aml yw dyrchafu'r gogwydd cymdeithasol ar draul y pwyslais crefyddol a dod i'r canlyniad mai'r amcan pennaf oedd tawelu'r strydoedd ar y Sul. Mae awduron Cymreig, sy'n trafod y cyfnod hwn, yn cyfeirio at ymgyrchoedd cymdeithasol a moesol Raikes yn unig a hynny mae'n debyg er mwyn dangos y gwahaniaeth rhyngddo ag agwedd fwy ysbrydol a dyrchafol Thomas Charles.[33] Cyfeiliornus yw'r darlun hwn gan i Raikes yn ei lythyr at y Cyrnol Townley fynegi'n glir fod yr Ysgolion Sul wedi'u sefydlu ar sylfaen Feibl-ganolog. Ond ni ellir honni ei fod ymhlith Efengylwyr amlwg diwedd y ddeunawfed ganrif ond, 'he was a religious man but for him there was not the same conviction as Wesley or Whitefield that nothing except religion mattered'.[34] Rhoddwyd cryn bwyslais ar fynychu addoliad a'r boddhad mwyaf iddo oedd gweld 'these little ragamuffins' yn ymgynnull ar gyfer y gweddïau boreol yn y Gadeirlan.[35] Cofiai Miss Priscilla Kirby fynychu'r ysgol yn y prynhawn a Mr Stock, prifathro ysgol y Gadeirlan yn ymuno â hwy i esbonio'r ysgrythurau a chroniclir atgof arall, 'after school we were taken to church, which was over at 12.30. We went to church again at 3 and after church had school till 6'.[36] Mae'n wir mai cymhellion cymdeithasol symbylodd Raikes i gychwyn yr Ysgolion Sul, ond ni ellir osgoi'r ffaith mai cwricwlwm Beiblaidd a gyflwynwyd i'r plant ynghyd ag agweddau ysbrydol addoliad ond nid oedd ias Efengyliaeth a'r pwyslais ar achub enaid wedi cydio ynddo, elfennau a esgorodd ymhellach ymlaen yn hanes y mudiad oedd y rhain.

Dulliau dysgu

O'i ymdrechion gyda phlant y tlodion yng Nghaerloyw yn ôl ei gyfaddefiad ei hun ei ddull oedd 'Botanising in human nature',[37] ac felly y bu am dair blynedd cyn poblogeiddio'i syniadau ar gloriau'i wythnosolyn. Ni ellir honni fod ganddo theori addysgol dim ond gweledigaeth ymarferol a llawer o gydymdeimlad. Ei athrylith oedd darganfod nodweddion a thueddiadau'r plant a sut y gallai apelio at hynny ym mharlyrau gwragedd oedd yn barod i roi o'u hamser i ddysgu'r plant. Angen y plentyn a'i symbylodd, nid unrhyw sustem ddiwinyddol nac ymlyniad wrth unrhyw enwad crefyddol. Y cam cyntaf, oedd derbyn y plentyn, darganfod beth oedd ei ddiddordebau a dangos parch a chydymdeimlad tuag ato.

Gwyddai'n dda sut i ennyn diddordeb ac ymateb i chwilfrydedd plentyn – roedd yn athro wrth reddf. Defnyddiodd stori Joseff o'r Hen Destament gan uniaethu Joseff, y bachgen tlawd, â chyflwr y plant oedd o'i gwmpas.[38] Taniodd eu chwilfrydedd trwy ddefnyddio grymoedd magnetau i fagneteiddio nodwydd a allai ddenu nodwydd arall ati a chrynhoi neges Gristnogol i'r plant yr un pryd.[39] Llwyddodd i ennyn parch y plant, 'Instead of running out of church as though released from a situation of the most painful restraint, you will see them waiting for my leaving my seat, and then crowding around me as though I had loaves and fishes to distribute.'[40] Nid oedd terfyn ar ei ddyfeisgarwch a'i gymhelliant a chyplysid hyn â'i bersonoliaeth radlon a chynnes, nodweddion oedd yn amlwg, hefyd, yng nghymeriad Thomas Charles.

Blaenoriaeth Raikes oedd cael y plant i ddarllen. Hyd ganol y bedwaredd ganrif ar bymtheg un dull yn unig a ddefnyddid i ddysgu darllen sef dysgu'r wyddor a'r gwahanol sŵn a roddwyd i bob llythyren. Gwelwyd bod y dull yn anfoddhaol e.e. b-a-d (be-ay-de) ac mai gwell fyddai defnyddio'r dull ffonig b-a-d. Yn ei *Sunday Scholar's Companion* a gyhoeddwyd yn 1786 yn dilyn yr wyddor mae tabl 'of easy words, much used, of one syllable,'[41] sy'n eiriau Beiblaidd i gyd ac o'u cynnwys yn ganllaw i'r plentyn i ymgyfarwyddo â geiriau'r Ysgrythurau. Yn dilyn y geiriau syml ceir paragraffau o eiriau unsillafog,

And it came to pass when we came to the inn, that we opened our sacks, and behold every man's money was in the mouth of his sack, our money in full weight: and we have brought it again in our hand.[42]

Yn dilyn yr adran o eiriau tair sill a mwy e.e. O-be-di-ent; Trans-gres-sion, ceir tair adran arall sef Catecism yr Eglwys, cyngor i blant ar weddi, a rhybudd i beidio â rhegi a thyngu.[43] Yr adran fwyaf diddorol o'r holl waith yw'r Catecism, o waith Raikes ei hun, sy'n delio â chwestiynau ar y gred yn Nuw a sut y gellir profi fod Duw yn bod, sy'n gysyniadau anodd ac astrus ond efallai bod eu hadrodd o Sul i Sul yn sicr o aros yng nghof y plant am weddill eu hoes.

Yn sicr byddai'r brawddegau unsillafog o'r rhan gyntaf o'r gyfrol 'God is Love', 'God of Truth', a 'A Just God', o'u hadrodd yn gyson yn sicr o ddod yn wirioneddau byw ym mywydau'r plant ar ôl iddynt dyfu i fyny. Credai'n angerddol, 'Religion must wait on improved education among the masses before we shall be able to make much advance; - but religion and education must go together.'[44] Yr hyn a nodweddai ei Ysgolion Sul oedd eu cynhesrwydd, gan fod digon o hyfforddwyr ar gael i rannu'r plant i ddosbarthiadau bychain er mwyn rhoi sylw manwl i bob un.[45] Aeth ymhellach na hyn trwy ddefnyddio'r dull monitoraidd lle roedd y plant hynaf yn cynorthwyo'r rhai ieuengaf – dull a ddefnyddid ymhellach ymlaen yn ysgolion dyddiol y Gymdeithas Frutanaidd a Thramor, a sefydlwyd gan y Crynwr Joseph Lancaster (1778 – 1838) yn 1808 a'r llall, y Gymdeithas Genedlaethol er Hyrwyddo Addysg y Tlodion yn Egwyddorion yr Eglwys Sefydledig, a sefydlwyd gan y clerigwr Andrew Bell (1753 – 1832) yn 1811. Byddai pob dosbarth yn cael ei rannu i bedwar grŵp gyda monitor ym mhob grŵp yn dysgu'r plant i ddarllen a sillafu.[46]

Rhoddai bwyslais ar yr unigolyn i'r graddau y byddai'n ymweld â chartrefi a theuluoedd i holi am ymddygiad y plant ar yr aelwyd a hefyd i gynghori a chynorthwyo'r rhieni.[47] Rhoddodd le blaenllaw a chanolog i'r rhieni o'r cychwyn:

> Mr Raikes soon began to make known his intentions to the parents, and without much difficulty obtained their consent that their children should meet him at the early service performed in the cathedral on a Sunday morning.[48]

Mae'n amlwg fod y berthynas rhyngddo â'r rhieni wedi talu ar ei chanfed gan iddo dderbyn eu canmoliaeth droeon am drawsnewid ymddygiad eu plant.[49] Nid tasg hawdd oedd iddo ymweld â'r cartrefi. Efallai y byddai wedi cael mwy o groeso petai'n glerigwr, ond llwyddodd oherwydd ei frwdfrydedd, hynawsedd ei bersonoliaeth a'i ymroddiad i roi o'i orau i'r plant. Doedd dim amheuaeth felly nad oedd y golygydd papur newydd yn athro, ysgogydd a chynhaliwr wrth reddf.

Edrycher ar drefn yr Ysgolion Sul. Dyma gofnod o weithgaredd un Ysgol Sul ond mae'n rhaid cofio bod y rhain yn amrywio'n fawr. Byddai'r plant yn cyrraedd oddeutu deg o'r gloch ac yn aros am ddwy awr; yna'n mynd adref dros ginio a dychwelyd am un o'r gloch. Ar ôl darllen llith o'r Beibl byddai'r plant yn cael eu harwain i'r eglwys ac ar ôl i'r gwasanaeth ddirwyn i ben byddai'r plant yn dychwelyd i'r ysgol i ail adrodd y catecism tan oddeutu 5:30. Yna cael eu gollwng gyda siars i fynd adref yn dawel a pheidio â chwarae a chamymddwyn ar y strydoedd.[50]

Dyma enghraifft arall:

8.30a.m.:	Assembly 'with clean hands and face and hair combed.'
8.45:	Roll call.
9.00:	Morning hymn. Prayer. Collect, followed by Reading and Spelling
10.00:	Catechism – all children to stand round room and 'repeat with a loud and distinct voice'.

10.25:	Church – 'orderly and quietly to take their respective seats' – children who can read to take a Prayer book. Dismissal.
1.30p.m.:	Assembly – Reading and Spelling.
2.30:	Church. After service, return to schoolroom for evening hymn and Dismissal.[51]

Diwrnod llawn oedd y Sul i'r plant gydag ystod eang o weithgareddau yn amrywio o sillafu, darllen a chateceisio i ganu, gweddïo ac ymgynnull mewn oedfa. Gellir edrych yn unllygeidiog ar hyn fel ffordd o'u cadw oddi ar y strydoedd ond roedd, hefyd, yn rhoi sylfaen, trefn a phwrpas i'w bywydau gan gofio eu cefndiroedd.

Trwy dudalennau'r *Gloucester Journal* cyhoeddai ei syniadau a'i argymhellion a hynny i gynulleidfa ehangach o ddyngarwyr cyffelyb. Defnyddiai'r wasg hefyd i gyhoeddi llyfrau, llyfrau sillafu a llyfrau eraill perthnasol ar gyfer gwaith yr ysgolion Sul fel y cyhoeddodd gyfrol yn 1794 yn dwyn y teitl hirfaith, *The Sunday Scholar's Companion: Consisting of Scripture Sentences, disposed in such order, As will quickly ground Young Learners in the Fundamental Doctrines of our most Holy Religion: And at the same time head them pleasantly on from Single and Easy to Compound and Difficult Words.*[52] Dylid nodi hefyd ei fod yn talu o'i boced ei hun i'r athrawon, sef swllt y dydd a dau swllt ychwanegol i athrawon mewn ardaloedd difreintiedig ac yn ôl pob tystiolaeth roedd yr athrawon yn ddigon hapus â'r drefn.[53] Sut bynnag y cloriannir ei gyfraniad bu'n ddylanwadol ledled Lloegr ac yn symbyliad i arweinwyr craff yng Nghymru fel y gwelwn yn y penodau dilynol. Mae'n amlwg ei fod yn ymwybodol o'r hyn oedd yn digwydd yng Nghymru gan iddo gynnwys teyrnged i Madam Bevan, pan fu farw yn 1779,[54] ac ymwelodd â Merthyr dan wahoddiad Robert Crawshay, pennaeth y gwaith haearn, i sefydlu Ysgol Sul yn Georgetown.[55]

Wrth grynhoi ei gyfraniad daw yn amlwg y tebygrwydd oedd rhyngddo â Thomas Charles o safbwynt ei bersonoliaeth radlon a chynnes, ei berthynas â'r plant a'r modd y byddai, fel Charles, yn ymweld â'r rhieni ar eu haelwydydd. I'r ddau, fel ei gilydd, cyfeillgarwch ac ymddiriedaeth oedd sylfeini gwaelodol yr Ysgolion Sul. Mor debyg, hefyd, oedd y dulliau dysgu; rhoddwyd y Beibl yn y canol a pharatowyd llyfrau sillafu a dysgu darllen wedi'u sylfaenu ar eiriau ac ymadroddion Beiblaidd. Paratôdd y ddau gatecismau penodol ar gyfer y dosbarthiadau a rhoddwyd yn hael, o'u pocedi eu hunain, gyflog teilwng i'r athrawon. Bu'r ddau yn dawedog ar y cychwyn i beidio â phoblogeiddio'r Ysgolion Sul; disgwyliwyd am gyfnod i weld arwyddocâd y datblygiadau a'r cynnydd. Ond roedd un gwahaniaeth sylfaenol; ymatebodd Charles i'r cyfnewidiadau meddyliol, crefyddol a chymdeithasol oedd ar gerdded drwy'r wlad trwy eu cysylltu dan gochl Efengyliaeth.

Mae'n anodd derbyn dadl Laqueur pan ddywed fod yr Ysgolion Sul yn Lloegr yn y cyfnod cynnar hwn wedi codi 'in part at least, as indigenous institutions of the working-class community rather than an imposition on it from the outside'.[56] Ym marn Dick, sy'n nes ati, 'Generally Sunday Schools were promoted and staffed by individuals from social classes which were higher than those of the Scholars who attended them and exposing an ideology which attached the allegedly depraved behaviour and radical inclinations of the poor.'[57] Cyfraniad pennaf Raikes oedd poblogeiddio dylanwad yr Ysgolion Sul ar y gymdeithas gan ddangos eu cyfraniad a'u rhagoriaethau trwy erthyglau golygyddol ei bapur newydd – hwn oedd ei bulpud.

Hyd y gellir olrhain doedd dim dyhead gan yr enwadau crefyddol i sefydlu a threfnu rhwydwaith o Ysgolion Sul. Yn ôl Cliff (1986), nid oes cofnod gan na Synod nag unrhyw bwyllgor enwadol arall ym mlynyddoedd olaf y ddeunawfed ganrif am addysg bellach o unrhyw fath heb sôn am addysg grefyddol.[58] Gwyddys beth oedd barn Samuel Horseley (1733 – 1806), Esgob Rochester, pan ddywedodd fod Ysgolion Sul, 'in many instances.....channels for the diffusion of bad principles religious and political'.[59] Ni ellir dweud 'chwaith fod yr Ysgolion Sul yn ddymuniad gan addysgwyr y cyfnod. Yr ymgais addysgol olaf oedd 'Mudiad yr Ysgolion Elusennol' ond bu'r sefyllfa economaidd a chymdeithasol yn rhwystr i sawl rhiant i anfon eu plant i'r ysgolion. Ar y cychwyn mudiad Anglicanaidd oedd hwn a'i bwrpas yn ddigon teilwng i agor ysgolion ar gyfer y tlodion gyda'r bwriad o hybu glanweithdra, synnwyr o wedduster, parch a chyfrannu ychydig wybodaeth am gynnwys y Beibl ond erbyn dechrau'r ddeunawfed ganrif roedd y mudiad wedi dechrau edwino.[60]

Nid oedd y gwleidyddion hwythau wedi dangos diddordeb ysol yn addysg y cyhoedd. I'r Llywodraeth bryd hynny y plwyf oedd yr uned sylfaenol – y bonheddwyr a'r offeiriaid oedd yn ymgynnull i gynrychioli'r 'fainc' a phan gychwynnodd rhwydwaith yr Ysgolion Sul anelwyd rhan o'r ymgyrch at fainc yr ynadon er mwyn cael eu cefnogaeth i greu cyfraith a threfn. Dyna, mae'n debyg, a symbylodd y Cyrnol Richard Townley, yr ynad o Rochdale, i lythyru â Raikes i gael mwy o wybodaeth tra'r un pryd yn annog ei gyd ynadon am gefnogaeth.[61] Cyhoeddodd Thomas Paine (1737-1809) *The Rights of Man* (1791) a'i weledigaeth o gymdeithas aruchel:

when it shall be said by any country in the world my poor are happy, neither ignorance nor distress is to be found among them; my jails are empty of prisoners, my streets of beggars, the aged are not in want, the taxes are not oppressive, the rational world is my friend, because I am a friend of happiness: when these things can be said, then my country can boast its constitution and its government.[62]

Dechreuodd yr ynadon ofni 'the power of readership' oedd ar gynnydd drwy'r wlad. Yn wir roedd Pitt yn barod i hyrwyddo mesur drwy'r Senedd gyda'r bwriad o ddileu'r Ysgolion Sul gan mai ynddynt roedd y werin yn dysgu darllen.[63] Ond pan welwyd eu bod yn hybu cyfraith a threfn a bod eu cynnal ar y Sul yn fwy economaidd nag unrhyw fath arall o ysgol ar gyfer y tlodion dechreuodd y gwleidyddion eu cefnogi.

Ni ellir dweud fod y diwydianwyr ar y cychwyn, yn barod i'w cefnogi. Byddai treulio cyfnod mewn ysgol yn gwbl groes i ddyheadau diwydianwyr oedd â'u bryd ar ddefnyddio plant o oedran ifanc i weithio am gyflogau isel ac oriau meithion.[64] Ond os oedd rhaid i'r plant gael addysg y Sul oedd y diwrnod delfrydol, sef y dydd yr oedd y Sabathyddion am ei gadw'n sanctaidd. Gan fod y drefn o'u cynnal ar y Sul yn plesio'r Sabathyddion daeth llawer o ddiwydianwyr maes o law i'w cefnogi.[65]

Mewn ymchwil ddadlennol mae'r Ffrancwr Èmile Durkheim (1858 – 1917) yn olrhain niferoedd hunanladdiad ymysg Protestaniaid a Phabyddion. Daw i'r farn fod gwead cymdeithasol cryfach ymhlith y Pabyddion a hynny'n esgor ar lai o hunanladdiadau yn eu plith o'i gymharu â'r Protestaniaid. Roedd y cysyniad o 'anghyfraith' yn codi o'r newidiadau cymdeithasol sydyn oedd yn digwydd o fewn cymdeithas ddiwydiannol pan oedd bywydau unigolion wedi'u troi ben i waered a'r cyfarwydd yn gwegian. Bryd hynny, yn ei farn ef, byddai pobl yn chwilio am ffyrdd ymwared, naill ai trwy ormesu neu ffyrdd eraill megis tor-cyfraith, gor-yfed, unrhyw ffurf ar bleser neu trwy ddal gafael mewn rhyw achos cymdeithasol boed grefyddol neu led-grefyddol ac ym marn Durkheim ni all dyn fyw yn hir heb geisio rhoi trefn ac ystyr i'w fywyd.[66] Roedd y rhod yn dechrau troi'n araf a'r ymwybyddiaeth o gyfraniad a llwyddiant ymgyrch yr Ysgol Sul yn amlygu'i hun. Llwyddodd i sefydlogi cymdeithas a rhoi nod, ystyr a gwerth ar fywydau unigolion.

O dipyn i beth lledaenodd syniadau Raikes i wahanol ardaloedd ond yn ffrwtian dan yr wyneb roedd gwrthwynebiad a drwgdeimlad nid yn unig o du'r clerigwyr a'r gwleidyddion ond hefyd oddi wrth aelodau o'r gymdeithas oedd yn elwa fwyaf ar gyfraniad yr ysgolion. Gellir crynhoi'r atgasedd hwn yn nigwyddiadau pentref bach, Blagdon, ym mryniau'r Mendips, Gwlad yr Haf. Yma llafuriodd Hannah More (1745 – 1833) ac am dair blynedd ddirdynnol, rhwng 1800 ac 1803, parhaodd anghydfod rhyngddi hi a'r curad, y Parchg Thomas Bere ar sail tueddiadau Methodistaidd un o'i hathrawon, Henry Young.[67] Pan ddaeth yr hanes i glustiau'r Wasg yn Llundain, chwyddwyd yr achos y tu hwnt i bob rheswm i gynnwys nifer o ffactorau eraill megis y frwydr rhwng yr Eglwys a Methodistiaeth, a'r dybiaeth fod yr Ysgolion Sul yn feithrinfeydd Jacobiniaeth.[68] Yn sgil hyn codwyd y cwestiwn a ddylid dysgu'r haen isaf o gymdeithas o gwbl; cwestiwn yn sicr a boenai'r arweinyddion Eglwysig. Unwaith eto ni fu esgob Rochester yn fyr o draethu'n huawdl, 'New conventicles have been opened in great numbers and congregations formed of one knows not what denomination... Sunday schools are opened in connection with these conventicles... The Jacobins of this country are I fear making a toll of Methodism.'[69] Craidd y cyhuddiad oedd fod a wnelo'r Chwyldro Ffrengig mewn ffordd anuniongyrchol â'r Ysgolion Sul gan fod copïau clawr papur o'r *Rights of Man* Tom Paine yn cael eu ddarllen gan y werin a'r cwestiwn hollbwysig oedd pwy oedd yn gyfrifol fod y dosbarth hwn yn gallu darllen o gwbl? Yr unig ateb oedd yr Ysgolion Sul.[70] Yn hanes Hannah More bu beirniadaeth ddidrugaredd ar ei hymgyrchoedd ac edrychid ar ei hysgolion, nad oeddynt dan reolaeth lem Anglicaniaeth, fel cadarnleoedd i hybu Methodistiaeth a Jacobiniaeth a dybid bryd hynny eu bod yn mynd law yn llaw. Safai More ei hun dan gondemniad; yn ei geiriau ei hun cafodd ei chyhuddo o 'sedition, disaffection and a general aim to corrupt the principles of the community'.[71] Y rhyfeddod pennaf yn yr anghydfod hwn oedd ymyrraeth ffermwyr lleol yn y frwydr ac yn eu barn hwy nid oedd yr ardal wedi ffynnu 'since religion had been brought into it by the monks of Glastonbury'.[72] Nid rhyfedd i More ysgrifennu o'i phrofiad yn y *Sunday School* am hanes y ffermwr Hoskins yn bytheirio, 'of all the foolish inventions, and new fangled devices to ruin the country, that of teaching the poor to read is the very worst'.[73]

Cymdeithas Ysgolion Sul

Er gwaetha'r cyhuddiadau a thrwy ymgyrchoedd diflino Raikes ac agweddau gobeithiol cymdeithasol, cynyddu wnaeth y mudiad ac yn 1785 sefydlwyd 'The Society for the Support and Encouragement of Sunday Schools'. William Fox, masnachwr cyfoethog o Fedyddiwr, oedd ysgogydd y gymdeithas hon. Teithiodd Loegr benbaladr a gwelodd gyni a thlodi enfawr, yn enwedig ymysg plant ac ieuenctid. Ar ei deithiau, gwelodd ardaloedd cyfain heb Feiblau na'r gallu i'w darllen.[74] Gwyddai, o'r cychwyn, nad ymgyrch i unigolyn oedd hon ac mewn cyfarfod o Gymdeithas y Bedyddwyr yn Llundain rhannodd ei weledigaeth. Sefydlwyd pwyllgor ac addewid o arian a dechreuwyd arni i feddwl am ysgolion dyddiol ar gynllun yr ysgolion elusennol. Yn dilyn y cyfarfod hwn clywodd am waith Raikes yng Nghaerloyw. Bu gohebu rhwng y ddau ac ar 7 Medi 1785 (neu 21 Medi yn ôl adroddiad arall) mewn cyfarfod o Fedyddwyr a chyfeillion Efengylaidd eraill ffurfiwyd Cymdeithas yr Ysgolion Sul i gefnogi a hybu ysgolion mewn gwahanol siroedd yn Lloegr.[75] Bellach roedd cymdeithas wedi'i ffurfio ond yn bwysicach roedd grymusterau Efengyliaeth, sef y pwyslais ar genhadu ac addysgu yn gefn i'r gweithgareddau. Roedd amcanion y Gymdeithas yn glir:

> To prevent vice to encourage industry and virtue – to dispel the darkness of ignorance – to diffuse the light of knowledge – to bring men cheerfully to submit to their stations – to obey the laws of God and their country – to lead them in the pleasant paths of religion here, and to endeavour to prepare them for a glorious eternity.[76]

Pam y newidiodd Fox ei feddwl ynglŷn â'i syniad gwreiddiol o agor ysgolion dyddiol? Wynebai dri anhawster – ariannu'r ysgolion am wythnos, prinder athrawon ac amddifadu'r plant o'r ychydig geiniogau a gawsant yn y ffatrïoedd a mannau cyffelyb. Gwelodd fod cynllun Raikes yn fwy ymarferol – ychydig oriau o addysg ar y Sul tra byddai'r plant yn parhau â'u gorchwylion beunyddiol yn ystod yr wythnos. Gwyddai fod cynllun Raikes yn llai uchelgeisiol ond yn fwy ymarferol ac eisoes wedi profi cryn ragoriaeth. Mae'n bwysig sylwi nad sefydlu Ysgolion Sul oedd bwriad y gymdeithas ond yn hytrach bwriad ymarferol a materol sef codi arian i hybu a chefnogi'r gwaith trwy brynu Beiblau, Testamentau a llyfrau sillafu.[77] Ym marn K.T. Brown, roedd y Gymdeithas wedi dechrau chwythu ei phlwc erbyn 1800, pan sianelwyd yr ymgyrchoedd yn ormodol dan faner Efengyliaeth 'for its own ends'[78] ac ym marn W.H. Groser fu'n ysgrifennydd y Gymdeithas am rai blynyddoedd, ni fu'n ddigon hyblyg a dal i lusgo ymlaen fu ei hanes hyd ganol y ganrif ac erbyn hynny nid oedd modd gwahaniaethu rhyngddi ag Undeb yr Ysgolion Sul.[79]

Er nad oedd ysgolion Raikes yn enwadol gaeth, eto i gyd roeddynt wedi'u sylfaenu ar waddol Anglicanaidd yr Eglwys Sefydledig. Ond bellach, gydag anghydffurfiwr Bedyddiedig o dras Fox yn flaenllaw yng ngwaith y gymdeithas, roedd hwn yn gyfle i sefydlu Ysgolion Sul ymhlith enwadau eraill. Gan gofio dylanwad haearnaidd yr Eglwys Sefydledig a chofio fod Ymneilltuaeth yn ei babandod, syndod yw gweld nad oedd gan yr Eglwys gymaint â hynny o awdurdod. Gellir olrhain hyn i'r ffaith nad oedd addysg yn gyfan gwbl ynghlwm wrth yr Eglwys Sefydledig a'i fod mewn difri yn elusen yn llaw dynion cyfoethog. Fel y gwelwyd droeon, nid oedd addysgu o ddiddordeb ysol i'r clerigwyr[80] ond mae'n wir dweud fod yr Eglwys wedi cymryd mwy o ddiddordeb wedi i'r Gymdeithas gael ei sefydlu.[81]

Dynion busnes oedd aelodau'r Gymdeithas ac os oedd aelodau o'r Eglwys Sefydledig yn eu plith, lleygwyr oeddynt nad oedd a wnelo fawr ddim â threfniadaeth eglwysig na phwyslais enwadol. Petai'r gymdeithas wedi'i rhedeg gan arweinwyr eglwysig dichon y byddai'n stori wahanol! Yng nghyd-destun y gymdeithas mae'n werth nodi nad oedd ym mwriad Fox na'i gyd aelodau i ddyrchafu'r tlodion uwchlaw eu safleoedd.[82] Yn wir credai Esgob Llundain yn 1803, ei fod yn rheitiach i'r llywodraeth a'r Eglwys adael i'r haenau isaf aros yn eu stad o anwybodaeth lle roedd natur wedi'u gosod yn y lle cyntaf.[83] Nodau seciwlar, i raddau helaeth, oedd nodau'r Gymdeithas ar y cychwyn sef dysgu'r plant i ddarllen a'u gwneud yn aelodau defnyddiol o'r gymdeithas gan ddiwygio eu moesoldeb yn y gobaith o leihau'r drwg weithredu.

Nid oedd unrhyw sawr crefyddol ar y gweithgareddau ar y cychwyn ond o dipyn i beth pwysleisiwyd amcanion mwy crefyddol a daeth cadw'r Saboth yn un o'r hanfodion. Mewn llythyr at glerigwyr Esgobaeth Caer, mae'r llythyrwr yn annog cefnogaeth i'r Ysgolion Sul 'to train them up in the nurture and admonition of the Lord'.[84] Yn raddol daeth mwy o bwyslais ar yr elfen grefyddol a chawn yn y gyfrol *Hints to Sunday School Teachers* mai'r bwriad 'should undoubtedly be to show the children their lost condition by nature, their consequent need of a Saviour......'[85] Ond o ddadansoddi rheolau Ysgol Sul Fethodistaidd yr Octagon[86] yng Nghaer, ac Ysgolion Sul cyd enwadol Birmingham,[87] nid oes nemor gyfeiriad at nodweddion crefyddol. Yn hytrach mae'r cyfan wedi'i sylfaenu ar reolau materol, moesol a chymdeithasol. Nid oes cyfeiriad chwaith at yr elfennau crefyddol yng ngwaith William Morton Pitt (1789) ond yr hyn a geir yw manylion ar gyflogau athrawon, y dulliau o ddosbarthu'r plant yn ôl eu cynnydd a'r pwyslais ar lanweithdra.[88]

Ni chynhelid yr ysgolion hyn mewn 'mannau' crefyddol. Cynhaliwyd y mwyafrif o ysgolion yng nghartrefi'r athrawon neu mewn adeiladau cyfagos, llofft stabl yn Reading, hen grochendy yn Congleton, hen theatr yn Birmingham a ffatrïoedd oedd ar gau dros y Saboth.[89] Mae'n wir fod rhai ysgolion yn cael eu cynnal mewn adeiladau eglwysig ond prin fod hyn yn ymarferol gan fod nifer y plant yn cynyddu ac amseroedd oedfa/Ysgol Sul yn amrywio a hefyd anodd oedd i sawl cynulleidfa ddygymod â natur afreolus llawer o'r plant.[90]

Ond buan iawn y daeth tro ar fyd ac, ar ôl ymgynghori â Raikes, penderfynodd y Frenhines Charlotte sefydlu Ysgol Sul yn Windsor a datgelodd ei bod yn eiddigeddus o'r rhai oedd yn dysgu yn yr ysgolion.[91] Hwn oedd y trobwynt pan benderfynodd roi hawl i'w merched ei hun i ymgymryd â'r dasg o addysgu. O'r amser hwnnw daeth dysgu yn yr Ysgolion Sul yn weithred ffasiynol i'r rhai hynny oedd wedi cael ychydig o addysg a bu hyn yn ei dro yn foddion i wella'r ddarpariaeth i'r plant a phenderfynwyd dileu'r tâl i'r athrawon. Bellach roedd sêl y goron ar weithgareddau'r ysgolion!

Ni ellir anwybyddu cysylltiad y Gymdeithas â Chymru. Blwyddyn ar ôl ei sefydlu daeth y Dr. Edward Williams, Rotherham ar ei gofyn am gymorth ariannol i sefydlu Ysgolion Sul yng Nghroesoswallt ar y dechrau ac yna ymlaen i Ogledd Cymru. Ni fu'n llwyddiannus, gan nad oedd rheolau'r Gymdeithas, bryd hynny'n cynnwys Cymru ond bu Henry Thornton, trysorydd y Gymdeithas yn fwy na pharod i'w gynorthwyo i sefydlu 'a few Sunday Schools at his private expence'.[92]

Ddwy flynedd yn ddiweddarach, 11 Gorffennaf 1798, mewn cyfarfod o'r Gymdeithas penderfynwyd cynnwys Cymru yn rhan o'r cyfansoddiad. Eisoes roedd Thomas Charles wedi apelio am nawdd i sefydlu a chynnal ei Ysgolion Sul ac yn y cyfarfod hwnnw penderfynwyd rhoi nawdd ariannol a'r un pryd ei godi'n asiant i'r Gymdeithas yng Nghymru.[93] Agorwyd y llifddorau, a chyn diwedd y flwyddyn pregethodd y Parchg John Shepherd, oedd yn cyd-oesi â Charles yn Rhydychen, ddwy bregeth yn St Mary Woolnoth, Stryd Lambard a chasglwyd £40 at waith yr Ysgolion Sul yng Nghymru.[94] Yn ei lythyr cyntaf at y Gymdeithas, ar ôl ei benodiad, mae Charles yn mynd rhagddo i gydnabod yr haelioni a bod eisoes hanner cant o Ysgolion Sul ym Môn ac Arfon 'and new ones are rising up every week'.[95] Mae'n amlwg fod y gynhaliaeth ariannol wedi sbarduno Charles gan mai hyn fu'n gyfrifol am y brwdfrydedd â'r sêl newydd gan y cynyddodd yr Ysgolion Sul yng Nghymru o'r cyfnod hwn ymlaen a bellach roedd Beiblau a deunyddiau ategol o fewn cyrraedd yr ysgolion.

Undeb yr Ysgolion Sul

Cyn mynd ati i bwyso a mesur datblygiad a chyfraniad yr 'Undeb' mae'n werth ymdrin yn fyr â'r cefndir politicaidd. Daeth effaith y Chwyldro Ffrengig ar yr Ysgolion Sul cynnar trwy gyhoeddiadau clawr meddal o gyfrol Thomas

Paine *The Rights of Man*. Un peth oedd i fonedd y wlad ddarllen y gyfrol, gan nad oedd dyhead yn eu calonnau hwy i newid cwrs y wlad, ond peth cwbl wahanol oedd i aelodau'r dosbarth gweithiol ei darllen. Yr Ysgolion Sul oedd yn gyfrifol bod yr haen hon o gymdeithas yn gallu darllen; hwy ym marn R. D. Altick oedd 'agencies of working class education'.[96] Cododd y sefydliad fel un i rwystro cydsafiad gyda'r tlodion yn Ffrainc. Ceisiodd Pitt ddiddymu gwaith Paine a chyhoeddodd y brenin Ddatganiad yn erbyn llenyddiaeth wrthryfelgar a dechreuodd yr Eglwys Sefydledig bellhau oddi wrth Ysgolion Sul cyd-enwadol a chynnal eu hysgolion Sul eu hunain.

Yn dilyn yr ymosodiadau hyn roedd dyfodol yr Ysgolion Sul yn y fantol. Gwyddys eisoes ei fod ym mwriad Pitt i ddiddymu'r Ysgolion Sul ond roedd wedi'i gornelu. Yn dilyn y Ddeddf Uno anodd fyddai iddo ofyn am ryddfreiniad Pabyddol ar y naill law a chyfyngu ar oddefiad Anghydffurfiaeth ar y llaw arall. Ar ôl diddymu'r Mesur cododd gwynt dan hwyliau'r ysgolion unwaith eto pan gynhaliodd triawd o athrawon Efengylaidd yn ardal Llundain gyfarfod i drafod y dulliau dysgu yn yr ysgolion.[97] Yn ysgoldy Surrey Chapel, ar y 13 Gorffennaf 1803, ffurfiwyd Undeb gyda thri amcan mewn golwg sef ysgogi a chefnogi, cydweithio ag athrawon ac agor ysgolion newydd trwy berswâd a chefnogaeth bersonol.[98]

Codwyd pwyllgor gyda William Brodie Gurney (1775 – 1855), dyngarwr a chyd-olygydd *The Youth's Magazine* yn ysgrifennydd a William Marriott athro Ysgol Sul yn Bethnal Green, yn drysorydd a phenderfynwyd ar gyfansoddiad syml sef codi aelodau o blith swyddogion ac athrawon Ysgolion Sul Protestannaidd o bob enwad, gyda mynediad i unrhyw un trwy aelod o'r pwyllgor gyda thâl mynediad a phregeth flynyddol i'w thraddodi i godi arian at y gwaith.[99]

Cyfarfyddai'r pwyllgor yn chwarterol i drafod dulliau newydd, gwell trefniadaeth a chyfarpar addas. Yn ardal Llundain daeth tro ar fyd ym myd yr Ysgolion Sul; bellach roedd addysg ehangach yn cael ei chyflwyno gyda phwyslais ar ddarllen, ysgrifennu a rhifo. Ar y cychwyn digon petrus oedd aelodau'r Undeb yn yr awyrgylch newydd hwn ond ym Mai 1812 magwyd digon o hyder i fynd yn gyhoeddus a chynhaliwyd brecwast agored yn y New London Tavern a daeth yn agos i 200 o bobl ynghyd am 7 o'r gloch y bore.[100]

Ysgogodd y digwyddiad hwn fannau eraill i ffurfio undebau Ysgolion Sul. Yn 1813 ffurfiwyd undebau yng Nghaerfaddon, Bryste, Sir Amwythig, Sheffield, Northumberland, Durham, Frome, Essex, Stroud a Brmingham[101] a'r nod oedd ymgyrchu i ddenu mwy o blant, agor ysgolion newydd a chael mwy o athrawon teithiol i hyfforddi athrawon newydd cyn symud ymlaen i ardaloedd eraill. Bellach nid oedd ffrwyno ar y mudiad, ysai fel tân gwyllt drwy'r wlad a'r rheswm pennaf am hyn oedd y dylanwad Efengylaidd. Rhoddwyd mwy o bwyslais ar yr elfen grefyddol yn hytrach na'r elfen addysgol a daeth hyn i'r amlwg yn y pwyslais a roddwyd ar ysgrifennu. Er bod rhai ardaloedd, Leeds, Rochdale a Stockport yn eu plith, wedi rhoi bri ar ysgrifennu fel dilyniant naturiol o ddysgu darllen ond dan fantell yr Efengylwyr daeth hwn yn bwynt dadleuol o dan y pennawd 'gwaith ar y Saboth'. Bu pleidlais yng nghyngor yr Undeb a bu'n rhaid i'r Cadeirydd fwrw'i bleidlais a hynny'n erbyn ysgrifennu ar y Sul.[102] Yng nghynhadledd y Wesleaid yn 1827, ceisiwyd gwahardd ysgrifennu yn yr ysgolion am ei bod yn weithred seciwlar.[103] Ond nid dyma oedd diwedd y frwydr. Mewn rhai ysgolion, gan fod papur mor ddrud (swllt y cwîr), defnyddid rhoden haearn i ffurfio llythrennau mewn tywod. Byddai'r athro yn dangos cerdyn gyda llythyren arno a byddai'r plant yn ysgrifennu'r llythyren yn y tywod ac yn ôl pob tystiolaeth defnyddiwyd y dull hwn mewn sawl Ysgol Sul.[104] Fel roedd blynyddoedd cynnar y bedwaredd ganrif ar bymtheg yn mynd rhagddynt tyfai'r ysgolion dyddiol Cenedlaethol a Brutanaidd ac felly roedd y pwysau ar ysgrifennu'n cael ei dynnu oddi ar iau yr Ysgolion Sul. Ond mewn rhai ardaloedd, mor ddiweddar ag 1838 cawn hanes am Ysgol Sul Owenite yn Keighley yn gorymdeithio drwy'r strydoedd ar y Llungwyn yn cario baner ac arni'r geiriau 'NO SIN TO WRITE'.[105]

Eithr camgymeriad yw tybio fod yr Ysgolion Sul wedi dechrau edwino pan ddaeth yr ysgolion dyddiol i rym. Yn 1827 penodwyd Mr Joseph Reid Wilson, ysgrifennydd Undeb Newcastle, i swydd lawn amser, y gyntaf, i hybu delfrydau'r Undeb ledled Gogledd Lloegr,[106] gyda'r pwyslais ar ledaenu'r neges a chenhadu sef delfrydau amlwg Efengyliaeth.

Rhaid nodi un Undeb arall sef 'The Ragged School Union' a ddaeth i fodolaeth oherwydd bod yr Ysgolion Sul, fel yr ai'r ganrif yn ei blaen, yn dod yn fwy parchus. Mae'n wir dweud fod ysgolion o'r fath wedi bodoli cyn hyn ond daeth arweinwyr yr ysgolion hyn at ei gilydd i ffurfio Undeb a bu'r Arglwydd Shaftesbury yn flaengar yn y gwaith ac felly daeth math o ysgol i fodolaeth oedd yn gwasanaethu'r haen isaf fwyaf difreintiedig o'r gymdeithas.[107] Bellach nid oedd mynediad i'r plant oedd Raikes a'i debyg wedi eu derbyn. Mewn rhai o'r dinasoedd mawr roedd math o Ysgol Sul oedd yn barod i groesawu plant y tlodion fel ysgol John Pounds y crydd yn Portsmouth ac ysgol Thomas Cranfield y teiliwr yn Llundain.[108] Fel yng nghyfnod cynnar yr Ysgolion Sul daeth gwŷr a gwragedd at ei gilydd mewn amrywiaeth o adeiladau, 'barn-like halls, railway arches, garetts and basements,'[109] i gynnal ysgolion i blant a esgymunwyd o Ysgolion Sul mwy parchus. Bodolai'r mwyafrif o'r ysgolion hyn yn y trefydd mawrion a thyrrai plant troednoeth a charpiog i gael hyfforddiant dan amgylchiadau erchyll.[110] Ymosodai'r plant ar yr athrawon ond trwy ddyfalbarhad a sêl brwydrasant yn ddewr i rannu gwybodaeth grefyddol i'r disgyblion a hynny trwy weithgareddau megis darllen, ysgrifennu ac ychydig o rifyddeg. Ni chodid tâl ar y disgyblion ond cawsai'r athrawon gyflog am eu hymdrechion.

Ffynhonnell Cenhadu Dyngarol

Llyfrgelloedd

Ymhlith rhagoriaethau'r Undebau un nodwedd amlwg oedd cynnal gwasanaeth llyfrgell yn eu pencadlys yn Llundain i fenthyca llyfrau a hefyd i gadw cyhoeddiadau cyfeiriol ar gyfer athrawon, oedolion eraill ac ieuenctid. Byddai'r llyfrgell hon yn agored bob dydd ag eithrio'r Sul hyd ddeg o'r gloch y nos. Yn raddol datblygodd hyn i ardaloedd eraill gyda'r pencadlys yn Llundain yn cyfrannu grantiau a chyfleoedd i brynu llyfrau a rhai ohonynt am bris gostyngol. Ond gofalai'r Undeb fod pob llyfr yn cael ei archwilio'n fanwl cyn ei roi ar y silffoedd.[111] Yn gynwysedig yn y deunydd darllen ceid traethodau crefyddol, nofelau, llyfrau gwybodaeth gyffredinol a chofiannau. Erbyn 1825 roedd mannau eraill megis Grimsby [112] wedi sefydlu llyfrgell Ysgol Sul gyda thri chant o gyfrolau ar y silffoedd a rhai Ysgolion Sul â llyfrgelloedd o dros dair mil o lyfrau gydag ystafell ddarllen a llyfrgellydd.[113]

Gwasanaethau Cymdeithasol

Yn raddol datblygodd yr ysgolion yn ganolfannau dyngarol gan fod yr hen ddulliau elusengar, cymorth i'r tlodion a hyd yn oed rhwydwaith glos y cartref a'r gymuned yn dadfeilio ac yn anabl i gynnal poblogaeth gynyddol, ddiwydiannol. Amrywiai rôl yr ysgolion o weithgarwch anffurfiol, cymwynasgarwch a chymorth i fudiadau penodol ar gyfer diwallu anghenion y cleifion, y galarus a'r tlodion. Ceir enghreifftiau o athrawon a disgyblion yn casglu'n wirfoddol i gynnal unigolion fel y plentyn hwnnw yn Ysgol Sul Portsea Lake oedd yn dioddef o goes fadreddog a phlant yr ysgol yn casglu fesul dimau iddo a'r cyfanswm yn cyrraedd swm teilwng o £1. 11s. 8½d.[114] Ar raddfa wahanol cyfrannai *Bolton Parish Sunday School Sick Society*, o 2s. 4d i fyny hyd at £7. 5s yr wythnos ar fudd dâl o 1d yr wythnos.[115] Ym Manceinion cyfrannai'r *German Street Sick and Burial Society* rhwng hanner coron a phum swllt yr wythnos wedi'i sylfaenu ar gyfraniadau o 1d – 2d yr wythnos a £3. 8s i gynorthwyo gydag angladdau.[116] Yn 1798 sefydlwyd y *Birmingham New Meeting Sick Society* a dalai fudd-dal o 2s i 4s ar gyfraniadau o rhwng ½d a 1d yr wythnos ac erbyn 1834 roedd gan yr ysgol hon gyfalaf o £1,467.[117]

Erbyn 30'au'r ganrif roedd y cymdeithasau budd-daliadau wedi dod mor boblogaidd a derbyniol fel y penderfynodd y *Baptist Magazine* y dylai pob Ysgol Sul o fewn yr enwad sefydlu cymdeithas er budd ei deiliaid. Awgrymodd y cylchgrawn y byddai 1d yr wythnos yn esgor ar fudd-dal o 1s i 1s 6d yr wythnos mewn achos o salwch a 15s o gymorth ar gyfer angladd.[118]

Mewn ysgolion gyda noddwyr cyfoethog gwelid gweithgareddau elusennol llawer mwy trefnus a chydwybodol. Rhoddodd un cyfrannwr anhysbys dros 30 pâr o esgidiau i blant Ysgolion Sul Monk's Eleigh.[119] Soniodd un gweinidog gyda'r Wesleaid am y pleser a gafodd o fynd gyda chriw o fechgyn i brynu esgidiau a sanau yn siopau Nottingham.[120]

Mewn ysgolion eraill cyfrannai'r plant ½d yr wythnos gan dderbyn, yn ôl eu hymddygiad, hanner cant i gant y cant o fonws ar ddiwedd y flwyddyn. Mewn rhai Ysgolion Sul tlawd, byddai'r un drefn yn digwydd ond heb y bonws ar ddiwedd y flwyddyn. Ac mewn rhai ardaloedd byddai'r athrawon a'r plant yn casglu dillad yn y gymuned er mwyn eu rhannu i'r plant.[121]

Denu aelodau i'r Eglwysi

Wrth bwyso a mesur pa mor lwyddiannus fu'r Ysgolion Sul i ddenu a chynyddu aelodaeth y gwahanol eglwysi mae dwy farn yn bodoli. Ar y naill law ystyrir mai ymylol iawn fu'r ymdrechion fel y gwelwyd rhwng 1810 ac 1860 yn Eglwys Annibynnol Kettering, pan oedd 1,800 ar lyfrau'r Ysgol Sul eithr dim ond 150 ddaeth yn aelodau eglwysig yn ystod y cyfnod.[122] Yr un oedd yr hanes yn Undeb Ysgolion Sul Nottingham, dim ond 87 allan o 12,000 o ddisgyblion ymunodd â'r eglwys yn 1822. Roedd hyn hefyd yn wir am Ysgolion Sul â pherthynas glos ag eglwys fel ym Manceinion â mil o ddisgyblion ond dim ond ychydig dros chwarter ddaeth yn aelodau eglwysig.[123] Cadarnheir hyn gan ymchwil Laqueur pan ddywed mai rhwng 1.5% a 4% o aelodau'r Ysgolion Sul yn Lloegr ddaeth yn aelodau o gapel neu eglwys.[124]

Ym marn R. Tudur Jones am yr Ysgolion Sul yn Lloegr 'the Sunday Schools became a most efficient recruting agency for the Nonconformist churches' ac â ymlaen i ddyfynnu R. W. Dale pan ddywed fod traean, ac mewn rhai enghreifftiau, hanner y cynulleidfaoedd Annibynnol wedi tarddu o'r Ysgolion Sul rhwng 1860 ac 1890.[125] Cyfeiria Michael R. Watts at eglwysi'r Bedyddwyr a'r Annibynwyr oedd wedi esblygu o'r Ysgolion Sul.[126]

Yng Nghymru, ar y llaw arall, gan fod yr Ysgolion Sul yn cynnwys oedolion roedd y berthynas rhwng yr eglwys a'r ysgol yn gryfach.

Casgliadau

Ni ellir anwybyddu'r datblygiadau yn Lloegr gan eu bod i raddau helaeth wedi dylanwadu ar y mudiad yn Nghymru a dyna paham y crynhoir y cefndir yn y bennod hon. Llwyddodd Raikes trwy ei bapur newydd i boblogeiddio'i syniadau a bu hyn yn symbyliad i arloeswyr craff yng Nghymru, a bu Cymdeithas yr Ysgol Sul yn hael wrth Edward Williams a Thomas Charles a dylanwadodd y cenhadu dyngarol gan i arweinwyr yr ysgolion yng Nghymru ddilyn yr un patrwm. Effeithiodd y dylanwadau cynnar hyn ar nifer o Gymry a lafuriai dros y ffin. Cysylltodd William Williams, brodor o Gil-y-cwm, Sir Gaerfyrddin, oedd yn gurad yn St Genny's, Cernyw, â Thomas Charles i'w annog i sefydlu Ysgolion Sul yng Nghymru.[127] Cyhoeddodd William Richards, brodor o Sir Benfro, a dreuliodd y rhan helaethaf o'i oes gyda'r Bedyddwyr yn King's Lynn, bamffledyn dwyieithog yn erfyn ar i bob cynulleidfa sefydlu Ysgol Sul.[128] A bu i Edward Williams, Rotherham, yntau sefydlu Ysgolion Sul yng Ngogledd Cymru ar batrwm Ysgolion Sul Robert Raikes.[129] Arweinwyr eglwysi oedd y tri hyn ond dyngarwyr yn bennaf oedd lladmeryddion yr Ysgolion Sul cynnar yn Lloegr.

Y nod cychwynnol oedd tawelu'r strydoedd ar y Sul a chreu cymdeithas wâr a pharchus wedi'i sylfaenu ar ddysgeidiaeth y Beibl. Cymhelliad cymdeithasol a ysgogodd Ysgol Sul, Stockport, (un o'r Ysgolion Sul mwyaf yn y byd ar ddechrau'r bedwaredd ganrif ar bymtheg) i fynd ati i warchod y plant rhag dylanwadau drwg y gymdeithas a'r amodau gwaith o ddydd i ddydd. Crynhoir a chadarnheir hyn yng ngeiriau Sarah Trimmer, un o arloeswyr yr Ysgolion Sul yn Lloegr, pan ddywed mai pwrpas yr ysgolion oedd rhwystro'r gweision a'r morynion rhag bod yn hunanol, annheyrngar, anonest a gwastraffus a chadarnhau 'a proper sense of the duties of their station'.[130]

O ddadansoddi dulliau dysgu Raikes gwelir pa mor debyg oeddynt mewn gwirionedd i ymgyrchoedd Charles yng Nghymru. Y Beibl oedd canolbwynt y dysgu, paratowyd llyfrau sillafu a darllen yn seiliedig ar yr Ysgrythurau a chawsai'r catecism le amlwg yng ngweithgareddau'r ysgolion. Wrth i'r ysgolion ddatblygu ac ennill eu plwyf rhoddwyd pwyslais ar genhadu dyngarol a daeth yr Ysgol Sul yn gynhaliaeth i ddeiliaid anghenus y gymdeithas. Ar y cychwyn nid oedd angerdd achub enaid yn rhan o'r rhaglen yn Lloegr; ymhellach ymlaen yng ngwaith Cymdeithas yr Ysgol Sul a'r Undebau y llwyddodd Efengyliaeth i greu brwdfrydedd newydd, hybu mwy o ysgolion, cyhoeddi deunyddiau addas a chefnogi'n ariannol.

Y gwahaniaeth pennaf yng Nghymru, heblaw'r iaith, oedd sêl a gweledigaeth un dyn a lwyddodd i asio diwydrwydd yr athro a sêl yr efengylwr a pharhaodd hyn ymhell ar ôl ei farwolaeth. Y weledigaeth hon, haelioni ariannol Cymdeithas yr Ysgolion Sul a'r ffaith iddo gael ei benodi'n asiant i'r Gymdeithas fu'n symbyliad newydd i Thomas Charles. Bellach roedd ganddo rwydwaith o gefnogwyr cefnog, Efengylaidd yn Lloegr yn gefn iddo a chefnogaeth ariannol i fynd rhagddo i sefydlu ysgolion newydd a chyflenwad o Feiblau a chyfarpar ategol at y gwaith. Ni ellir anwybyddu'r datblygiadau yn Lloegr ond yr hyn sy'n rhaid ei bwysleisio yw gweledigaeth unigolyn i ddeall ac amgyffred gofynion unigryw ei genedl.

2: Braenaru'r tir yng Nghymru

'Yn Lloegr, cychwynnwyd yr Ysgolion Sul a'u cynnal gan nifer o gyfoethogion, a hynny er mwyn cadw'r tlodion mewn trefn ac ufudd-dod. Yng Nghymru, nid apeliodd y mudiad at y dosbarthau uchaf, a'r prif gymhelliad oedd dyhead y werin am addysg grefyddol.' J. J. Evans [1]

Rhagarweiniad

Olrheinir egwyddorion diwinyddol ac addysgol y cyfnod Piwritanaidd[2] er mwyn gweld ôl y braenaru a ddatblygodd yn sylfaen i fudiad yr Ysgolion Sul yng Nghymru yn ddiweddarach.

Gwreiddiwyd y ddiwinyddiaeth Biwritanaidd yn y gred Brotestannaidd o gydberthynas Duw a dyn â'r byd naturiol a hynny'n cael ei amlygu yn ei gyflawnder yn y Beibl. Sylfaen y berthynas a'r cydadwaith hwn oedd cymodi pechadur â Duw. Pwysleisiwyd y ddwy wedd sef gwaith Duw yn achub yn ei berthynas â'r greadigaeth a'i waith achubol yn prynu dyn.

Erbyn diwedd yr Oesoedd Canol esgorwyd ar ddeuoliaeth bendant a fodolai rhwng yr Eglwys a bywyd cyffredin, ffydd a rheswm, natur a gras. Arweiniodd hyn at rwyg rhwng yr elfennau crefyddol, defosiynol ar y naill law a gwaith seciwlar ar y llaw arall a bu'n foddion i greu hollt rhwng yr offeiriadaeth a'r lleygwyr. Ceisiodd Martin Luther oddiweddyd hyn gyda'i bwyslais ar 'offeiriadaeth yr holl gredinwyr' oedd yn dyrchafu a sancteiddio holl waith seciwlar y credinwyr. Sail athrawiaeth 'Cyfiawnhad trwy ffydd' oedd nad statws na swydd oedd yn gyfrifol am gyfiawnhad dyn eithr yn hytrach ei berthynas bersonol, unigryw â Duw. Gan fod Duw'n cymodi pechadur ag ef ei hun, er mwyn iddo'i wasanaethu yn ei greadigaeth, roedd y byd, bellach, yn llwyfan dyrchafol ac urddasol i bob unigolyn. Onid oedd 'Llyfr Natur' y greadigaeth yn ficrocosm o ddirgelion Duw yn ei ymwneud â'r byd yn ei gyflawnder? Agorodd hyn ddrysau newydd i archwilio dirgeledigaethau natur a gwyddoniaeth a cheisio dehongli ac amgyffred dirgelwch y cread. Golygai hyn ffordd newydd o addysgu a ffordd newydd o edrych ar y Beibl oedd yn Lawlyfr bywyd yn ei gyflawnder. Nid rhyfedd, felly, i ddylanwad Beibl William Morgan (1588) a'r 'Beibl bach'(1630) fod mor allweddol.

Mae Oliver Thomas (1598? – 1652) yn ei gyfrol *Car-wr y Cymru*, yn mynnu fod yr offeiriaid i annog eu preiddiau i brynu a darllen y Beibl, 'Chwychwi bobl hen, ac oedrannus, y rhai a esgeulasoch hyd yn hyn ymorol am dir Duw......i chwi brynu llyfrau a chwilio yr Scrythyrau gan weled mai hon yw'r ffordd a osododd Duw i chwi i gyrhaeddyd Iechydwriaeth.'[3] Llyfr i bawb oedd y Beibl; yr offeiriad a'r lleygwr, y plentyn a'r oedolyn ac felly rhaid oedd cael toreth o lyfrau defosiynol i oleuo'r Gair. Dyma ddwy egwyddor fu'n allweddol yng ngweithgareddau'r Ysgolion Sul o'r cychwyn sef y Beibl yn iaith y bobl, a law yn llaw â hyn cyhoeddi toreth o lyfrau defosiynol fyddai'n gymorth i'w ddeall a dehongli ei neges.

Yng nghanol yr ail ganrif ar bymtheg blagurodd syniadaeth addysgol newydd. Dylanwadodd athrawiaethau Pierre de la Ramée (1515 – 72),[4] Ffrancwr, a John Amos Komensky (Comenius) (1592 – 1671), esgob Morafaidd, ar Ewrop Brotestanaidd.[5] Ymosododd Ramée ar athroniaeth Aristotlaidd oedd yn ei gyfnod ef yn cael ei chofleidio gan brif ganolfannau dysg ledled Ewrop. Yn hytrach rhoddodd Ramée bwyslais ar brofiadau uniongyrchol, plentyn ganolog, yn ei ymwneud â'r byd o'i gwmpas; nid digon oedd ailadrodd syniadau meddylwyr mawr am y byd. Profiadau byw a dysgu uniongyrchol oedd craidd ei ddysgeidiaeth. Pwrpas gwybodaeth oedd ei defnyddio ar gyfer byw bob dydd ac felly nid rhywbeth ar gyfer gwybodusion ac etholedigion yn unig, roedd hi ar gyfer pawb.[6]

Neges sylfaenol Comenius oedd edrych ar wybodaeth fel unoliaeth a phwrpas addysg oedd hyfforddi plant i ganfod a gwerthfawrogi'r unoliaeth hwn. Fel Ramée pwysleisiai werth profiadau uniongyrchol fyddai'n baratoad ar gyfer bywyd. Gwrthwynebai ddysgu mecanyddol, diflas a hynny'n codi i raddau o'i brofiad personol pan oedd ef yn dysgu gramadeg Lladin dan athro oedd yn ddisgyblwr llym. Iddo ef, yn ei ddadansoddiad o'r 'Pansophia Cristnogol', roedd gwybodaeth yn y pen draw yn arwain at ddealltwriaeth o Dduw oedd yn llenwi'r holl fyd.[7] Amlygir dwy elfen arwyddocaol yng ngwaith y ddau; addysg blentyn ganolog a bod gwybodaeth yn sylfaen ar gyfer bywyd yn ei helaethrwydd ac yn agored i bawb.

Yn Chwefror 1650 pasiwyd Deddf y Taenu,[8] deddf lle trosglwyddwyd holl drefniadau'r Eglwys i ofal dau bwyllgor o Gomisiynwyr a Chymeradwywyr. Edrycher ar waith y Taenwyr yng nghyd-destun addysg. Gan fod galw am weinidogion dysgedig rhaid oedd cychwyn y broses addysgol hon gyda'r plant. Dan nawdd y ddeddf agorwyd oddeutu trigain o ysgolion ym mhrif drefi Cymru a gynhaliwyd yn ariannol gan yr Eglwys trwy gyd-ddealltwriaeth â'r Comisiynwyr.[9] Ni wyddys yn union beth oedd cynnwys eu cwricwlwm na 'chwaith beth oedd iaith y dysgu ond y tebygolrwydd oedd bod y Beibl a llenyddiaeth ddefosiynol yn cael lle ochr yn ochr â'r clasuron.[10]

Yr hyn a welir yma yw ymgais i greu cyfundrefn o ysgolion oedd yn cael eu rhedeg ar bwrs y wlad yn hytrach nag ar gyfraniadau gwirfoddolwyr.[11] Nid oedd ym mwriad y Comisiynwyr i ymyrryd yng ngweithgareddau yr ysgolion gramadeg[12] oedd wedi tyfu o ddyddiau Elizabeth a Iago I, gan eu bod wedi eu gorfodi i gydymffurfio â daliadau Piwritanaidd.[13] Yng nghyfnod yr Adferiad, buan iawn y diddymwyd yr ysgolion Piwritanaidd, ond daliai'r freuddwyd yn fyw yn yr eglwysi anghydffurfiol gan eu bod yn dal i addysgu'r plant a cheir ambell enghraifft o hyn yn digwydd trwy gyfrwng y Gymraeg yn unig.[14] Dengys y cefndir hwn ymroddiad y cyfnod cyn – Fethodistaidd ac ni ellir dibrisio llafur gwerthfawr ac egnïol y rhai fu'n paratoi'r ffordd ar gyfer Diwygwyr y ddeunawfed ganrif.

Ysgolion Sul cynnar

Yng Nghymru, fel yn Lloegr, bodolai Ysgolion Sul yma a thraw ar ddechrau'r ddeunawfed ganrif a chyn hynny. Honnai Morgan John y gof, o gylch Treforys, fod gan Eglwys Annibynnol Castell Nedd Ysgol Sul cyn gynhared â 1667[15] a'i fod wedi dysgu darllen yn Ysgol Sabothol yr Annibynwyr yn Nhŷ'r Dwncyn yng nghymdogaeth Abertawe yn 1697.[16] Cynhelid yr Ysgol Sul hon ar brynhawn Sul ar ôl yr oedfa ddau o'r gloch, i adrodd *Catecism Byrraf Cymanfa Westminster* a hefyd i ddysgu darllen a hynny'n gyfan gwbl trwy gyfrwng y Gymraeg.[17] Honnir hefyd yn *Cronicl yr Undeb* fod math o Ysgolion Sul yn cael eu cynnal yn ardal Llanfyllin o gwmpas 1720.[18] Oddeutu 1770 yn Crawlom, ger Llanidloes, cadwai Jenkin Morgan, un o athrawon Madam Bevan, ysgol ddyddiol. Gan na allai nifer o'r plant na'r oedolion fynychu'r ysgol yn ystod y dydd cychwynnodd ysgol fin nos ac yn ddiweddarach cynhaliodd ysgol ar nosweithiau Sul ac yn ôl pob tystiolaeth roedd hon yn ysgol lwyddiannus gan fod nifer helaeth o gylch pum milltir yn ei mynychu a'r plant yn gallu darllen, 'God's word in their own tongue'.[19] Bu John Roberts (Shôn Lleyn) a John Thomas, dau flaenor, yn gyfrifol am agor ysgol ym Mhwllheli 'ymron mor foreu a Robert Raikes ei hun' a hynny o gwmpas y flwyddyn 1783.[20] Cynhaliwyd yr ysgol 'nid bob Sabboth; weithiau, bob yn fis......ond ni welodd ef ei chadw yn gyson bob Sabboth'.[21] Pan ddychwelodd y Parch William Williams o Loegr i fro ei febyd yng Nghil-y-cwm ger Llanymddyfri, wedi treulio deugain mlynedd namyn tair yn gwasanaethu Eglwys Loegr, ymunodd â'i dad Rhys yng nghorlan y Methodistiaid. Yn y fro, ar aelwyd David Elias yn 1785, sefydlodd Ysgol Sul ac o'r cyfnod hwnnw ymlaen bu William, y mab, yn brysur yn agor ysgolion yn yr ardal ac mewn siroedd eraill.[22]

Ysgolion unigol oedd y rhain heb unrhyw drefn na strwythur a sefydlwyd gan bobl oedd â sêl dros yr Efengyl a'r prif wahaniaeth rhyngddynt â'r ysgolion cyffelyb yn Lloegr oedd mai crefyddwyr oeddynt yn bennaf yn gysylltiedig â mannau addoli.

Yn yr adrannau nesaf edrychir ar gymdeithasau ac unigolion fu'n flaengar eu hymroddiad i addysgu plant Cymru.

Cyfraniad 'Yr Ymddiriedolaeth Gymreig' (Welsh Trust) (1674 – 81)

Symbylydd yr Ymddiriedolaeth Gymreig oedd Thomas Gouge (1605? – 1681),[23] offeiriad a ddiarddelwyd o'i fywoliaeth yn St Sepulchre, yn Southwark. Yn dilyn Deddf Unffurfiaeth galwyd ar bob offeiriad yn Eglwys Loegr i gydymffurfio â phob agwedd o beirianwaith yr eglwys a olygai dderbyn erthyglau'r Eglwys a chynnwys y Llyfr Gweddi Gyffredin newydd. Gwrthododd Gouge dderbyn y Llyfr Gweddi newydd ac fe'i diarddelwyd. Nid oes fawr o gofnod o'i hanes yn ystod y naw mlynedd ddilynol ar wahân i'r ffaith iddo ymdrechu'n galed i weini ar y trueiniaid adeg y Pla a'r Tân Mawr yn Llundain yn 1665 – 6.[24] Penderfynodd, ar ôl darllen cofiant Joseph Alleine, a gofnodai hanes tlodi, cynni ac anwybodaeth y Cymry, dreulio gweddill ei oes yn cenhadu trwy agor ysgolion elusennol a pharatoi cyfarpar crefyddol ar eu cyfer.[25] Yn 1674, ac yntau oddeutu 69 oed, sefydlodd ymddiriedolaeth i ofalu am y gwaith o argraffu a dosbarthu llenyddiaeth grefyddol a hefyd, 'the teaching of poor Welch children to read English, write and cast Accompts in such Towns where Schools are not already erected'.[26] Dwy wedd amlwg ar waith yr Ymddiriedolaeth oedd sefydlu ysgolion a chyhoeddi cyflenwad o lyfrau. Byrhoedlog ac aneffeithiol oedd hanes yr ysgolion hyn ond bu'n fan cychwyn ymdrechion i addysgu plant y tlodion.[27] Erbyn 1674/1675 ym mhrif drefi a phlwyfi Cymru roedd 86 o ysgolion a 1,162 o blant yn derbyn hyfforddiant i ddarllen trwy gyfrwng y Saesneg. Dosbarthwyd 32 o Feiblau Cymraeg, 479 o Destamentau, 500 o *Whole Duties of Man* a 2,500 o *Practice of Piety*.[28]

Gwŷr o ddylanwad a chyfoeth oedd aelodau pwyllgor yr Ymddiriedolaeth – Llundeinwyr cefnog a hael a does dim dwywaith nad oedd y gymysgedd o bedwar anghydffurfiwr ymhlith aelodau'r pwyllgor [29] yn peri cryn bryder i'r Eglwyswyr ac o 1681, blwyddyn marwolaeth Gouge, llaciodd yr Ymddiriedolaeth ei gafael ar Gymru. Yn ystod ei ymgyrchoedd yng Nghymru bu Stephen Hughes (1622 – 88),[30] Ficer Meidrim, yn gefnogwr brwd. Yn dilyn ei ddiswyddiad priododd rywbryd oddeutu 1665, a chartrefodd yn Abertawe oedd bryd hynny'n ddinas noddfa i Biwritaniaid De Cymru yn ystod blynyddoedd yr Adferiad.[31] Cynysgaeddwyd ef â'r ddawn i bregethu'n ysgrythurol ac athrawiaethol yn null y Piwritaniaid a sylweddolodd mai un o brif anghenion ei gyd Gymry oedd cyflenwad o lyfrau ysgrythurol a defosiynol er mwyn iddynt ddysgu a deall prif egwyddorion y ffydd Gristnogol. Gyda nawdd yr Ymddiriedolaeth Gymreig llwyddodd rhwng 1672 a 1688 i argraffu cyflenwad o lyfrau ysgrythurol a defosiynol a chyhoeddwyd 86 o lyfrau Cymraeg rhwng 1670 ac 1689.[32] Aeth gam ymhellach yn ei frwdfrydedd a defnyddiodd ei gynilion personol i gyhoeddi *Tryssor i'r Cymru* (1677) a *Cyfarwydd-deb i'r Anghyfarwydd* (1677).[33] Gyda'r galw o blith y bobl am y Beibl yn Gymraeg a'i ddyhead i achub pechadur llwyddwyd i wireddu ei freuddwyd gyda chymorth Charles Edwards, ysgolor o Rydychen ac awdur *Y Ffydd Ddi-ffuant*. Bu Richard Jones, Llansannan yn ei gynorthwyo trwy gyfieithu tri o weithiau Baxter yn ogystal â *Hyfforddiadau Cristnogol* Gouge. Cyfieithodd William Jones, ficer Piwritanaidd Dinbych, ddau o weithiau Gouge sef *Gair i Bechaduriaid* a *Gair i Sainct* a hefyd *Principlau neu Bennau y Grefydd Gristnogol*. Casglodd Thomas Gouge danysgrifiadau trwy Gymru benbaladr a chyda nawdd gan garedigion yr Ymddiriedolaeth llwyddwyd i gasglu £2,000 a chaniatawyd i Stephen Hughes argraffu 8000 o gopïau o'r Beibl Cymraeg.[34] Argraffwyd hwn ar bapur o ansawdd am 4s 2d y copi ac yn ôl pob hanes dosbarthwyd mil o gopïau yn rhad ac am ddim ymhlith y tlodion.[35]

Gwahaniaethai Stephen Hughes yn fawr oddi wrth uchelgais y Sais, Thomas Gouge. Er fod G. J. Williams yn ei ddarlith ar Stephen Hughes yn datgan 'na welodd.......erioed werth y Gymraeg'[36] mae'n anodd iawn cytuno â'r farn, o gofio aruthredd ei gyfraniad ym myd cyhoeddi a'i weledigaeth addysgol, mai trwy gyfrwng mamiaith plant Cymru y gellid sefydlu cynllun addysg effeithiol. O'i brofiad yn y 1660'au yn dysgu plant i ddarllen Cymraeg yn ei ysgolion gwelodd fod polisi'r Ymddiriedolaeth o fabwysiadu'r iaith Saesneg yn rhwystr ac yn sicr o arwain at fethiant. Er mor frwdfrydig ac awyddus oedd Gouge edrychai ar Gymru fel rhan annatod o Loegr fel y gwnâi llawer un yn ei gyfnod. Angen Cymru oedd dyn o galibr a gweledigaeth Stephen Hughes a 'cham dybryd ag ef fyddai peidio â chynnwys ei enw ymhlith cymwynaswyr y Gymraeg oherwydd ni wnaeth neb fwy nag ef yn ystod "Oes yr Erlid Mawr" i estyn einioes yr iaith Gymraeg'.[37]

Tra roedd yr oedolion yn cael cyflenwad o lyfrau yn eu mamiaith, stori wahanol oedd hi yn yr ysgolion. Dysgu'r plant i ddarllen Saesneg oedd y nod ac ym marn yr Ymddiriedolaeth, arweiniai hyn y disgyblion i ddarllen, 'our English Bible, and be more serviceable to their country and to live more comfortably in the world'.[38] Byrhoedlog fu'r dylanwad hwn ar Gymru, cwta naw mlynedd, ond yn ystod y cyfnod sefydlwyd 87 o ysgolion trwy Gymru gyda'r mwyafrif ohonynt yn siroedd y De gydag ugain yn y Gogledd, 4 yn Sir Gaernarfon, yn dysgu 80 o blant, 8 yn Sir Ddinbych, yn dysgu 230 o blant, 7 yn Sir Fflint, yn dysgu 209 o blant a dim ond un ym Môn (Biwmares) yn dysgu 48 o blant.[39]

Dau brif ymrafael fu'n gyfrifol am fyrhoedledd yr ysgolion; ar y naill law y cecru crefyddol ac ar y llaw arall y diffyg cydweithrediad rhwng y Cymry a'r Saeson, ac anodd iawn oedd cyfannu a chydweld gyda dau bwnc mor allweddol dan sylw. Gwrthwynebai Stephen Hughes y pwyslais ar y cwricwlwm Seisnig a'r ffaith fod adroddiad 1675 yn mynnu 'that children in its schools should be taught the English tongue'.[40] Ond llawer gwaeth oedd condemniadau'r Eglwys Sefydledig o esgobaeth Bangor i Dyddewi gyda'r Esgob Humphrey Lloyd, Bangor, ar flaen y gad yn ei gondemniad o Gouge, yr Anghydffurfiwr o Eglwys Loegr, yn casglu arian ar gyfer y Beibl Cymraeg a hyd yn oed yn penodi athrawon heb drwydded nac awdurdod Esgob.[41] Ond safai'r Esgob ar dir pur sigledig gan nad oedd angen trwydded gan Esgob i gynnal dyletswyddau ar lawr y dosbarth. Mae'n amlwg fod y gostyngiad yn rhifau'r ysgolion yn adroddiad 1677 – 8 yn dangos yn glir wrthwynebiad yr Esgob Lloyd i waith yr Ymddiriedolaeth.[42] Yn dilyn marwolaeth Gouge edwino fu'r hanes gan ddiffyg arweiniad a threfn. Gresyn na fyddai wedi gweld ymhellach a chanolbwyntio ar iaith y bobl.[43] Ond mae'n rhaid cofio fod Stephen Hughes wedi dal pwys a gwres y dydd cyn i Gouge benderfynu ar Gymru fel ei faes cenhadol [44] ac iddo ef mae'r diolch am ddeffro ei genhedlaeth i ymdeimlo â'u cyfrifoldeb at blant ac oedolion ac i droi'r mudiad yn un Cymreig.[45]

Y Gymdeithas er Taenu Gwybodaeth Gristnogol (SPCK)

O lafur yr Ymddiriedolaeth y cododd y Gymdeithas er Taenu Gwybodaeth Gristnogol a phan gysylltodd y Gymdeithas â chlerigwyr Cymru yn 1699 – 1700 i wyntyllu'r syniad o sefydlu ysgolion, mawr fu'r brwdfrydedd a gellir honni, am gyfnod byr yn hanes yr Eglwys Sefydledig yng Nghymru, i'r pedair esgobaeth yn gytûn gefnogi'r syniad i addysgu'r bobl.[46] Prif ladmeryddion y Gymdeithas yng Nghymru oedd y tir feddiannwr Torïaidd a'r Aelod Seneddol dros Aberteifi, Syr Humphrey Mackworth (1657 – 1727),[47] John Vaughan, Derllys, (1663 – 1722)[48] tad Madam Bevan, ef oedd arloeswr llyfrgelloedd rhyddion a llyfrgelloedd i blant; Syr John Philipps (1666? – 1737) [49] sgweiar Castell Pictwn a'r Dr John Evans (1651? – 1724) Esgob

Bangor.[50] Yn y cyd-destun hwn ni ellir anwybyddu cyfraniad sylweddol y Deon John Jones (1650 – 1727) Deon Bangor.[51] Cyn gynhared ag 1699 ceir gohebiaeth rhwng y Deon a'i Esgob, y ddau yn Gymry pybyr, 'that he has set up Schools for y[e] Poorer Sort at his own charge, but of late their poverty is so great that they cannot allow themselves time to learn'.[52]

Er na cheir tystiolaeth o ysgolion wedi'u sefydlu gan y Deon Jones yng nghofnodion y Gymdeithas cyn 1716 mae'n amlwg ei fod wedi sefydlu ysgolion fyddai'n rhan o'r gadwyn a gysylltai ymgyrchoedd yr Ymddiriedolaeth a'r Gymdeithas.[53] Mae'n werth nodi cyfraniadau a gweithgareddau'r Deon Jones yng nghyswllt yr ysgolion yn y Gogledd. Pan oedd yn ganon mygedol ym mhlwyf Llanfairtalhaiarn, yn esgobaeth Llanelwy, cyfrannodd £50 tuag at ysgol elusennol yn y pentref.[54] Ym Môn sefydlodd chwech o ysgolion a'r rheiny yn Llangeinwen, Biwmares, Llanfihangel Ysgeifiog, Pentraeth, Rhoscolyn a Llandegfan.[55] Yn yr ysgolion hyn hyfforddid plant y tlodion i ddarllen y Beibl a hynny trwy gyfrwng y Gymraeg, yn ogystal â dysgu ysgrifennu a rhifyddeg.[56] Yng nghofnod ei ewyllys rhoddodd £100 i ysgol Llanfihangel Ysgeifiog a Llanffinan, Ynys Môn, i'w defnyddio i ddysgu deuddeg o blant y tlodion i 'read Welsh perfectly and for teaching them the principles of religion according to the Catechism of the Church of England and if it might be, for training them up a little in writing and arithmetic'.[57] Derbyniodd yr ardaloedd y bu â chysylltiad â hwy roddion cyffelyb o £100:

> Llanllechyd, Caernarvonshire, £100 for teaching and instructing 12 poor children; Aber, Caernarvonshire, £100 for teaching and instructing 10 poor children; Gyffin, Caernarvonshire, £100 for teaching and instructing 10 poor children; Llanddyfnan and Pentraeth, Anglesey (the dear place of my nativity) £100 for teaching and instructing 10 poor children; Bangor, Caernarvonshire, £100 for teaching and instructing 1 0 poor children.[58]

Rhoddodd £50 i gynorthwyo ysgolion yn Rhoscolyn (Môn), Llandecwyn a Llanfihangel y Traethau (Meirionydd) a Llandegfan a Biwmares (Môn).[59] Mae'n werth nodi'r manylion hyn i ddangos sêl a brwdfrydedd y Deon i hyrwyddo addysg ymhlith y tlodion gyda'r amcan arloesol o ddysgu'r plant i ddarllen y Beibl, y Llyfr Gweddi Gyffredin a'r Catecism a hynny trwy gyfrwng y Gymraeg.[60] Tueddiad, wrth ddadansoddi'r cyfnod hwn, yw collfarnu'r clerigwyr a'r esgobion am eu hagwedd ddilornus tuag at y Gymraeg. Ond tystiolaeth gwbl wahanol geir gan arweinwyr eglwysig, 'many of the Charity

Schools established in this period were in the vernacular'.[61] Cofnodir gan Ficer Wrecsam, Y Parchg John Price, yn 1700, 'that the clergy in Denbighshire, Flintshire and Montgomeryshire......find it most convenient to set up Welsh Schools, that being the Language w[ch] y[e] Parents best understand'.[62] Yr un yw cri Canghellor Esgobaeth Llanelwy a Ficer Gresffordd, 'The Education of poor children is a matter of much difficulty in those parts, no Welsh Schools being already settled, wch language must be taught them.'[63] Amlygir yr awydd am ysgolion i'r tlodion yn iaith gynhenid y bobl a hynny gan offeiriaid ac uwch glerigwyr eglwysig fel y Deon Jones a chefnoga hyn ddadl Geraint H. Jenkins sy'n mynnu mai 'gwneud cam â'r gwirionedd yw'r syniad am Gymru ynghwsg yn y cyfnod cyn Fethodistaidd'.[64]

Roedd nod y Gymdeithas yn ddeublyg sef dosbarthu llenyddiaeth ddefosiynol yn Gymraeg a chodi ysgolion elusennol. Penodwyd gohebyddion drwy'r wlad i gysylltu nodau'r Gymdeithas â gwahanol ardaloedd a bu bonedd, dyngarwyr a chlerigwyr yn fwy na pharod i hyrwyddo'r fenter gyda sêl bendith yr esgobion. Rhwng 1699, blwyddyn sefydlu'r Gymdeithas a 1737, blwyddyn marw un o brif ladmeryddion y Gymdeithas yng Nghymru, sef Syr John Philipps, sefydlwyd 95 o ysgolion.[65] Sefydlwyd mwyafrif o'r rhain yn neheudir y wlad – dim ond 13 o ysgolion oedd yn siroedd Môn, Caernarfon, Dinbych a Meirionydd.[66] Ar y cyfan, trefnwyd yr ysgolion ar yr un dulliau â'r ysgolion yn Lloegr ond roedd rhai gwahaniaethau amlwg. Yn ysgolion Lloegr, Iwerddon a'r Alban rhoddwyd pwyslais ar ddysgu galwedigaethol[67] ond yng Nghymru prin oedd yr awydd am gwricwlwm cymysg o ddysgu a pharatoi ar gyfer gwaith a gorchwyl. Eithr ym mlwyddyn olaf y plant rhoddwyd pwyslais ar yr elfennau galwedigaethol a bu bri mawr ar feysydd ymarferol gydag amaethyddiaeth a morwriaeth ymhlith y rhai blaenaf.[68]

Anodd iawn yw pwyso a mesur dylanwad a chyfraniad yr ysgolion hyn yn enwedig yng Ngogledd Cymru gan mai ychydig iawn ohonynt a sefydlwyd a llai byth o blant oedd dan hyfforddiant. Ar ôl marwolaeth y Frenhines Anne yn 1714 bu dirywiad mawr yn eu hanes ac ar ôl 1727 ni sefydlwyd yr un ysgol yng Nghymru wedi hynny.[69] Un rheswm am hyn oedd amharodrwydd yr Anghydffurfwyr i gefnogi'r Gymdeithas yn dilyn pasio Deddf Sgism yn 1714. Camarweiniol yw tybio mai ysgolion y Gymdeithas oedd yr unig rai a gyfrannai addysg elfennol yng Nghymru yr adeg hon. Drwy'r wlad agorwyd nifer o ysgolion gan Anghydffurfwyr a gwyddys i'r Dr Daniel Williams (1643? – 1716), brodor o ardal Wrecsam, a dreuliodd y rhan helaethaf o'i oes dros Glawdd Offa, adael £50,000 yn ei ewyllys i sefydlu ysgolion elusennol, saith ohonynt i gyd, yng Ngogledd Cymru.[70]

Rhoddwyd pwysau ar y rhieni i anfon eu plant i ysgolion y Gymdeithas am gyfnod o bedair blynedd pan oedd gofyn am eu gwasanaeth ar fferm a thyddyn.[71] Er fod grantiau i'w cael tuag at ddilladu a chynhaliaeth bu'r budd daliadau hyn yn foddion i lesteirio gwaith y Gymdeithas yng Nghymru.[72] Ond nid oes amheuaeth na fu cyfraniad y Gymdeithas i hybu llenyddiaeth Gymraeg trwy ddosbarthu llyfrau defosiynol, megis y Llyfr Gweddi Gyffredin a'r Beibl i dlodion Cymru yn enfawr.[73] Yn 1718, dosbarthwyd deng mil o gopïau o argraffiad 1717 – 18 o'r Beibl gan yr SPCK trwy Gymru a hynny gyda chymorth ariannol gan y Gymdeithas.[74] Mae'n werth nodi ymrwymiad Syr Humphrey Mackworth i ddatblygu llyfrgelloedd ar draws y wlad.[75] Penderfynwyd ar y cychwyn ar bedair canolfan, Bangor, Dinbych, Caerdydd a Chaerfyrddin, ond yn dilyn trafodaethau disodlwyd Dinbych a Chaerdydd gan ganoli ar Lanelwy a'r Bont-faen.[76] Araf fu'r cynnydd gan arafwch trafnidiaeth a chanolfannau addas i gadw'r llyfrau ond bu'r ymgyrch yn foddion i hyrwyddo'r galw am lyfrgelloedd plwyf a daeth galwadau o Lannerchymedd ym Môn a Wrecsam am nawdd a llyfrau i gychwyn ar y gwaith.[77]

Daw M. G. Jones i'r casgliad fod y mwyafrif o ysgolion y Gogledd yn dysgu trwy gyfrwng y 'vernacular' ond nid oes tystiolaeth fod ysgolion y De wedi llwyddo i'r fath raddau a bod hyn, yn ei dro, wedi peri cryn ofid a thristwch i Griffith Jones pan ddechreuodd ef ar ei waith arloesol yn siroedd y De.[78]

Ysgolion Cylchynol Griffith Jones, Llanddowror

Meddai Griffith Jones (1683 – 1761) ar ddwy elfen amlwg yn ei gymeriad. Roedd yn drefnydd wrth reddf ac yn Gymro pybyr a daeth yn amlwg iddo os oedd unrhyw gyfundrefn i lwyddo y dylai'r Gymraeg fod yn gyfrwng dysgu'r bobl. Gwelodd mai gwir angen Cymru oedd ysgolion Cymraeg i bawb ac nid ysgolion Saesneg i ryw ychydig o blant y tlodion.[79] Sylfaenodd ei holl ymdrechion ar yr egwyddor mai'r Gymraeg fyddai prif gyfrwng y dysgu a doedd dim dwywaith nad oedd hyn yn feiddgar a chwyldroadol yr adeg hynny. O'r flwyddyn 1730 ymlaen trodd ei olygon fwyfwy i gyfeiriad gwaith addysgol fel sylfaen i'w waith crefyddol. Gwyddai'n dda am fudiadau ddechrau'r ddeunawfed ganrif yng Nghymru ac yntau'i hun wedi'i amgylchynu gan ysgolion elusennol ym mhlwyfi Llanddowror (1707) a Thalacharn (1708).[80] Yn wir, tra roedd yn gurad yn Nhalacharn bu'n dysgu yn un o ysgolion yr SPCK. Datblygodd y cysyniad o ysgol o'i weithgaredd yn cateceisio ar ôl yr ail lith ar y Sadyrnau cyn Sul y Cymun pan ddeuai plant ac oedolion ynghyd. Sylwodd fod cryn nifer ohonynt yn teimlo cywilydd o'u hanwybodaeth pan oeddynt yn cael eu cateceisio'n gyhoeddus. Eithr yn dilyn anogaethau cyfeillgar derbyniodd sawl un y drefn o holwyddori a bu hyn yn symbyliad iddo fynd rhagddo â'i fwriadau addysgol.[81] Yn ôl rhagair i'r *Welch Piety* 1753 'the first school was opened in the year 1737'[82] sef yr ysgol gylchynol gyntaf. Ar ôl marwolaeth Syr John Philipps ar y 5 Ionawr 1736/37, awgrym Cavenagh yw fod Griffith Jones wedi teimlo fod mantell y gŵr haelionus hwnnw wedi syrthio arno ef a theimlai bellach bod yr awenau a dyfodol ei genedl yn ei ddwylo.[83]

Yn ei lythyr at ffrind mae'n mynd rhagddo i esbonio natur a threfn yr ysgolion.[84] Ar gyfartaledd tri neu bedwar mis roedd ysgol i bara mewn un cylch a'r rheswm am hynny oedd na allai'r disgyblion fforddio cefnu ar eu gorchwylion beunyddiol am gyfnodau hirfaith.[85] Byddai ysgol yn dychwelyd i'r ardal y flwyddyn ddilynol er mwyn sicrhau bod y disgyblion wedi llwyddo i ddysgu'r grefft o ddarllen ac mewn rhai eithriadau byddai ysgol yn parhau am flwyddyn yn ôl dymuniad yr offeiriad plwyf.[86] Pwysleisid hyblygrwydd yr ysgolion trwy eu cynnal yn ystod y tymhorau tawel sef rhwng misoedd Medi a Mai gan y byddai gweddill y flwyddyn yn gyfnod prysur ar y ffermydd.[87] Anogwyd oedolion yn ogystal â phlant i fynychu'r ysgolion, 'Hired servants, day labourers and married men and women, as well as the younger sort'.[88] Oedolion oedd deuparth y disgyblion a ddeuai i'r ysgolion gan wisgo eu sbectolau a llawer ohonynt yn cwyno na chawsant gyfleoedd addysg yng nghyfnod eu hieuenctid[89] ac roeddynt yn fwy na pharod i gael eu hyfforddi gan eu plant gartref ar yr aelwyd.

Dwy elfen bwysig oedd y pwyslais ar ddysgu darllen a'r dull mwyaf effeithiol yn ei farn ef oedd y dasg gychwynnol o ddysgu'r wyddor a'r cam dilynol oedd ail adrodd brawddegau a adroddwyd yn y lle cyntaf gan yr athro gan wneud hynny drosodd a throsodd nes y byddai'r disgybl wedi eu meistroli. Diddorol yw sylwi mai brawddeg gyfan a gymhellwyd nid geiriau unigol gan fod brawddeg yn uned o ystyr a synnwyr, ac ychwanegodd, 'the common fault is reading to [*sic*] fast'.[90] Yr ail elfen oedd y pwyslais ar lafur cof a cheir enghreifftiau o ddisgyblion yn dysgu'r catecism ar eu cof a hynny mewn chwech wythnos er fod rhai wedi llwyddo mewn pymtheg diwrnod.[91] Mynnai y dylid holi'r disgyblion 'ddwywaith bob dydd' yng Nghatecism yr Eglwys a rhoddid rhannau ohono i'r disgyblion i'w ddysgu bob nos ar gyfer ei adrodd fore drannoeth a'u holi ar destun a phennau'r bregeth a glywsant y Sul blaenorol.[92] Credai bod dysgu ar y cof yn ymarfer buddiol gan ei fod yn galluogi'r disgyblion i ddarllen yn rhugl. Teimlai'n gryf na ddylid cynnwys 'ysgrifennu' yn rhan o'r maes llafur, roedd y pwyslais yn sicr, 'to instruct them in the Catechism and principles of religion'[93] a'i werslyfrau oedd y Llyfr Gweddi Gyffredin a'r Beibl.

Sylweddolodd pa mor allweddol oedd athrawon yn y broses addysgol. Dynion, fel arfer, oedd yr athrawon ond o dro i dro ceid gwragedd[94] a gwyddys i'r athrawon lleol gael eu hyfforddi ar y cychwyn ganddo yn yr Hen Goleg, Llanddowror.[95] Byddai'n ofynnol i bob ysgolfeistr ddangos llythyr agored ganddo cyn dechrau ar ei waith yn y gwahanol ardaloedd. Byddai'r llythyr hwn ar gael i bob un fyddai'n ymweld â'r ysgolion 'fel y gallo'r cyfryw wybod a thystiolaethu pa un fyddant hwy [sef ysgolfeistri] yn cadw'r Rheolau hyn yn ddidwyll, a'u dwyn ganddunt yn ôl, yn niwedd y Cwarter, gyd ag Enwau'r Gwŷr Cyfrifol a'u darllenasant.....'[96] Y prif nodweddion a ddisgwylid gan bob athro oedd ei fod yn sobr, yn caru duwioldeb, yn ffyddlon i'r Brenin a'r Llywodraeth ac yn aelod o Eglwys Loegr er ceid enghreifftiau o Annibynwyr a Bedyddwyr yn eu plith.[97] Ychydig sy'n wybyddus am gyflogau'r athrawon ac eithrio eu bod yn derbyn tâl bychan, rhwng £3 a £4[98] y flwyddyn a datgelodd ei elyn pennaf John Evans, Eglwys Gymyn, fod un athro yn barod i dderbyn £4 yn hytrach na gweithio gartref am £30.[99] Yn ogystal â hyfforddi'r disgyblion yn egwyddorion y ffydd rhoddwyd ystyriaeth i ymddygiad a moesau da. Tynnwyd sylw'r disgyblion at arferion drwg megis rhegi, tyngu, camarfer enw Duw, halogi'r Saboth, a dweud anwiredd gan eu harwain i ddysgu ymddwyn yn barchus, yn ostyngedig ac addfwyn, yn ddiwyd a ffyddlon gan barchu a mawrhau eu rhieni.[100] Rhoddwyd bri ar drefniadaeth gaeth a chyson trwy gadw cofrestr fanwl o enwau, oedran yr ysgolheigion gydag amseroedd o'u presenoldeb ynghyd â chofnod o'u cynnydd a hwnnw i'w gadarnhau gan weinidog y plwyf.[101]

Ar y cychwyn bu cryn wrthwynebiad yng Ngogledd Cymru[102]ond erbyn 1747 roedd 11 o ysgolion cylchynol wedi'u sefydlu ym Môn gyda chwech o'r rhain yn cael eu cynnal mewn eglwysi gyda 522 o ddisgyblion yn derbyn addysg.[103] Y darlun sy'n dod i'r amlwg yn aml yw difaterwch clerigwyr ond fel ymhob galwedigaeth ac ymhob cyfnod brith yw'r hanes ac er bod, mae'n bur debyg, ddifrawder ymhlith rhai o'r offeiriaid fel y gwelir ar dudalennau'r *Welch Piety* mae lle i gredu a thystiolaeth bendant i gadarnhau hynny, bod eraill yn frwdfrydig a blaengar yn ei hawydd i hyrwyddo addysg yn eu plwyfi. Mae offeiriad Caergybi, y Parchg Thomas Ellis, oedd â chas perffaith tuag at y Methodistiaid, yn gallu gwahaniaethu rhwng rhinweddau ysgolion Griffith Jones a'i farn oedd, 'it is very strange that any Christian should oppose them'.[104] Yn ôl tystiolaeth, roedd rhai o'r clerigwyr yn amau ei gymhelliad fel y gwelir yn nyddiaduron William Bulkeley o'r Brynddu, lle y tystia fod y clerigwyr yn gyffredinol yn erbyn yr ysgolion hyn gan eu galw'n 'Feithrinfa'r Methodistiaid'.[105]

Ond roedd cryn frwdfrydedd ynglŷn â'r ysgolion fel y tystia sawl offeiriad ym Môn. Cydnabu Humphrey Jones, offeiriad Llanfaethlu fod y plant wedi dysgu darllen yn rhugl ymhen dau fis[106] a'r un yw canmoliaeth curad Llandrygarn sy'n mynd rhagddo i ganmol y plant am eu hymatebion yn ngwasanaethau'r eglwys er mawr foddhad i'w rhieni a gweddill y gynulleidfa.[107] Mae rheithor Llangadwaladr o'r farn fod y plant dan ei ofal wedi eu trwytho yn egwyddorion y grefydd Gristnogol ac wedi dysgu darllen er mwyn deall y Catecism.[108] Ym marn Thomas Ellis, rheithor Caergybi, ar sail ymroddiad un o'r ysgolfeistri yn ei blwyf, 'The Welsh Schools are much approved of and heartily recommended'.[109] Ar ôl marwolaeth Griffith Jones bu'r offeiriaid yn gohebu â Madam Bevan a chawn enghraifft o gymeradwyaeth Humphrey Jones unwaith yn rhagor yn deisyf arni i gadw Thomas Edwards yn athro yn yr ardal.[110] Dengys yr enghreifftiau hyn bod amryw o offeiriaid Môn yn awyddus i'w plwyfolion dderbyn addysg a'u bod yn ymhyfrydu yn llwyddiannau'r ysgolion ac yn gefnogol i gynllun Griffith Jones. Ond tywyll ydi'r darlun ledled Cymru; o'r 3,000 o blwyfi lle y cynhelid yr ysgolion cylchynol dim ond 400 o glerigwyr a gefnogai'r fenter.[111]

Er fod pwyslais ar y Gymraeg yn yr ysgolion sefydlodd ddwy ysgol cyfrwng Saesneg ym Mhenfro gan y credai'n gryf yn y defnydd o'r famiaith ac meddai ym 1745/6, 'I have set up of late some English Charity Schools.....where the People speak the English tongue.....and likewise some Schools of mixed English and Welsh Scholars.'[112]

Rhwng 1737 – 61 cynyddodd niferoedd y disgyblion a gofrestrwyd yn yr ysgolion ledled Cymru i 158,237, ond nid yw'r ffigwr yn cynnwys nifer yr oedolion oedd yn mynychu'r ysgolion nos oedd ynghlwm wrth yr ysgolion dyddiol.[113] Roedd nifer helaeth o'r disgyblion yn oedolion 'many above Fifty, and some above Sixty, and even Seventy years of age'[114] yn dysgu darllen gyda'u plant a'u hwyrion. Maentumiai fod niferoedd yn yr ysgolion nos yn gallu cynnwys ddwywaith neu deirgwaith mwy o ddisgyblion na'r ysgolion dyddiol ac felly gellir ystyried ffigwr rhwng 300,000 a 400,000 o ddisgyblion yn derbyn addysg yn yr ysgolion.[115] Os yw'r ffigyrau hyn yn ymylu ar ormodiaith, fel mae Griffith Jones ei hun yn amau, mae un peth yn aros, sef y gefnogaeth frwd a gafwyd gan hen ac ieuanc a'r dyhead am addysg a fodolai yn y cyfnod hwnnw. A'r hyn sy'n allweddol yn hinsawdd Seisnig yr Eglwys Sefydledig oedd mai Cymraeg oedd iaith yr hyfforddiant. Roedd y Gymraeg ffonetig yn haws i'w meistroli a hynny o fewn ychydig fisoedd tra byddai'n rhaid llafurio am rai blynyddoedd i ddysgu darllen yr iaith Saesneg ac felly y ffordd rwyddaf, fwyaf effeithiol i ddarllen y Beibl oedd canolbwyntio ar y Gymraeg. Fel y gwelid nid dysgu Cymraeg er ei mwyn ei hun oedd y diben ond defnyddio'r famiaith fel cyfrwng dysgu darllen a hynny yn y pendraw i achub eneidiau'r Cymry.[116]

Mae'n werth cydnabod beirniadaeth Thomas Shankland pan ddywed fod yr ysgolion cylchynol wedi bod yn rhwystr i ddatblygiad cyfundrefn o addysg genedlaethol yng Nghymru gan eu bod wedi lladd amryw o'r ysgolion lleol a gychwynnwyd gan y Gymdeithas er Taenu Gwybodaeth Gristnogol. Gan gofio hefyd mai amcan y Gymdeithas oedd addysgu'r plant am gyfnod o bedair blynedd, ysgolion dros dro oedd ysgolion Griffith Jones a gellid tybio fod hyn wedi creu cam argraff y gellid dysgu plant mewn cyfnod byr o dri neu bedwar mis.[117]

Yn dilyn marwolaeth Madam Bevan, er iddi gadw £10,000 i barhau'r gwaith ar ôl ei marwolaeth, bu anghydfod ynglŷn â'r ewyllys a bu'n rhaid trosglwyddo'r arian i'r Canghellys ac yno bu am ddeng mlynedd ar hugain. Buan iawn y gwelwyd yr ysgolion yn dihoeni, y brwdfrydedd yn cilio ac fel mae Pretty yn ein hatgoffa o'r gwahaniaethau yn ffigyrau'r *Welch Piety* am 1776–7 sy'n cofnodi deunaw o ysgolion ym Môn tra yn Adroddiadau Gofwy yr Esgobaeth am yr un cyfnod dim ond pump ysgol a gofnodir.[118]

I grynhoi, nod ei ysgolion oedd hyrwyddo duwioldeb a'r ffordd i gyrraedd y nod hwn oedd trwy holwyddori a gwreiddyn pob anghrediniaeth oedd esgeulustra a'r dibrisio oedd wedi bod yn hanes holwyddori yng Nghymru. Yn wahanol i ysgolion Lloegr ac Ucheldir yr Alban oedd yn dysgu rhifyddeg ac ysgrifennu, ac ysgolion Iwerddon oedd yn rhoi hyfforddiant galwedigaethol roedd ysgolion Griffith Jones yn canolbwyntio ar ddysgu darllen a'r elfen holwyddorol yn unig.[119] Yr ail elfen bwysig oedd ei benderfyniad i ddewis athrawon nid oherwydd eu gallu academaidd ond eu sêl grefyddol. Yn ôl ei reolau ar gyfer yr ysgolion roedd yr athrawon i fod yn aelodau o'r Eglwys Sefydledig a phan nad oedd hynny'n ymarferol dewisai athrawon o blith yr hen anghydffurfwyr ar yr amod eu bod yn cymuno yn yr eglwys.[120]

Er mor gyfyng oedd amcanion yr ysgolion roedd eu llwyddiant heb ei debyg ac ymhlith llwyddiannau addysgol pennaf Ewrop yn y ddeunawfed ganrif a daeth eu hanes i glyw Catrin Fawr o Rwsia. Eu llwyddiant pennaf oedd gwneud Cymru'n genedl lythrennog gan fod oddeutu hanner y boblogaeth yn gallu darllen. I sawl aelod digon tlawd daeth y Beibl yn llyfr i'w feddiannu a'i drysori.[121]

Anodd yw pwyso a mesur beth oedd y ffactorau oedd yn gyfrifol am eu llwyddiant. Gellir edrych ar ddyhead a syched y bobl am yr ysbrydolrwydd a gynigiai'r Methodistiaid ac annigonolrwydd yr Eglwys Sefydledig gyda'i hesgobion absennol a'r pwyslais Seisnig. Gwelid hefyd newidiadau cynyddol yn y gymdeithas wledig. Symudodd nifer o dirfeddianwyr cyfoethog o'r Alban a Lloegr ac o dipyn i beth gwelai'r tlodion eu tiroedd yn cael eu meddiannu gan greu ansicrwydd a phegynnu cymdeithasol. Llwyddodd Methodistiaeth a'r ysgolion cylchynol i lenwi'r gwacter hwn ac i godi proffil y Cymro cyffredin.[122] Ond ni ellir gorbwysleisio'r ffaith mai trwy gyfrwng y famiaith, y Gymraeg, y llwyddodd yr ysgolion i ennill calon a serch y Cymry.

Cyfraniad y Dr Edward Williams

Treuliodd y Dr Edward Williams (1750 – 1813) a aned ym Modfari, Dyffryn Clwyd y rhan helaethaf o'i oes dros Glawdd Offa, yn weinidog gyda'r Annibynwyr yng Nghroesoswallt, cyfnod wedyn o ddeng mlynedd yn bennaeth Academi'r Fenni, wedyn i Carr's Lane, Birmingham cyn derbyn swydd pennaeth Academi'r Annibynwyr yn Rotherham lle y bu hyd ddiwedd ei oes.[123] Roedd yn ŵr o ddoniau anghyffredin, yn weinidog, awdur ac arloeswr y Galfiniaeth Gymedrol a bwysleisiai fod Iesu Grist yn waredwr i bob unigolyn a phob enaid yn werthfawr[124] a'r agwedd hon ar Galfiniaeth fu'n sail i holl ymdrechion yr Ysgol Sul yng Nghymru. Synhwyrodd ymhell cyn eraill na allai Uchel Galfiniaeth a'r pwyslais ar wrthodedigaeth gyd-fynd â daliadau'r pregethu Efengylaidd â'r pwyslais ar achub enaid pob unigolyn.

Cyn i Thomas Shankland ddechrau ar ei ymchwiliadau y gred oedd fod Mudiad yr Ysgolion Sul yng Nghymru wedi datblygu o ymgyrchoedd Thomas Charles a'i ysgolion cylchynol a'u bod yn gwbl annibynnol o'r Mudiad yn Lloegr.[125] Dangosodd Shankland nad oedd hyn yn wir a bod yr Ysgolion Sul cynnar yng Nghymru yn rhan o'r mudiad yn Lloegr a gychwynnwyd gan Raikes ac a ddatblygwyd gan Gymdeithas yr Ysgolion Sul. Symbylwyd Edward Williams gan y Mudiad hwn ac ef fu'n gyfrifol am sefydlu ysgolion dyddiol ac Ysgolion Sul yng Ngogledd Cymru ac yn hyn o beth roedd wedi cael y blaen ar Thomas Charles.[126]

Ysgrifennodd Edward Williams yn ei gylchgrawn *Evangelical Magazine*:

In the year 1786 [blwyddyn ar ôl sefydlu Cymdeithas yr Ysgolion Sul] your correspondent, being at Clapham, had the opportunity of exchanging some thoughts with the Rev Mr Urwick on the subject of

Sunday Schools at Oswestry, where he then resided, and the extension of them in Wales ... On his return to Shropshire, he received a letter from the treasurer of the Sunday School Society, Henry Thornton Esq, of a very encouraging tendency respecting his own place at Oswestry. But residing in the neighbourhood of Wales, he was led to turn his attention to the state of the young and poor there. He, therefore, solicited some assistance in books, for these places ... where the English language was in a measure cultivated and used by the inhabitants; but was greatly surprised and disappointed to find that the rules of the Society would not admit it. This being the case the treasurer requested me to send him an account of the state of Wales, particulary respecting the instructions of the young and poor. This was done, but with special reference to North Wales, as being much worse off than the South. In consequence of this, he gave encouragement to set up a few Sunday Schools at his private expense as it could not be done officially. But we soon found that in Wales a mere Sunday School was not adequate to the requisite improvement. Accordingly we converted them into 'Circulating Day Schools.' The utility of this change was found to be very considerable.[127]

Yng ngoleuni'r llythyr hwn mae'n amheus iawn a oedd Edward Williams wedi sefydlu Ysgolion Sul yng Ngogledd Cymru cyn 1786[128] ac mewn llythyr at Henry Thornton, trysorydd Cymdeithas yr Ysgolion Sul, mae'n enwi Treffynnon, Dinbych, Caernarfon, Bala a Llanllyfni fel canolfannau a hynny rywbryd cyn Mai 1789.[129] Ddiwedd y flwyddyn ganlynol myn ei fod am ddyfalbarhau gyda'r gwaith ac enwir tri lle ychwanegol y tro hwn, Pentre Sarnau, Bangor a Machynlleth, 'with occasional helps for a few other places and with addition of a few day schools in every place where it can be done'.[130]

Trefnodd i ddeg o ddisgyblion tlawd yn Ninbych gael addysg yn ystod yr wythnos ac iddynt ymuno â'r disgyblion eraill ar y Sul ar gost o £4.4s.0d y flwyddyn. Yng Nghaernarfon y swm oedd £4 ar gyfer 10 o blant a thri swllt a chwech y flwyddyn ar gyfer chwech o blant. Yn ôl y cynllun hwn byddai oddeutu 400 o ddisgyblion ar y Sul ac oddeutu 80 o ddisgyblion yn ystod yr wythnos yn derbyn addysg a byddai cyfanswm cyflog i'r athrawon a chost y llyfrau o gwmpas £60 y flwyddyn a hynny o ganol haf i ganol haf.[131] Mae'n amlwg fod Thornton wedi cyfrannu'n sylweddol at y gwaith, 'the remainder of your princely donation, I lay out in occasional encouragements to similar purposes'.[132] Ysgolion Saesneg oedd yr ysgolion hyn a defnyddiwyd

Evangelical Cathacist Edward Williams i hybu'r dysgu.[133] Wrth bwyso a mesur ei gyfraniad addysgol mae'n bwysig sylwi mai ei amcan pennaf oedd yr awydd diflino i achub eneidiau a chredai'n gryf, fel ei ragflaenydd Griffith Jones, yn y dull o holwyddori a pharatôdd bump catecism ar gyfer y gwaith yn ei 'little seminars' fel y cyfeiria yn ei lythyr at Thornton.[134]

Ar ei ymadawiad â Chroesoswallt (ddiwedd 1791) daeth yr ysgolion dyddiol a'r Ysgolion Sul dan fantell George Lewis, (1763 – 1822) Caernarfon, gweinidog gyda'r Annibynwyr gyda phwyllgor i arolygu'r gwaith a gynhwysai dri gweinidog, y Parchedigion Edward Williams, Jenkin Lewis, Wrecsam, Daniel Lloyd, Dinbych a thri lleygwr, Samuel Davies, Treffynnon, John Roberts, Croesoswallt a'r trysorydd Thomas Jones o Gaer.[135] Anodd iawn yw penderfynu am ba hyd y parhaodd yr ysgolion. Mae'n anodd cytuno ag awdur *Eminent Men of Denbighshire* pan ddywed fod yr ysgolion wedi dod i ben yn 1793.[136] Yn 1798 cyhoeddodd Edward Williams ei *Reolau a Threfnyddiaeth yr Ysgolion Cylchynol* ac mae'n amlwg fod George Lewis, oedd bellach wedi symud i Lanuwchllyn, yn dal yn ei swydd fel trefnydd yr ysgolion hyn. Ychwanega Williams ffigyrau sy'n dangos cynnydd a pharhad yr ysgolion – 267 o ddisgyblion yn cael eu dysgu gan chwech o ysgolfeistri yn 1792 ond erbyn 1797 roedd 553 o ddisgyblion yn cael eu dysgu gan dri ar ddeg o athrawon ac o'r cychwyn cyntaf roedd 2,000 wedi llwyddo i ddarllen yr Ysgrythurau Sanctaidd.[137] Mae cyfeiriad at barhad yr ysgolion yn 1810 yn ewyllys y trysorydd Thomas Jones o Gaer. Mewn ôl-ewyllys o eiddo Thomas Jones ychwanegir y geiriau hyn, 'And where as I have in my hands the sum of fifty pounds.......and to pay and apply the interest, dividends and proceeds thereof for the support of the Welsh Charity Schools of which I am Treasurer.'[138] Arwyddwyd yr ewyllys ar Fai 5, 1810 a'r ôl–ewyllys ar Orffennaf 17, 1810.[139]

Yn ôl Edward Williams ei hun, roedd pethau'n dra gwahanol yn Ne Cymru, 'In the first place there is a national difference between south and north Wales; the former has been for a considerable number of years more civilized, and enlightened with religious knowledge.' Yn wir roedd y De yn rhagori ar rannau o Loegr, '......so that between serious ministers and people in the Establishment, commonly called Methodists (and they have not a few) and the Dissenters who are numerous, the means of religious knowledge among the poor, and particulary catechising, are little inferior to any parts of England. But this cannot be said of North Wales.'[140] Nid gormodiaeth oedd y geiriau hyn gan fod Thomas Charles yntau wedi cyfeirio at Ogledd Cymru fel talcen caled.

Er mor flaenllaw oedd Edward Williams fel diwinydd ac addysgwr ni lwyddodd ei Ysgolion Sul a gellir priodoli hyn i'r ffaith iddo anwybyddu'r Gymraeg fel cyfrwng dysgu ac anodd oedd ysgogi a threfnu ag yntau ymhell o faes y frwydr.

Cyfraniad Morgan John Rhys

Nid yw'n hawdd anghytuno â Bassett pan ddywed, mai, 'ei chefnogydd pennaf [yr Ysgol Sul] ymhlith Bedyddwyr Cymru oedd Morgan John Rhys'.[141] Mae Shankland yn mynd ymhellach, 'nid yn unig yr oedd Morgan John Rhys yn ragflaenydd i Charles gyda mudiad yr ysgolion Sabbothol, ond yr oedd ei wasanaeth i addysg genedlaethol yn fwy, a phwysicach na gwasanaeth Charles'.[142] Daw i'r casgliad, 'nis gellir felly, oddi ar unrhyw seiliau hanesyddol, ystyried Thomas Charles a'i ysgolion fel sylfaenydd a ffynhonnell Ysgolion Sul Cymru. Ac mewn gwirionedd nid oes yr un gair yn ei ohebiaethau na'i lyfrau yn honni nac yn cyfiawnhau y golygiad mai efe oedd sylfaenydd yr Ysgol Sul yng Nghymru.'[143]

Cyn ei ordeinio'n weinidog gyda'r Bedyddwyr sefydlodd ysgol rad mewn tŷ bychan ym mhlwyf Llanfabon, yn agos i'w gartref, a hynny rywbryd rhwng 1780 a 1786.[144] Yn ei gyfnodolyn y *Cylchgrawn Cyn-mraeg* mae'n dadlau hawl y werin a'u plant i fanteision addysg. Yng nghyfrol gyntaf ei gylchgrawn (1793) cyfyd nifer o gwestiynau ynglŷn â'r ysgolion Cymraeg a'r Ysgolion Sul:

❖ Pa beth (gyda phregethu'r Efengyl) fyddai'r moddion mwyaf tebygol i wneud pen ar bechodau gwaradwyddus yn y wlad?

❖ A ddylid dim gosod rhyw gosb ar ddynion nad ymdrechant i roddi ysgol i'w plant, a'u dwyn i fyny yn ofn yr Arglwydd?

❖ A fyddai dim yn fuddiol ymdrechu at sefydlu Ysgolion Sabbathol (Sunday Schools) ymhob plwyf a phentref eto i ddysgu plant y tlodion?

❖ A fyddai'n bechod i'r offeiriaid a'r pregethwyr, yn eu hamrywiol sefyllfaoedd, i annog y gwaith hwn a gwneud casgliadau i'w ddwyn ymlaen?

❖ Os nad yw yn bechod, pa'm na bae y rhai sydd wedi cymeryd at y swydd o ddysgu eraill yn ffordd y bywyd, yn ymdrechu, hyd y mae ynddynt, i ddiwygio eu cyd-greaduriaid ac yn neilltuol i osod yr ieuainc ymhen eu ffordd?

❖ Dymunir ar i bob ewyllysiwr da i'w wlad, ystyried y cwestiynau uchod a rhoi ateb iddynt.[145]

Nid oes cyfeiriad o gwbl yn yr anogaethau hyn at ymgyrchoedd Thomas Charles a'i waith arloesol yn y Gogledd ac fel y gwelir cyfeirir at yr Ysgolion Sul yn y ddwy iaith gan dybio na wyddai'r darllenwyr fawr amdanynt ac mae'n amlwg mai cyfeiriad at ysgolion ar gyfer y plant a'r ieuenctid sydd yma.

Yn yr ail gyfrol cafwyd ymateb gan Siamas Gwynedd (Edward Charles, (1757 – 1828) a chan Philologos, sef Rhys ei hun. Ym marn Siamas, 'perlau i'r tlodion' fyddai'r ysgolion Cymraeg ond cynghorodd y golygydd i gadw llygaid barcud ar bob ceiniog a roddai yn nwylo'r offeiriaid a'r pregethwyr. Aeth Phiologos cyn belled â dweud y dylai'r llywodraeth atal y trigolion rhag priodi 'nes medrent ddarllain ei Beiblau' ac y dylai'r offeiriaid, pregethwyr a'r rhai oedd yn medru darllen roi awr neu ddwy o'u hamser i 'ddysgu'r cyfryw blant tlodion yn rhad ac i annog y gwaith trwy wneud casgliadau fel yn Lloegr i gynnal ysgolfeistri ac i roi llyfrau i'r plant'.[146]

Mae'n amlwg fod Rhys yn ei gylchgrawn (dim ond pump rhifyn a ymddangosodd) yn anelu'i neges at arweinwyr ei wlad gan fod gwŷr fel Dr William Owen Pughe, Iolo Morganwg, David Davis, (Castell Hywel) a'r ysgolfeistri Dafydd Ddu Eryri, Siôn Lleyn a Rhisiart ap Hywel yn amlwg yn gohebu â'r golygydd. Ond nid drwy dudalennau ei gylchgrawn yn unig y lledaenai Rhys ei neges; bu yn ystod 1793–4 ar deithiau yn y De a'r Gogledd yn pledio'i achos o blaid sefydlu ysgolion dyddiol ac Ysgolion Sul. Nid yn unig yr oedd yn pregethu a chenhadu ond roedd hefyd wedi argraffu llyfryn bychan, gwerth tair ceiniog, i blant ddechrau dysgu darllen sef *Yr Athro Eglur, neu arweinydd esmwyth i ddysgu darllen Cymraeg yn nghyd ag amrywiol bethau eraill i sylwi arnynt.*[147] Llyfr ABC ynghyd ag ychydig gyfarwyddiadau byrion i 'ddysgu darllain yn gywir' yw'r llyfryn hwn. Yn yr un flwyddyn, cyhoeddodd *Cyfarwyddyd ac anogaeth i sefydlu Ysgolion Sabbothol ac wythnosol, yn yr iaith Gymraeg, drwy Gymru ynghyd a gwersïau hawdd eu dysgu ac egwyddorion hawdd eu deall i fabanod ac eraill sy'n anllythrennog* ac yn y 'rhagaraeth' ymdrinnir â hanes Ysgolion Sul Lloegr a gwelir fod ei gynllun yn union yn ôl y patrwm Seisnig a chwyna am anwybodaeth a chyflwr plant Cymru a'u bod yn 'fwy tebyg i anifeiliaid gwylltion nag i ddynion rhesymol'.[148] Â ymlaen i roi rhesymau penodol dros eu sefydlu, sef i ddysgu plant y tlodion i ddarllen, eu cadw rhag halogi'r Saboth, eu dysgu yn egwyddorion y Beibl a dysgu prydlondeb, gweddustra a glanweithdra[149] sy'n sawru o'r pwyslais Seisnig.

Mae adlais o'r gwerthoedd hyn yng nghyfraniad Raikes. Gwyddom fod dylanwad y gŵr hwnnw yn drwm ar Rhys gan iddo gydnabod ei ddyled iddo, 'Y cynigiad cyntaf i sefydlu Ysgolion Sabothol, at ddysgu a moesoli plant y tlodion yn y Deyrnas hon, a osodwyd allan ym mhapur newydd Caerloiw, *Gloucester Journal* ar 3 Tachwedd 1783.'[150] Mae'n weddol sicr hefyd fod y ddau wedi cyfarfod oherwydd ar ddiwedd un o'i gyfrolau cawn y geiriau hyn, 'Cafodd yr awdur yr hanes hwn o enau'r gŵr bonheddig ei hun, sef Mr Raikes o Gaerloiw.'[151]

Er mor fuddiol yw'r sylwadau uchod ar gyfer y gwaith ymarferol ar lawr y dosbarth yr hyn sy'n codi Morgan Rhys i wastad uwch yw ei weledigaeth ynglŷn ag addysg trwy gyfrwng y Gymraeg ac mae'n mynd ati i ofyn cwestiynau rhethregol a byrdwn y cwestiynau yw amharodrwydd y Cymry i ddysgu eu plant yn eu hiaith eu hunain.[152] Mae'n amlwg fod gwrthwynebiad i'r Ysgolion Sul Cymraeg a bod rhai yn dadlau nad oedd eu hangen gan mai Saesneg oedd yr iaith swyddogol a mynnid hefyd fod y Gymraeg ar drengi.[153]

Mae'n werth edrych ar ddau lyfryn arall a gyhoeddodd yn 1793 sef *Yr Athro Eglur, neu Arweinydd Esmwyth i ddysgu darllen Cymraeg ynghyd ag amrywiol bethau eraill i sylwi arnynt* a *Cyfarwyddyd ac anogaeth i sefydlu ysgolion Sabbothol ac Wythnosol.* O'r ddau yr ail yw'r pwysicaf oherwydd ynddo yr eglurwyd trefn yr Ysgolion Sul am y tro cyntaf yn yr iaith Gymraeg.

Yn ei ragymadrodd disgrifir y gwaith da a wnaethpwyd yn Ysgolion Sul Lloegr. Nid oes dadl nad yw Rhys am weld Ysgolion Sul Cymru yn dilyn yr un patrwm, sef gwella moesau'r genedl trwy ddiwygio'r werin ac yn arbennig blant y tlodion. Â yn ei flaen i roi rhesymau pendant dros sefydlu Ysgolion Sul sef dysgu plant y tlodion i ddysgu Cymraeg, eu cadw rhag halogi'r Saboth, eu dysgu am Dduw a'r egwyddorion a geir yn y Beibl gan eu hyfforddi mewn moesau a glanweithdra.

Yn dilyn y rhagymadrodd eir ati i drafod 'Trefn yr Ysgolion Sabothol' a hyn eto'n ddrych o drefn yr ysgolion yn Lloegr – mae ymddwyn yn weddus a glanweithdra yn nodau amgen iddo yntau fel Raikes. Ond mae Rhys yn annog y Cymry i 'ymdrechu i gael gwybodaeth o ddynion a phethau yn eu hiaith eu hunain'.

Yn ei gyfrol olaf sef, *Anerchiad difrifol i'r Cymry, i'r diben i'w hannog i sefydlu Ysgolion Cymraeg at ddysgu plant y tlodion i ddarllen eu Beiblau,* mae'n cyfeirio at ei ymdrechion ef ei hun dros addysg 'yn ystod y flwyddyn ddiwedda' sef 1793. Yn dilyn ei ymdrechion mae'n apelio, ei apêl olaf at ei gyd-wladwyr, i godi ysgolion ymhob cymdogaeth a geilw ar 'bregethwyr ac eraill sy'n ofni Duw' i olygu'r gwaith ac ymorol am gynnal yr athrawon a chael cyflenwad o lyfrau ar gyfer y plant. Nod yr ysgolion oedd 'nid yn unig ddysgu'r plant i ddarllen ond eu cadw rhag gwneud drygioni ar ddydd yr Arglwydd'. Yn eu dyb ef roedd gofal a hyfforddi'r tlodion yn sicr o ddwyn ar ei ganfed yn gymdeithasol ac y dylai 'personau neilldyol a chymorth y cyfoethog' sicrhau hynny.[154]

Er na ddatblygodd Ysgolion Sul Morgan Rhys yn gyfundrefn genedlaethol mae'n werth nodi sawl peth, sef mai yng nghyfundrefn Lloegr y sylfaenodd ei gynllun a bu ei gylchgrawn a'i fynych deithiau trwy Gymru rhwng 1792 a 1794 yn foddion i ledaenu ei neges. Dwy nodwedd i'w cadw mewn cof oedd ei awydd i sefydlu Ysgolion Sul anenwadol a'r pwyslais a roddodd ar y Gymraeg.

Yng nghyd-destun cyfraniad Rhys mae'n rhaid edrych ar gyfraniad 'his much esteemed friend' y Parchg William Richards, (1749 – 1818) brodor o sir Benfro a dreuliodd y rhan helaethaf o'i oes yn gweinidogaethu gyda'r Bedyddwyr yn King's Lynn.[155] Cyhoeddodd bamffledyn dwyieithog yn crynhoi ei argymhellion ar i bob cynulleidfa neu eglwys gychwyn Ysgol Sul 'at some convenient place'.[156] Awgryma awr neu ddwy bob Saboth i ddysgu darllen a phwysleisia nad darllen diystyr ddylai hwn fod ond yn hytrach darllen ymestynnol, 'accompanied with such discriminative and explanatory remarks... to help or understand their import, and impress them on their minds for their comfort and edification'.[157] Rhydd bwyslais ar Ysgolion Sul enwadol i baratoi addysg ar gyfer croestoriad o'r gymdeithas a bod yr athrawon i godi o blith yr addolwyr ac felly'n athrawon gwirfoddol.[158]

Nid oes tystiolaeth fod Ysgolion Sul William Richards wedi'u sefydlu yng Nghymru ond mae'r egwyddorion uchod yn enwedig y pwyslais ar y gymdeithas gyfan a'r athrawon gwirfoddol yn amlwg yn rhan o wead yr Ysgolion Sul cynnar.

Mae'n amlwg fod y dechreuadau yn Lloegr wedi dylanwadu i raddau helaeth ar Gymru. Cyn gynhared â diwedd 1785 cawn lythyr gan Esgob Llandaf, Richard Watson, yn cydnabod eu cyfraniad:

Cambridge, Dec 20, 1785.
Sir,
Allow me to return thanks to the committee appointed by the Society
for the Establishment of Sunday Schools for the communication of
their plan. I have long thought favourably of the institution of Sunday
Schools, and that experience alone would be the sure test of their
utility; yet I have ventured to take some steps towards introducing
them to larger towns of my diocese. I pray God to prosper the
undertaking which you have so benevolently set on foot. I am Sir,
your obliged servant.
R. Llandaff. [159]

Mae'n amlwg fod cylchlythyr o eiddo'r Gymdeithas wedi tanio dychymyg
neu ddwysbigo fel bo'r galw a chawn gadarnhad ym mhapur newydd Raikes
ei fod yn dechrau lledaenu ei orwelion ac yn ymestyn ei ymdrechion a'i lafur
tuag at Dde Cymru.[160] Yn y *Gloucester Journal* ceir adroddiad am gyfarfod
blynyddol Ysgolion Sul, Caerdydd, felly mae'n amlwg fod Ysgolion Sul ar
ddulliau ysgolion Raikes yn cael eu cynnal cyn gynhared â 1786.[161] Ynglŷn
â'r 'School of Industry' y cyfeirir ati meddai Gregory:
Connected with some of the early Sunday Schools were kindred institutions
called 'Schools of Industry' for a week day instruction in Industrial Arts.

Bodolai'r rhain yn 'Bath, Cardiff, Abergavenny and Cheltenham,[162] a'u pwrpas
oedd cynnig cwricwlwm galwedigaethol i'r disgyblion.
    O edrych ar gyfraniadau Edward Williams yn y Gogledd, Morgan John
Rhys ac Esgob Llandaf yn y De mae'n werth rhoi sylw i drysorydd Cymdeithas
yr Ysgolion Sul, Mr Henry Thornton (1760-1815).[163] Nid oes amheuaeth nad
oedd yn un o gymwynaswyr pennaf Cymru y cyfnod hwn. Roedd yn awyddus
i wybod beth oedd sefyllfa'r ysgolion yng Nghymru.[164] Cyfyngai'r
Gymdeithas ei nawdd i'r gwaith yn Lloegr yn unig yn y cyfnod cynnar, er
hynny bu Thornton yn raslon a chefnogol trwy hyrwyddo gwaith yr Ysgolion
Sul o'i boced ei hun yn y Gogledd.[165]
    Cyn trafod cyfraniad Thomas Charles, mae'n rhaid gofyn pam na
lwyddodd yr Ysgolion Sul cynnar? Ym marn J. J. Evans mae'r rheswm yn
glir ac ni ellir anghytuno â'i farn, iddynt, 'gyrraedd amcanion cymdeithasol
yn ôl y patrwm Seisnig, a methu ganddynt greu brwdfrydedd yn y genedl.'[166]

Casgliadau

Mudiadau estron oedd yr Ymddiriedolaeth Gymreig a'r Gymdeithas er Taenu Gwybodaeth Gristnogol a hynny'n bennaf oedd yn gyfrifol am eu tranc. Sais, nad oedd yn deall nac yn barod i ddysgu am Gymru, oedd Gouge a chymdeithas a gadwai'n glos at ddyheadau'r Eglwys Sefydledig oedd y Gymdeithas er Taenu Gwybodaeth Gristnogol. Nid oes amheuaeth nad oedd yr ateb yn nwylo Griffith Jones a'r allwedd i'w lwyddiant oedd y pwyslais ar yr iaith gynhenid a hyfforddiant i athrawon, ond y gwendid pennaf oedd ehangder y maes ac nad oedd modd i un dyn gadw trefn ar yr holl ddigwyddiadau. Offeiriad yn yr Eglwys Sefydledig ydoedd ar hyd ei oes a bu hyn o fantais iddo gan y dibynnai ar gefnogaeth ei gyd offeiriaid i gynnal ei ysgolion. Er fod Howell Harris wedi bod mewn seminar oedd wedi'i threfnu gan Griffith Jones ac iddo ddysgu yn yr un o'r ysgolion cylchynol yn 1736 a gweithio fel arolygwr ar yr ysgolion o ail hanner 1737 hyd 1741[167] llwyddodd i dawelu yr arweinwyr Eglwysig oedd yn dadlau fod ei ysgolion yn foddion i ledaenu Efengyliaeth trwy wahodd clerigwyr i arolygu'r ysgolion, asesu'r athrawon a pharatoi adroddiadau ar safon y dysgu. Ar y sylfeini a'i ddulliau ef y gweithredodd Thomas Charles, sef addysg rad, Gymraeg yn canolbwyntio ar ddarllen a chateceisio. Er fod y Dr Edward Williams yn Gymro, tros glawdd Offa y bu'n llafurio ac anodd iawn oedd symbylu a swcro ac yntau wedi cefnu ar y maes ynghyd â'r pwyslais a roddodd ar y Saesneg ar draul y Gymraeg. Gŵr a weithiodd yn ddygn am gyfnod byr oedd Morgan Rhys eithr pylodd ei weledigaeth. Er iddo roi sylfaen gadarn, addysgol ac ieithyddol i'r cysyniad o Ysgolion Sul eto i gyd bu dylanwad Lloegr yn drwm ar ei gynlluniau gan iddo roi'r pwyslais ar yr elfennau moesol a chymdeithasol. Ceisiodd y ddau gyrraedd amcanion cymdeithasol yn ôl y patrwm Seisnig ac o'r herwydd ni lwyddasant i greu brwdfrydedd yn y genedl. Nodweddid y cyfnod hwn gan dwf Anghydffurfiaeth, gyda'r dyhead deublyg i addysgu'r tlodion a'r awch yn eu mysg hwythau am addysg. I raddau roedd y tir yn barod. I Charles, a sylfaenodd ei weledigaeth ar y dylanwadau cynnar, y rhoddwyd y dasg honno.

3: Hau'r had: Cyfraniad Addysgol Thomas Charles

'Nid yn oddefol yn unig yr aeth efe drwy y byd, ond yn weithredol. Nid effaith oedd ei fywyd yn unig, ond achos. Gallu ydoedd a ddaeth i roddi ysgogiad newydd i feddyliau dynion.' *L. Edwards*[1]

Fel y gwelwyd yn y ddwy bennod flaenorol ar hanes dechreuadau'r Ysgol Sul yn Lloegr a Chymru, nid oedd na strwythur na threfn ac angen y cyfnod oedd cydlynydd, trefnydd, ysgogydd ac unigolyn a allai harneisio egni a grym Efengyliaeth a chodi'r mudiad i lefel uwch. Syrthiodd y fantell honno ar ysgwyddau Thomas Charles.

Cychwynnodd ar ei waith trwy sefydlu ysgolion cylchynol ac o'r rhain y datblygodd yr Ysgolion Sul a'u pwyslais ar drefn, moesgarwch a'r nod pellgyrhaeddol o achub enaid a'r cyfan yn cael ei gynnal drwy gyfrwng iaith y bobl.

Cefndir

Yn Longmoor, fferm 78 acer ym mhlwyf Llanfihangel Abercywyn, naw milltir o Gaerfyrddin i gyfeiriad Sanclêr y ganed Thomas Charles, ar 14 Hydref 1755 ac yn fuan ar ôl ei eni symudodd y teulu i fferm 378 acer ym Mhant Dwfn oedd yn nes at Sanclêr. Ardal yn gyforiog o hanes a thraddodiad cyfoethog oedd hon gan mai un o'r fro oedd Stephen Hughes a fu'n weithgar gyda'r Ymddiriedolaeth Gymreig. Yma y sefydlodd yr SPCK eu hysgolion ac yn un o ysgolion Griffith Jones, Llanddowror, y cafodd Charles ei addysg gynnar cyn iddo ymadael am Academi Caerfyrddin yn 1769. Yn ystod ei gyfnod yn yr Academi aeth i wrando ar Daniel Rowland yn pregethu ar 20 Ionawr 1773 ac yntau'n ddeunaw oed a disgrifiodd y profiad fel diwrnod hapusaf ei fywyd:

> O'r diwrnod cysurol hwnnw cefais fath o nef newydd a daear newydd i'w mwynhau.........Yr oedd gennyf o'r blaen ryw ddarluniad o wirioneddau yr efengyl, megys yn nofio yn fy mhen; ond erioed hyd y tro hwn ni threiddiasant i'm calon gyd ag effeithiolaeth a nerth dwyfol.[2]

Amlygir dwy elfen arwyddocaol ym mhrofiad Llangeitho. Er ei fod wedi ymwneud â phethau crefyddol cyn hyn, fel aelod yn yr Eglwys Sefydledig a'i brofiad dan ddylanwad hen ŵr duwiol o'r enw Rees Hugh, eto prin oedd ei ymwybyddiaeth o drefn a chynllun yr Efengyl. Yn dilyn ei dröedigaeth rhoddwyd trefn a chynllun ar ei feddyliau ac esgorodd hyn yn ei dro ar doreth o gyfarpar a fyddai'n dadansoddi a goleuo'r Efengyl i blant ac oedolion. Yr ail elfen oedd fod gwirioneddau'r Efengyl wedi trywanu'i galon ac wedi cydio yn ei holl bersonoliaeth a theimlodd fod gan Dduw dasg arbennig ar ei gyfer.[3] Yn ystod ei gyfnod o dair blynedd (1775 – 1778) yng Ngholeg Iesu, Rhydychen, daeth i gysylltiad â dylanwadau a phrofiadau Efengyliaeth gynnes a chlos a dysgodd fyw'n gytûn gyda gwŷr dylanwadol o wahanol gefndiroedd cymdeithasol a chrefyddol ac yn eu plith Thomas Scott, Timothy Priestley ond y pennaf oedd John Newton o Olney.[4] Treuliodd haf yng nghwmni'r emynydd a'r diwinydd hwn gyda'r pwrpas o gael hyfforddiant mewn diwinyddiaeth. Sylwer mai tu allan i furiau'r coleg a'r ddinas y bu'n cyfathrachu â'r gwŷr hyn ac roedd rheswm da am hyn. Gwŷr o argyhoeddiadau efengylaidd oedd yn tyrru at Olney a gwyddys fod awdurdodau'r Brifysgol yn Rhydychen bryd hynny'n ymosodol iawn ar fyfyrwyr oedd yn tueddu'n ormodol tuag at Fethodistiaeth. Yn 1768 diarddelwyd chwech o fyfyrwyr am eu daliadau Methodistaidd ac yng nghyfnod Charles ei hun gwrthodwyd ei radd i Robert Coe, gŵr yr oedd ei dad, Charles â chysylltiadau busnes ym Mynydd Parys ym Môn.[5]

Ordeiniwyd Thomas Charles yn ddiacon a chofnododd yn ei ddyddiadur ar y diwrnod arbennig hwnnw, 'Mehefin 14, 1778, cefais fy urddo yn Ddiacon yn Rhydychain. Yr oeddwn yn teimlo dymuniad cryf am i'r Arglwydd fy ngalluogi i gyssegru fy hun yn gwbl i'w wasanaeth ef, dros y rhan oedd yn ol o'm dyddiau ar y ddaear.'[6] Ar 21 Mai 1780 yr un oedd y dyhead pan gafodd ei ordeinio'n offeiriad, '[i] roddi fy hun ac oll a feddwyf at wasanaeth Duw'.[7] Blynyddoedd tywyll, yn ôl ei gyfaddefiad ei hun, oedd blynyddoedd ei guradiaeth yng Ngwlad yr Haf, 'yn ddiweddar yr wyf wedi bod mewn mawr gyfyngder meddwl; mae y cwbl yn dywyllwch ac yn anghysur oddi fewn; llygredigaethau yn gryfion iawn, a minnau heb nerth'.[8] Tybed ai neges Daniel Rowland chwe blynedd yng nghynt oedd yn corddi'i enaid gan gofio hefyd yr hiraeth am ei gariad oedd yn bell, bell yn y Bala? Ar ôl treulio cyfnod o gwta bum mlynedd yn yr anialwch yn Lloegr dychwelodd i Gymru ac i esgobaeth Llanelwy. Priododd â Sally Jones yn Awst 1783, a'i hanes wedyn oedd mynd o'r naill blwyf i'r llall a'i wrthod dro ar ôl tro fel mae'n tystio mewn llythyr at ffrind, 'When I served it for two Sundays, a long letter was sent to me, genteely excusing my attendance for the future.... However, last Sunday, the whole parish......came to me and accosted me in a rougher strain than I ever had been used to before.'[9] Yn Ionawr 1784 er mawr ryddhad a gollyngdod agorodd drws eglwys Llanymawddwy iddo a hynny bedair milltir ar ddeg o'r Bala a chartref ei wraig. Yno dechreuodd gateceisio'r ieuenctid ar brynhawniau Sul yn ôl gofynion y Llyfr Gweddi Gyffredin.[10] Credai fod anwybodaeth ei braidd yn rhwystr i'w genhadaeth ac yn boen enaid iddo: Y mae'n drueni athrist i weled creaduriaid o berchen eneidiau anfarwol, yn cael eu magu a'u meithrin mewn hollol anwybodaeth o'r pethau a berthynent i'w tragwyddol heddwch.[11]

Ceisiodd ddiwallu eu hanghenion trwy eu haddysgu ond ffyrnigwyd y plwyfolion, 'Attempts have been made by the great folks about Dinas to stir up the parishioners against me.......'[12] Roedd ei waith yn cateceisio'r ieuenctid yn ddigon o brawf i'r plwyfolion ac i'w reithor y Parch Edward Owen fod raid iddo adael nid yn bennaf oherwydd ei sêl ond, fel y dengys y Dr. D. E. Jenkins, oherwydd ei fod yn briod ag un o'r Methodistiaid a hithau'n llysferch i bregethwr teithiol.[13] Er i rai o'r plwyfolion lofnodi deiseb iddo gael aros yn eu plith, yn ôl pob tystiolaeth fe'i dinistriwyd yn hytrach na'i chyflwyno.[14] Apeliodd ond ni chafwyd unrhyw gofnod ymhlith papurau'r Esgob y Dr Jonathan Shipley, Esgob Llanelwy (1769 – 1787) ar y pryd.[15] Bellach roedd ei ddyfodol yn glir – nid oedd ei wraig am adael ei bywoliaeth yn y Bala ac roedd yr Eglwys Sefydledig wedi cefnu arno ac felly doedd ond un ffordd ymwared. Er iddo gael cyngor i adael Cymru[16] 'cafodd eu [sic] dueddu neu yn hytrach ei nerthu mewn ymroddiad i ddilyn arweiniad rhagluniaeth, a bwrw ei goelbren ym mhlith y corph o bobl a elwir yn Fethodistiaid Calfinaidd'.[17]

Yn nechrau Gorffennaf 1784 y digwyddodd hyn ac ymhen dau fis roedd yn ddiwyd gyda phlant y Bala:
he collected the ignorant children and the youth of Bala for the purpose of instructing them in his home; which exercises proving acceptable, the number soon became larger than could be conveniently be accommodated. He was therefore prevailed upon to adjourn those meetings to the chapel of the Calvinistic Methodists.[18]

Dechreuodd ar yrfa fel pregethwr teithiol gyda'r Methodistiaid ac er iddo gael cynnig curadiaeth yn Lloegr, fe'i gwrthododd ac meddai mewn llythyr at y Parch. Mr. Mayor, 'I must not entertain the thought of accepting it and leaving my present line of labouring in the Lord's vineyard. The fields here all over the country are white for the harvest.....'[19] O deithio'r wlad yn pregethu cafodd brawf uniongyrchol o'r sefyllfa argyfyngus a fodolai, 'I soon found that in most places there were a great number that could not read among the lower class of people, and in some parts whole districts without a Bible or hardly any Person that could read it, if they had one.'[20]

Methodistiaeth ei gyfnod

Cyfnod o rwygiadau mewnol ac ymosodiadau o'r tu allan fu hanes Methodistiaeth yn y blynyddoedd cynnar a hefyd ym mlynyddoedd yr astudiaeth hon. Yn y blynyddoedd cynnar stormus fu'r berthynas rhwng Howell Harris a Daniel Rowland a pharhaodd y rhwyg rhyngddynt am ddeuddeg mlynedd.[21] O'r tu allan ni fu perthynas gyfeillgar rhwng yr Eglwys Sefydledig a'r Methodistiaid gan y bu John Evans, rheithor Eglwys Gymun, yn feirniadol o ysgolion cylchynol Griffith Jones, Llanddowror[22] a Theophilus Evans, ficer Llangamarch yn sarhaus o ddulliau addoli'r Methodistiaid.[23] Ond er gwaetha'r anawsterau dal ei dir a chynyddu fu hanes y mudiad. Erbyn degawdau olaf y ddeunawfed ganrif bu cryn ansicrwydd ar ôl colli'r genhedlaeth gyntaf i wybod i ba gyfeiriad i droi, naill ai aros o fewn yr Eglwys a derbyn y sacramentau neu ffurfio enwad newydd. Araf iawn fu lledaeniad y Methodistiaid yng Ngogledd Cymru a'r rheswm am hyn yn ôl D. E. Jenkins oedd prinder gweinidogion ordeiniedig gyda'r un statws â chlerigwyr Methodistaidd y De.[24] Dyma'r cyfnod y daeth Thomas Charles a Thomas Jones o Ddinbych i'r adwy. Ymunodd Charles â'r Methodistiaid yn ystod haf 1784. Ef oedd 'rhodd Duw i'r gogledd' yn ôl Daniel Rowland, a daeth y Bala yn gyrchfan a rhoddodd yntau arweiniad sicr a hynny mewn ffordd ymarferol o'i brofiad o orfod pregethu i bobl anllythrennog.

Trwy ei bersonoliaeth gynnes a chadarn ymatebodd yn gadarnhaol i'r ymosodiadau a'r rhwygiadau mewnol. Wynebai'r Methodistiaid ymosodiadau ar raddfa Brydeinig gan i Esgob Lincoln, cyn diwtor William Pitt, y prif weinidog, gynnal arolwg o gyflwr crefydd yn ei esgobaeth. Cyhoeddwyd canlyniadau'r arolwg yn 1800 ac un o'r gwelliannau a argymhellwyd oedd, 'the amendment of the Toleration Act.'[25] Gan fod dylanwad yr esgob yn drwm ar ei gyn-efrydydd ofnai Wilberforce y byddai'r dydd yn dod pan fyddai'n rhaid i bawb gael caniatâd esgob i bregethu. Daeth hyn i glyw Thomas Charles ac ymatebodd yn gadarn gyda sêl bendith Sasiwn y Bala (Mehefin 1801) gan fynnu, 'We do not willingly dissent, or consider ourselves Dissenters from the Established Church.....Our aim is neither to make schism, nor sect, nor party.'[26] Ond doedd y cyhoeddiad hwn ddim yn ddigon i dawelu offeiriaid o'i esgobaeth ei hun. Cyhuddodd Hugh Davies, Rheithor Aber, y

Methodistiaid o rwystro undeb Eglwys Crist[27] a galwodd Rheithor Llandyfrydog ar i'r Eglwys fynd ati i ddifa'r mudiad neu byddai'r Eglwys a'r Wladwriaeth yn gwegian i'w sylfeini.[28] Yn dilyn cais gan Sasiwn Llanrwst (1802) ymatebodd a gwadodd Charles fod gan y Methodistiaid unrhyw gynllun i wrthwynebu llywodraeth y wlad na'r Eglwys.[29]

Pryderai Edward Charles (Siamas Gwynedd), aelod o Gymdeithas y Gwyneddigion am safon y pregethwyr ac aeth ati i'w cystwyo nid yn unig am eu hystumiau anolygus ond am eu hanwybodaeth o'r Ysgrythur a 'braidd eu bod yn gallu darllen'.[30] Ymateb i her yr ymosodiadau a'r rhwygiadau hyn wnaeth y ddau athrawiaethwr. Llwyddodd Thomas Jones i argyhoeddi o blaid y Galfiniaeth gymedrol ac na ellid cyfyngu ar yr Iawn a lluniodd Charles gyfundrefn o ddiwinyddiaeth yn ei gatecismau a'i Eiriadur a fu'n sylfaen i athrawiaeth Gristnogol weddill y ganrif.

Cynyddai'r capeli trwy Gymru ac o'r adeg yr ymunodd Charles â'r Methodistiaid yn 1784 i'w farw yn 1814 codwyd 258 o gapeli i'r Methodistiaid ac ailadeiladwyd 34 ohonynt.[31] Trwy ei ysgolion dyddiol a'i Ysgolion Sul, ei gyhoeddiadau dirifedi, ei gynhesrwydd a'i ddyfalbarhad, a'r pwyslais gwaelodol ar achub enaid aeth ati'n ddiflino a diarbed a rhoddodd drothwy a sbardun newydd i Fethodistiaeth. Nid amheuodd unwaith nad oedd ei yrfa a'i weledigaeth dan lywodraeth Rhagluniaeth. Dan ei arweiniad aeth Methodistiaeth ymlaen i fynnu cydnabyddiaeth lawn mewn cyfnod pan nad oedd yr Eglwys mewn safle i'w hatal rhag sefydlu'n annibynnol a gwireddwyd hyn yn ystod yr ordeinio yn sasiynau'r Bala a Llandeilo yn 1811.

Yr Ysgolion Cylchynol

Athroniaeth

Ar batrwm ysgolion cylchynol Griffith Jones y sefydlodd Charles ei ysgolion dyddiol[32] gan y gwyddai o brofiad personol am y dylanwad a fu arno a'r daioni a brofwyd trwy Gymru benbaladr.

Wrth geisio dadansoddi athroniaeth Charles mae lle i gredu ei fod yn cynrychioli dwy ysgol o feddwl a fodolai yn niwedd y ddeunawfed a dechrau'r bedwaredd ganrif ar bymtheg. Ar y naill law cynrychiolai athroniaeth John Locke (1632 – 1704) a ddadleuai fod meddwl plentyn fel *tabula rasa* sef darn o bapur glân neu gŵyr oedd yn barod i'w fowldio a'i fodelu yn ôl y galw. Pwysleisiodd gynneddf gynhenid plentyn i resymu a gwelodd gyfnod plentyndod fel rhan allweddol o ddatblygiad dyn.[33] Credai Efengyliaeth y cyfnod hwn y gellid meithrin meddwl plentyn ar gyfer tröedigaeth grefyddol a gwyddai o'i brofiad ei hun arwyddocâd a dylanwad tröedigaeth. Poblogeiddiwyd athroniaeth Locke ar dudalennau'r *Arminian Magazine*, cyhoeddiad y gellir tybio bod Charles yn ymwybodol o'i gynnwys gan fod Thomas Foulks, llys dad Sally, gwraig Charles, yn cadw cysylltiad a chyfrannu'n gyson i'r gymdeithas Wesleaidd yng Nghaer.[34] Ar y llaw arall nid oedd dwywaith nad oedd y pwyslais crefyddol ar bechod plentyn o'i enedigaeth yn rhan o gred sylfaenol Charles.[35] Mae'n bwysig cofio mai Calfiniaeth Gymedrol wedi ei glastwreiddio a'i thymheru gan Efengyliaeth oedd sylfaen ei ddiwinyddiaeth ac nid yw'n syndod fod y Methodistiaid wedi rhoi cymaint o bwyslais ar addysg i hyfforddi a goleuo. Cyfunodd y ddwy elfen, yr addysgol a'r crefyddol, i greu fframwaith gadarn ar gyfer ei ysgolion, 'tra anhawdd yw dysgu gwybodaeth i bobl na fedrant ddarllen a dysgu iddynt ddeall pregethu, heb addysgu blaenorol trwy *gateceisio'*.[36] Nod y bartneriaeth hon oedd creu gwareiddiad oedd wedi'i sylfaenu ar y Beibl, fyddai'n ganllaw ar gyfer y bywyd hwn a hefyd 'y byd a ddaw'.

Athrawon

Yn wahanol i ysgolion Griffith Jones penderfynodd Charles gyfyngu ar y maes a chanolbwyntio i ddechrau ar garreg ei ddrws yn y Bala.[37] Dechreuodd hyfforddi athrawon ar ei aelwyd ei hun gan gyflogi un athro yn 1785, saith yn 1786, dwsin yn 1787 ac ugain erbyn 1794.[38] Ar y dechrau £8 y flwyddyn oedd cyflog athro, £12 yn 1797 ond dechreuodd gwyno yn 1808 ei fod yn talu £15 a'i fod ar y dechrau wedi cadw ugain athro, 'ar yr un gost â deg yn bresennol'.[39] Nid oedd pob athro'n derbyn yr un cyflog fel y gwelwn yn hanes Lewis Wiliam, gŵr a ddaeth yn ei dro yn athro ar yr enwog Mary Jones, gŵr yn ôl pob tystiolaeth nad oedd wedi meistroli'r sgil o ddarllen. Yng nghyfarfod misol Abergynolwyn cyfarfu Wiliam â Thomas Charles, ac ar ôl i'r gŵr o'r Bala wrando arno'n darllen pennod o'r llythyr at yr Hebreaid, ei ymateb oedd, 'Wel, sut yr wyt ti'n gallu addysgu neb i ddarllen, mae tu hwnt i fy amgyffred i'.[40] Atebodd Wiliam ei fod yn dysgu'r wyddor ar y dôn 'Gorymdaith Gwŷr Harlech' a chael help gan hen chwaer o'r enw Beti Ifan, 'yr hon oedd yn abl i ddarllen yn rhwydd a gwrandawai arni'n darllen y wers a fwriadai ei rhoddi yn yr ysgol'.[41] Gwelodd ddeunydd athro yn y gwladwr, gwylaidd hwn a chyflogodd ef yn 1799 i gychwyn ar £4 y flwyddyn a'r un pryd ei annog i fynd at John Jones, Penparc, i'w berffeithio'i hun.[42] Ymhen y flwyddyn roedd yn athro yn Abergynolwyn a Mary Jones yn un o'i ddisgyblion. Gosododd sylfaen gadarn i'w ysgolion a'i gryfder pennaf oedd hyfforddi athrawon. Hwn oedd gwendid mawr y mudiadau oedd wedi bodoli yng

Nghymru er fod Griffith Jones wedi hyfforddi athrawon yn yr 'Hen Goleg'. I Charles roedd dewis a dethol athrawon yn gwbl allweddol:

> My greatest care has been in the appointment of proper teachers. They are all poor persons, as my wages are but small; besides, a poor person can assimilate himself to the habits and mode of living among the poor, as it is his own way of living. It is a requisite he should be a person of moderate abilities, but, above all, that he be truly pious, moral, decent, humble, and engaging in his whole deportment – not captious, not disputatious, not conceited, no idle saunterer, no tatler, nor given to the indulgence of any idle habits.[43]

Pwysleisiodd ar y naill law dlodi'r athrawon ac yn hynny o beth byddai'r ardalwyr yn gallu uniaethu â hwy ac ar y llaw arall byddai'r athrawon trwy eu hymarweddiad a'u buchedd yn dyrchafu a chynnig rhywbeth rhagorach i'r gymdeithas. Cadwai lygaid barcud ar ei athrawon gan y byddai'n arolygu'n gyson:

> I visit these schools myself as often as my other engagements will permit – once or twice a y^r if possible.....a visitor is absolutely necessary to keep ye Master to his work faithfully.[44]

Mynnai Charles fod hyfforddiant mewn swydd yn digwydd yn gyson ac yn bersonol ar lawr y dosbarth.

Mae'n amlwg hefyd y byddai'n mynd â'i athrawon gydag ef ar ei deithiau i sefydlu a hyrwyddo ysgolion newydd. Ceir cofnod ohono'n mynd ag Owen Jones (1787 – 1828) [45] gydag ef i geisio ail gynnau'r fflam yn hanes Ysgolion Sul Merthyr rywbryd rhwng 1810 ac 1811.[46] Yn ôl pob golwg bu'r ymweliad yn llwyddiannus. Roedd ei bersonoliaeth a'i bresenoldeb yn ddigon pan gyhuddwyd John Humphrey o gynnal ysgol ar y Sul yng nghyffiniau Tŷ'n y Maes rhwng Bethesda a Llyn Ogwen. Ar ôl trafodaeth yn y cyfarfod misol yn Rhydbach, Llŷn â Charles yn bresennol, ni fu mwy o ddadlau a chafodd y gŵr hwnnw ganiatâd i gynnal ysgol a chodi mwy o ysgolion yn yr ardal.[47]

Dewisai ei ardaloedd yn ofalus trwy ymweld â'r lleoedd ei hunan cyn dechrau ar y gwaith.[48] Ar ôl trafod â rhai o'r trigolion byddai'n galw cyfarfod gan nodi'r man a'r lle a chyhoeddi y byddai ef ei hun yn annerch y plwyfolion ar bwysigrwydd dysgu'r plant i ddarllen Gair Duw gan eu sicrhau o gymorth athro. Deuai'r anerchiad i ben gyda her i'r rhieni i anfon eu plant i'r ysgol i ddysgu darllen gan roi addewid o lyfrau os oeddynt yn rhy dlawd i'w prynu. Rhoddai sylw i'r plant, hefyd, yn y cyfarfodydd.[49] Gwyddai i'r dim sut i drin pobl, 'we are kind friends ever after the first interview'.[50]

Yn dilyn ei ymweliad roedd rôl yr athro'n allweddol, 'his time is entirely at my command'.[51] Nid oedd athro i aflonyddu ar unrhyw deulu y tu allan i oriau dysgu, ond os byddai'n cael gwahoddiad ar aelwyd i esbonio ei dasgau roedd i ymddwyn yn weddaidd.[52] Meistr caled ydoedd gan y gwyddai pob athro fod ei ddyletswyddau'n golygu gweithio ddydd a gyda'r nos, 'he is engaged in the evening as well as through the day, and that *every* day'.[53] Yn 1787 penderfynodd ychwanegu at faich yr athrawon gan iddo eu hannog i ddysgu ar nosweithiau'n ystod yr wythnos, yn arbennig ar nosweithiau Sul i roi cyfle i rai na allai fod yn bresennol yn ystod yr wythnos. Eithr nid Ysgolion Sul oedd y rhain ond yn hytrach ysgolion dyddiol sef ysgolion cylchynol yn y cyfarfod ar y Sul. O'i fynych ymweliadau â'r ysgolion gwelodd fod y rhai a gynhelid ar y Sul yn dod yn fwy poblogaidd a niferus na'r rhai a gynhelid yn ystod yr wythnos. Ar ddiwedd tymor ysgol ef oedd yn gyfrifol am arholi'r plant yn gyhoeddus ac ef hefyd a benderfynai os oedd ysgol i aros am chwe, naw mis neu hyd yn oed gyfnod estynedig. Erbyn 1808 pan oedd yr Ysgolion Sul wedi hen ennill eu plwyf mynnai fod raid adfywio rhai ardaloedd trwy ail ymweld, a hynny'n bennaf er mwyn adfywio 'and reanimate the teachers and the people to carry them on'.[54]

Dulliau Dysgu

Hyd y gellir olrhain, pwrpas yr ysgolion cylchynol oedd dysgu plant y tlodion a'r ieuenctid i ddarllen y Beibl yn eu mamiaith a'u dysgu yn egwyddorion y grefydd Gristnogol trwy eu holwyddori.[55] Yn ei lythyr at Mr Anderson, gweinidog gyda'r Bedyddwyr yng Nghaeredin (1811) mae'n rhestru ei resymau tros ddysgu'r famiaith yn gyntaf. Roedd dysgu'r plentyn i ddarllen yn ei iaith gyntaf yn prysuro'r broses – chwe mis yn hytrach na dwy neu dair blynedd i ddysgu ail iaith. Roedd yr iaith gyntaf yn cyfleu ystyr ac yn cynorthwyo'r unigolyn i ddeall iaith y Beibl a iaith y pulpud. Aeth ymhellach trwy honni, o'i brofiad â'i blant ei hun, fod hyfforddiant yn y famiaith yn eu galluogi i ddysgu Saesneg yn gynt. Arweiniai hyn at greu diddordeb a chyffro i fynd ati i chwilio am fwy o wybodaeth a chan fod llyfrau Cymraeg yn brin rhaid oedd troi at lyfrau Saesneg i ddiwallu eu hanghenion. Ond yn sylfaenol i hyn i gyd roedd y dyhead i ddangos pa mor bwysig oedd y Gymraeg 'by teaching Welsh *first,* we prove to them that we are principally concerned about their souls'.[56] Paratôdd gatecismau ar gyfer y gwaith o addysgu[57] lle gosododd yn glir system o ddiwinyddiaeth gydag adnod o'r Beibl i gadarnhau pob ateb.[58] Fel y dywed wrth 'un o Wrexham', ei uchelgais oedd dysgu'r plant yn egwyddorion Cristnogaeth a 'dim arall'.[59]

Rôl y catecism yn addysg y plant

Canllaw neu lawlyfr oedd y catecism yn dehongli'r athrawiaeth Gristnogol ac fel arfer, fe'i defnyddid fel hyfforddiant llafar ar athrawiaeth y ffydd Gristnogol i oedolion a phlant cyn eu bedyddio. Mae'r cysyniad o lawlyfr holi ac ateb yn mynd yn ôl i'r Oesoedd Canol pan gyhoeddwyd llyfrau, yng Nghyngor Lambeth (1281), oedd yn esbonio'r Pader a'r Credo ynghyd â rhestr o'r pechodau marwol.[60] Yng nghyfnod cynnar y Diwygiad Protestannaidd, gyda'r pwyslais ar hyfforddiant crefyddol cynhyrchwyd toreth o gatecismau ac ymhlith yr enwocaf ohonynt oedd *Catecism Genefa* (1541) o waith Calfin[61] a *Catecism Heidelberg* (1563) o waith Ursinus ac Olevianus.[62] Mae *Catecism Byrraf Cymanfa Westminster* (1648) a gynhwysai 107 o gwestiynau ac atebion, yn un o'r rhai helaethaf gyda'i bwyslais ar briodoldeb iachawdwriaeth a helaethrwydd y bywyd Cristnogol. Nid oes adran ynddo ar yr Eglwys ac fel ei ragflaenydd *Catecism Cymanfa Westminster* ychydig iawn sydd ynddo ar yr Ysbryd Glân, a cheir ynddo esboniad manwl ar y Deg Gorchymyn.[63] Ni ellir anwybyddu *The ABC., or A Catechism for Young Children* (1641) a gynhwysai 37 o gwestiynau ac atebion byr wedi ei sylfaenu ar y Credo, Y Deg Gorchymyn a'r Pader gyda phwyslais ar Grist a'i Efengyl fel cyfrwng gras.[64]

Rhoddwyd pwyslais ar yr elfennau deallusol gan arweinwyr yr Hen Ymneilltuwyr ac un ffordd o bwysleisio hyn oedd i'r gweinidogion gateceisio a hynny ar eu hymweliadau bugeiliol. Cymeradwywyd cyfieithiad Iaco ab Dewi, *Catecism o'r Scrythur yn Nhrefn Gwyr y Gymanfa*, fel llawlyfr cymwys i hyfforddi ieuenctid yn egwyddorion y ffydd ac mewn gwybodaeth ysgrythurol.[65] Yn eglwys Mynydd–bach (Abertawe) symudodd y gweinidog, Lewis Davies, yr ysgol ddarllen o nosweithiau'r wythnos i ddilyn yr oedfa ddau ar brynhawn Sul a'r llawlyfr a ddefnyddid yn y dosbarth oedd *Catecism Byrraf Cymanfa Westminster* a *Catecism Mr Perkins* a'r cyfan yn digwydd yn y Gymraeg.[66]

Cyhoeddodd Griffith Jones ei gatecism, *Hyfforddiad Gymmwys i Wybodaeth Iachusol o Egwyddorion a Dyledswyddau Crefydd*, wedi'i seilio ar Gatecism Eglwys Loegr ac ychwanegodd ato'n helaeth ond er hynny cadwodd at batrwm yr hen gatecismau o gynnwys y Credo, Y Deg Gorchymyn a'r Pader.[67]

Gwelir cyfraniad Charles yn y llinach fawreddog hon pan oedd yn gurad yn Eglwys Loegr a throeon yn ei lythyrau mae'n cyfeirio at ei waith yn cateceisio'r plant. Mewn llythyr at gyfaill yn Llundain mae'n mynd rhagddo i fynegi mai prif waith yr ysgolfeistr oedd dysgu'r tlodion i ddarllen, 'a'u hyfforddi ym mhrif egwyddorion Cristnogaeth, trwy eu *cateceisio'*.[68] Byddai ef ei hun wrth ymweld â'r ysgolion 'yn eu *cateceisio* ar gyhoedd'.[69] Mae'n annog gweinidogion ac athrawon o bob enwad i 'fod yn ymdrechgar i daenu gwybodaeth o Dduw yn y wlad, trwy *gateceisio,* heblaw trwy bregethu cyhoeddus'.[70] Mewn llythyr at Joseph Tarn, trysorydd Cymdeithas y Traethodau Crefyddol, cyfeiriodd ato'i hun yn cateceisio 'plant yr heol, o flaen y tafarndy mwyaf yn y dref' hynny'n ei dro wedi bod 'yn dra amlwg a llesol i'r lle hwnnw'.[71] Paratôdd yn helaeth ar gyfer y dasg hon a chafwyd ganddo nifer o gatecismau,[72] rhai wedi'u cyhoeddi ac eraill wedi'u paratoi ar gyfer achlysuron arbennig. Yr enwocaf, o ddigon, oedd yr *Hyfforddwr i'r Grefydd Gristnogol* (1807). Er fod dylanwad Catecism Eglwys Loegr a *Hyfforddiad* Griffith Jones ar yr *Hyfforddwr* mae catecism Charles yn fyrrach a thrwyddo draw yn agosach at fyd y plentyn a gellir priodoli hyn i'w brofiad helaeth yn holi plant.[73]

Gellir crynhoi gwerth y catecism yng nghwestiwn Griffith Jones, yn yr *Hyfforddiad,* 'Pa ham y dylech ddysgu'ch Catecism?', a daw yn syth at yr ateb sef, 'Er mwyn adnabod Duw a Christ'[74] sy'n crynhoi'r meddylfryd Calfinaidd mai gwaith yr Eglwys yw goleuo hyfforddi ac addysgu'r Cristnogion. Ni ddaw y wybodaeth hon o eigion ymenyddol dyn, yn hytrach mae'n rhaid iddi gael ei datgelu a'i datguddio a hynny oddi wrth Dduw ei hun. Ffynhonnell y wybodaeth yw'r Beibl sef Gair Duw a'r Gair sy'n dysgu pobl pa gwestiynau i'w gofyn. Ffurf ar hunanholi yw'r catecism sy'n hyfforddi'r unigolyn i holi pa gwestiynau i'w gofyn, 'Heb i mi gael fy nghateceisio a'm holi pa fodd y medraf holi fy hun, fel y mae Duw'n gorchymyn'.[75] Cyfrwng llafar ydyw sy'n pwysleisio'r gred Galfinaidd mai delweddau i'w clywed yw delweddau'r Beibl ac nid delweddau i'w darlunio.[76] Dadleua Calfin fod pob ymgais i bortreadu Duw mewn celf a cherflun i'w gondemnio, 'It is always idolatry when divine honours are bestowed upon an idol, under whatever pretext this is done'.[77] Amddiffynfa yn erbyn eilun addoliad oedd y catecism, sef bod ei gynnwys yn ceisio creu'r ddelwedd a'r syniad fel y gwelir yng nghwestiwn 10, *Yr Hyfforddwr,* 'A ydyw Duw yn holl bresennol?' Yr ateb yw 'Ydyw' sef yr athrawiaeth fod Duw yn holl bresennol; yna dyfynnir 'I ba le yr af oddi wrth dy Ysbryd? ac i ba le y ffoaf o'th ŵydd? Os dringaf i'r nefoedd, yno yr wyt Ti: os cyweiriaf fy ngwely yn uffern, wele Di yno. Pe cymerwn adenydd y wawr, a phe trigwn yn eithafoedd y môr; yno hefyd y'm tywysai dy law, ac y'm daliai dy ddeheulaw.' o Salm 139: 7 – 10 lle cyfeirir at y delweddau. Nid dysgu am y ddelwedd yn unig wna'r plentyn ond ei gadarnhau hefyd yn yr athrawiaeth.[78] I Calfin yr athrawiaeth, *doctrina*, yw'r elfen lywodraethol a dyma paham y rhoddwyd lle mor ganolog i'r catecism. Nid digon oedd i'r plentyn dderbyn y wybodaeth am gynnwys y Beibl yn yr Ysgol Sul roedd angen i'r wybodaeth gael ei threfnu fel y byddai'r plentyn yn dod yn gyfarwydd â gweld arwyddocâd delweddau, trosiadau a chymariaethau'r Beibl. Rhoi trefn a strwythur ar ei feddyliau a'i ddysgu i ofyn y cwestiynau perthnasol oedd prif bwrpas y catecism a daw hyn yn glir yng nghatecismau Thomas Charles.

Ariannu

Wynebai Charles gryn wrthwynebiad o du'r Eglwyswyr a'r uchelwyr a bu'n rhaid iddo droi ei olygon at Loegr am gynhaliaeth ariannol a chawn ef yn y cylchgronau Seisnig yn diolch yn gyhoeddus i'r caredigion am eu haelioni.[79] Ar ôl ugain mlynedd daeth y cymorth o Loegr i ben a hynny am ddau reswm. Gan fod yr Ysgolion Sul wedi dod mor niferus daethpwyd i'r farn nad oedd angen yr ysgolion dyddiol a'r rheswm arall oedd haelioni'r Cymry tuag at waith y Feibl Gymdeithas, oedd yn peri i'r Saeson dybied fod ganddynt ddigon o fodd i gynnal eu hachosion eu hunain.[80] Ei ateb oedd fod angen mwy o arian a bod ganddo yn 1808, chwech i ddeg o athrawon nad oedd dimau i dalu eu cyflogau a'i uchelgais oedd anfon athrawon dro ar ôl tro i rai ardaloedd i adfywio'r ysgolion gan y credai fod addysg ddyddiol a Sabothol yn hanfodol i lwyddiant yr Efengyl.[81] Er mwyn diwallu'r angen hwn dechreuodd ardaloedd gynorthwyo'i gilydd yn ariannol.[82] Os oedd y plant yn awyddus i ddysgu Saesneg, byddai pwysau wedyn ar y rhieni i dalu am eu haddysg.[83] Yn ôl pob golwg bu'r ysgolion dyddiol hyn yn ysbrydoliaeth i eraill agor ysgolion ac anodd yw penderfynu a oedd cysylltiad rhyngddynt ag ysgolion Charles.[84] Bu bri ar yr ysgolion hyn ar ôl ei farwolaeth a cheir cofnodion o gyfarfod yn 1820 yn galw am ysgol yn nosbarth Gorllewin Meirionydd gyda phump o ardaloedd yn ymgiprys am ysgol a'r ffordd o benderfynu oedd 'tynnu lots'. Penderfynwyd rhoi cyflog o £4 y chwarter a'r rhieni i gyfrannu at y gost o ddysgu Saesneg a byddai angen casglu cyflog chwech wythnos cyn i'r athro gyrraedd y gwahanol ardaloedd.[85]

Erbyn 1789 bodolai pymtheg o ysgolion cylchynol ac yn ôl Robert Jones, Rhoslan, dim ond mewn tair neu bedair o'r siroedd y sefydlwyd yr ysgolion; nis enwir y siroedd ond gellir bod yn sicr bod Meirionydd a

Threfaldwyn yn eu plith.[86] Ond daliai'r broblem o gyflenwad o athrawon nes y tarodd Charles ar gynllun syml. Penderfynodd y byddai'r disgyblion oedd wedi elwa ac wedi gwneud cynnydd, ddysgu eu cyd-ddisgyblion yn union fel y dysgodd ef ei athro cyntaf a'i anfon i ddysgu eraill.[87]

O'r ysgolion cylchynol hyn y tyfodd yr Ysgolion Sul a'r gwaith a wnaed ganddynt a sicrhaodd athrawon i waith yr ysgolion hynny.[88]

Datblygiad yr Ysgolion Sul

Datblygodd addysg yn erfyn dylanwadol yng nghenhadaeth yr Efengylwyr, nid fel diben ynddo'i hun ond gyda'r nod o achub eneidiau. Mewn cyfnod pan oedd plant yn marw'n ifanc roedd hi'n fater o frys i gael y plant a'u rhieni i ddwys ystyried eu cyflwr ysbrydol a'r unig ffordd i wneud hynny oedd darllen y Beibl yn eu mamiaith mewn cyn lleied o amser â phosibl.[89] Tystiodd Charles y gallai plant ddysgu darllen y Beibl yn Gymraeg mewn chwe mis ond byddai'n cymryd dwy i dair blynedd i'w dysgu i ddarllen y Beibl yn Saesneg.[90] Diben y Saesneg iddo ef oedd i ddiwallu'r anghenion bydol, 'which they may never want, for they may, as the majority do, die in infancy'.[91]

Heb os, hynodrwydd yr ysgolion cylchynol oedd eu bod yn fan cychwyn proses addysgol ac nid yn ddiben ynddynt eu hunain er i rai amau hyn. Meddai Shankland, 'Ym mlynyddoedd cyntaf ei lafur.......nid oes yr un dystiolaeth fod yr Ysgol Sul fel sefydliad wedi ymaflyd yn ddwfn yn ei feddwl yn y tymor hwn'[92] ac i'r un graddau dyna farn M. G. Jones, 'the limited success of his circulating schools was due primarily to the new and rival attraction of the Sunday schools, to which, after considerable hesitation, he capitulated'.[93] Yn wir, dyna'i dystiolaeth ef ei hun mewn llythyr, 6 Gorffennaf 1785, 'As to y[r] Sunday's Schools in England, I have heard of them; but it wo[d] be impossible to set them up here in this Wild Country' a'r rhesymau am hynny oedd bod y teuluoedd mor wasgaredig a'r ffaith na fyddai'r offeiriaid yn barod i ymuno yn y fenter.[94] Ar y llaw arall mae G. Wynne Griffith yn eithaf pendant, 'credwn ni fod ym mryd Charles o'r cychwyn sefydlu Ysgolion Sul'.[95] Anodd penderfynu p'un oedd y syniad ym mryd Charles ai peidio ynteu tyfiant cwbl naturiol oeddynt o'r ysgolion cylchynol. Mae'n anodd credu na wyddai ddim am Ysgolion Sul Raikes a'r gŵr hwnnw wedi cyhoeddi ei 'system' yn y *Gloucester Journal* yn 1783.[96] Fel mae D. E. Jenkins yn eiddgar i nodi, roedd copi o lythyr Raikes wedi ymddangos mewn nifer o newyddiaduron gan gynnwys y *Chester Chronicle* yn 1784 a chyhoeddwyd y llythyr hefyd yn y *Gentleman's Magazine* a'r

Arminian Magazine,[97] 'it was impossible for Mr Charles to have been ignorant of Raikes's movement in 1784 – the year in which he [Thomas Charles] began to work for the children at Bala.'[98] Heb unrhyw amheuaeth, roedd Charles yn ddarllenwr brwd, gyda chysylltiadau â'r Wasg yng Nghaer ac ni ellir credu na wyddai am fodolaeth yr Ysgolion Sul yn Lloegr a Chaerdydd. Cymhellwyd ef gan ddynion dylanwadol i gychwyn Ysgolion Sul yn ôl esiampl Raikes ac i raddau helaeth yr un dulliau dysgu a ddefnyddiodd ond gwreiddiodd ei gynlluniau yng ngwaith arloesol ysgolion cylchynol Griffith Jones.[99] Felly pa bryd y dechreuodd feddwl am Ysgolion Sul i Gymru? Mae G. Wynne Griffith, heb dystiolaeth bendant, yn mynnu mai tua diwedd 1786 y cychwynnodd ar y gwaith 'ein casgliad ni....ydyw bod nifer o Ysgolion Sul wedi eu cychwyn fel ffrwyth yr Ysgolion Cylchynol cyn diwedd 1786 a bod y rheini tua saith mewn nifer.....'[100] Ar galan Mawrth 1787, ysgrifennodd William Williams, brodor o Gil-y-cwm, Sir Gaerfyrddin, oedd yn gurad St Gennys yng Nghernyw, lythyr at Charles yn ei annog i sefydlu Ysgolion Sul yng Ngogledd Cymru, fel y rhai oedd wedi cychwyn yn Lloegr.[101] Tybed a fu cynnwys y llythyr hwn a'r cyfeiriad at Hugh Roberts, Bwlchgwyn, Trawsfynydd, yn cychwyn Ysgol Sul yn ei gartref yn 1787 yn symbyliad iddo? Cynhaliwyd yr Ysgol Sul yn Nhrawsfynydd am rai Suliau cyn dyfodiad Charles yno i bregethu ac ofnai Hugh Roberts y byddai'n cael ei geryddu am gynnal ysgol ar y Saboth a thrwy hynny yn torri'r 'Sanctaidd Ddydd'. Pan glywodd am fwriadau Hugh Roberts, 'eisteddodd yn syn am ennyd, ac yna rhoddodd ei fendith ar eu hymgais ac addewid am ei orau o'u plaid'.[102] Barn y Dr. D. E. Jenkins yw fod yr hanesyn hwn yn profi na wyddai Hugh Roberts, oedd yn byw bymtheng milltir o'r Bala, am un Ysgol Sul dan ei nawdd ac mae syndod Charles ei hun yn ddadlennol. Oni fyddai wedi rhannu'i brofiad personol â'r ddau petai eisoes wedi sefydlu Ysgolion Sul? Cytuna Jenkins â Thomas Jones, Dinbych, mai yn 1789 y dechreuodd sefydlu cyfundrefn o Ysgolion Sul ac fel arbrawf 'y gosododd ar droed Ysgolion Sul yn rhan olaf 1787 a'r flwyddyn 1788'.[103] Yn ei lythyrau rhwng 1791 ac 1794 nid oes gair am yr Ysgolion Sul ond erbyn 1797, mewn llythyr o ddiolch am gyfraniad ariannol tuag at yr ysgolion cylchynol meddai'n ddigon didaro, 'I set Sunday and night Schools, on foot, for those whose occupations and poverty, prevented their attending the day Schools'[104] a gellir tybio mai ysgolion cylchynol oedd y rhain oedd yn cyfarfod ar nos Sul. Mewn llythyr at 'gyfaill o Wrecsam' yn y flwyddyn honno mae'n mynd rhagddo i ddweud 'we have no Sunday Schools except in a few places'.[105]

Anodd iawn yw cael prawf pendant o'u dechreuadau ond gellir crynhoi. Yn 1785 daeth i'r penderfyniad na fyddai Ysgolion Sul yn ateb y galw ac felly aeth ymlaen i adfywio cynllun ysgolion cylchynol Griffith Jones. Yn 1787 mynnodd fod yr athrawon i ddysgu ar ddwy noson waith, ac un ohonynt ar nos Sul er mwyn y rhai nad oedd yn gallu elwa'n ystod yr wythnos. Ysgolion oedd y rhain yn dilyn yr un patrwm â'r ysgolion cylchynol. Erbyn 1789 daliai i feddwl fod yr Ysgolion Sul yn anymarferol oherwydd patrwm daearyddol y wlad. Yn araf rhwng 1789 ac 1798 dechreuodd y niferoedd gynyddu a hynny'n bennaf am fod Cymdeithas yr Ysgolion Sul wedi cynnwys Cymru dan ei hadain a Charles bellach yn asiant swyddogol i'r Gymdeithas. Ond nid oes cofnod manwl o bryd yn union y trodd y llanw. Rhwng 1798 ac 1810 carlamodd yr Ysgolion Sul ymlaen ac edwinodd yr ysgolion cylchynol. Mae'n rhaid gofyn pam y bu iddo fod mor dawedog ynglŷn â'r blynyddoedd cynnar?

I chwilio am ateb mae'n rhaid ystyried yn gyntaf sefyllfa wleidyddol Prydain. Roedd yr Ysgol Sul yng Nghymru yn ei babandod pan siglwyd y wlad gan gynyrfiadau'r Chwyldro yn Ffrainc yn 1789 a Lloegr yn mynd i ryfel yn erbyn Ffrainc yn 1793. Yn y cyfnod hwn drwgdybid y Methodistiaid oherwydd eu dulliau cyfrin a chudd. Edrychid ar bawb, nad oedd yn llwyr gefnogi'r Eglwys Sefydledig, yn gefnogwyr y Jacobiniaid, sef cefnogwyr y Chwyldro. Drwgdybid y seiadau preifat a'r Ysgolion Sul yn ddiweddarach fel meithrinfeydd gwrthryfel, ond mae'n rhaid cofio fod y Methodistiaid yn deyrngar iawn i'r brenin a'r wladwriaeth. Mewn cyfnod mor gythryblus gwell oedd cadw'n ddistaw.

Yn ail, daeth gwrthwynebiad chwyrn o du'r Methodistiaid eu hunain a cheir cofnod o aelodau tref y Bala yn mynychu oedfaon arbennig ar brynhawniau Sul i wrthdaro'n fwriadol yn erbyn yr Ysgolion Sul, 'They made a point of holding a service in the afternoon, walking sulkily by him [Charles] as he and they passed each other on the road'.[106] Gwyddys fod Raikes wedi cadw'n ddistaw am gyfnod o dair blynedd cyn rhoi cyhoeddusrwydd iddynt a gellir tybio ei fod yntau am weld ffrwyth ei lafur a'u dylanwad cyn mynd ati i'w poblogeiddio. Goddiweddwyd yr agwedd hon yn y diwedd gan ymdrechion a chanlyniadau clodwiw yr Ysgol Sul. Ni ellir rhoddi dyddiad pendant ar ddechreuad yr Ysgolion Sul ac ofer yw dyfalu; cytuno â Beryl Thomas fyddai orau pan ddywed, 'o gofio mai cynyddu'n raddol a wnaeth y mudiad felly nid yw dyddio manwl, cysáct o ddim arwyddocâd arbennig'.[107] Tyfodd yr Ysgolion Sul o'r ysgolion cylchynol yn yr ystyr bod athrawon yr ysgolion hyn yn rhwym i ddysgu gyda'r nosau ac ar y Sul. Unwaith eto roedd Charles yn argyhoeddedig mai'r man cychwyn bob tro oedd hyfforddiant athrawon. Gan ei fod ef ei hun yn chwarae rhan allweddol yn natblygiad yr ysgolion cylchynol disgwylid safon uchel ac yn ôl pob tystiolaeth nodweddid ei athrawon â'r un sêl a brwdfrydedd. Cenhadon oedd yr athrawon hyn ymhob ystyr a llwyddasant yn yr ysgolion cylchynol a'r Ysgolion Sul a daeth llawer ohonynt i gynnig eu hunain maes o law i waith y weinidogaeth a cheir enghraifft o hyn yn hanes John Ellis (1758 – 1810) Abermaw.[108] Dechreuodd fel athro cyflogedig a gorffennodd ei yrfa yn bregethwr. Yr un oedd hanes John Hughes (1775-1854) Pontrobert. Un arall a gychwynnodd fel athro oedd John Davies (1772-1855) a fu'n genhadwr yn Nhahiti. Bu Owen Jones (1787-1828) y Gelli yn llwyddiannus yn Nhrefechain. Byddai'n cadw ysgol bob nos o'r wythnos, ond nos Sadwrn, a hynny mewn gwahanol dai yn y cylch a chynhelid hi ar y Sul yn yr ysgoldy. Yn y De llafuriodd Ebenezer Richard (1781-1837) yng Ngheredigion a'i frawd Thomas Richard (1783-1856) yn Sir Benfro. Cysylltir enw John Parry (1775-1846) Caer â *Rhodd Mam* (1811) ac ar fore Sul byddai'n hyfforddi athrawon yr Ysgol Sul.[109] Dynion ar dân fel eu harweinydd oedd yr athrawon hyn a doedd dim rhyfedd fod yr ysgolion wedi llwyddo gan eu bod, hefyd, yn bugeilio ac yn ffurfio 'cnewyllyn achos crefydd' yn eu hardaloedd.[110]

Elfen bwysig oedd athrawon ymroddgar ond roedd angen cyllid i gynorthwyo gyda'r gwaith. Yn 1798 penodwyd Charles yn oruchwyliwr Cymdeithas yr Ysgolion Sul dros Gymru a gwnaeth hyn wahaniaeth mawr yn ariannol ac erbyn 1800 daeth Cymru dan fantell y Gymdeithas. Ar ddiwedd y flwyddyn honno canmolodd waith y Gymdeithas yn cefnogi'r Ysgolion Sul yng Nghymru a rhoddodd ddarlun pur lewyrchus o'r brwdfrydedd yn siroedd y Gogledd gan mai yma y bu ef yn llafurio fwyaf a bu'r ystadegau hyn yn hwb sylweddol i'r Gymdeithas weithredu fel y gwelwyd ar dudalennau'r *Evangelical Magazine*:

this excellent and benevolent Society have it under consideration, for the sake of their Welsh Brethren, and the Schools established in Wales to publish a large edition of the New Testament, in Welch, in order to be able more diffusively to spread the Word of God among the Mountains of Cambria......It hath been hitherto out of the power of the Society to effect so desirable a purpose, their funds being inadequate to the expence; as they have received proposals for printing 5000 at 10d per book, 9000 at 9d and 10,000 at 8d; and to have them bound for 3½d each.[111]

Ymateb cadarnhaol, di-flewyn-ar-dafod Charles i'r Gymdeithas oedd, 'I am convinced of it, that 5000 Bibles could be immediately disposed of in North Wales.....Now being taught to read, like hungry persons, they are ready to famish for want of Bibles.'[112] Roedd ei berthynas â'r Gymdeithas hon yn allweddol yn natblygiad yr Ysgol Sul a thrwy haelioni'r Gymdeithas caed cyflenwad o Feiblau, Testamentau Cymraeg a llyfrau Cymraeg ategol ar gyfer yr ysgolion. Ceir cofnod o Ysgolion Sul a sefydlwyd ac a gefnogwyd gan y Gymdeithas yng Nghymru flwyddyn cyn ei farw yn 1813:

Gogledd Cymru		De Cymru	
Sir Gaernarfon	41	Brycheiniog	15
Fflint a Dinbych	55	Ceredigion	49
Môn	57	Caerfyrddin	52
Meirionydd	26	Morgannwg	29
Trefaldwyn	77	Mynwy	17
		Penfro	24
Cyfanswm	256	Cyfanswm	186 [113]

Cadwai gysylltiad clos â'r Gymdeithas trwy ei ymweliadau a'i ohebiaethau ac mae'n mynd o'i ffordd i restru a chanmol yr hyn oedd yn digwydd. (Cofier fod Methodistiaid yn y cyfnod hwn yn barod iawn i bentyrru canmoliaeth ar eu hymdrechion ac efallai fod arlliw o hyn yn ei eiriau at y Gymdeithas!):

I am just returned from a fortnight's tour through Caernarvonshire.......I was most highly delighted with the proficiency which the children and young people had made in reading and catechetical instruction......and a great number, I am happy to inform you, are under very serious impressions. From the age of 5 to 25 or 30, they generally attend Schools, and many old people, grey-headed in ignorance, are stirred up by the young to seek for knowledge in the Bible in their old age. They are emerging out of ignorance *en masse.*[114]

Mae'n mynd ymlaen i bentyrru'r clod trwy ddatgan na fu unrhyw un o flaen ei well ym mrawdlysoedd y gwanwyn ym Meirionydd, Caernarfon na Môn a bod hyn i'w briodoli i ddylanwad y Beibl trwy ymroddiad yr Ysgolion Sul.[115] Ond nid y Gogledd yn unig oedd yn haeddu'r clod felly roedd hi yn y De hefyd, gan y bu i'r Gymdeithas yn 1809 basio i roi rhodd o 1,800 o gopïau o'r *Sillydd* a nifer cyfatebol o *Destamentau* mewn ateb i geisiadau oddi wrth 67 o Ysgolion Sul yn y De.[116] Yn dilyn sefydlu Undeb yr Ysgolion Sul yn 1803, nid oes sicrwydd pa bryd y dechreuodd Charles fynychu eu cyfarfodydd ond bu'n amlwg iawn yn eu gweithgareddau ac fe'i gwahoddwyd i annerch gan iddo gael ei gydnabod gan yr Undeb fel y medrusaf ym Mhrydain fel trefnydd ac ysgogydd. Yn ôl pob tystiolaeth pan fyddai'n annerch yr Undebau rhoddai bwyslais ar holwyddori a dysgu ar y cof.[117]

Trefn yr Ysgolion Sul

Cawn ddarlun cynhwysfawr o ragoriaethau a threfniadaeth yr Ysgol Sul yn *Rheolau* 1813.[118] Geiriau sy'n ymddangos byth a hefyd yw 'trefn' a 'rheol' a gellir crynhoi'r geiriau hyn fel nodau amgen Efengyliaeth a osodai ganllawiau moesegol a'r canllawiau hynny'n cydymffurfio â'u dealltwriaeth o'r Beibl ac arweiniai hyn at feithrin parch a hunanddisgyblaeth ac i'r un graddau dyma oedd canllawiau Raikes 'to establish notions of discipline and duty'.[119] Dylai ethos ysgol fod yn cydweddu â gofynion addoliad trwy 'agor ysgol trwy weddi a chanu' a'r plant fod yn 'rheolaidd a dyfal yn yr addoliad cyhoeddus,' unwaith o leiaf bob Sul. Roedd rheidrwydd ar i'r athrawon, hefyd, fod yn bresennol yn yr addoliad nid yn unig i weld fod y plant yn ymddwyn ond i ddangos esiampl ac arfer dda. Roedd y disgyblion i ymagweddu'n ddifrifol ac i ymuno yn y canu ar ddiwedd yr addoliad yn 'lle rhedeg allan fel ynfydiau'. Roedd yr ysgol i gael ei chynnal mewn adeilad 'eang, glân a iachus' ac yn yr haf gellid defnyddio ysguboriau eang ond 'eu hysgubo a'u glanhau'.

Yn ddelfrydol cynhwyswyd chwe dosbarth:

Dosbarth cyntaf:
dysgu'r wyddor a geiriau dwy i dair llythyren, 'Byddai'n addas argraffu llythrennau mawrion ar bapurlen i'w rhoi ar ryw le cyhoeddus, i'r athrawon ddysgu llawer o blant ar unwaith gan gyfeirio at y llythrennau â gwialen neu ryw bren yn ei law.'

Yr Ail Ddosbarth:
Adrodd y wyddor, sillafu a darllen gwersi byrion, – tair i bedair llythyren.

Y Trydydd Dosbarth:
Sillafu a darllen gwersi o eiriau un neu ddwy sillaf.

Y Pedwerydd Dosbarth:
Sillafu a darllen geiriau o dair a mwy o sillafau.

Y Pumed Dosbarth:
Darllen y Testament Newydd a dysgu sillafu.

Y Chweched Dosbarth:
Darllen y Beibl a sillafu.[120]
Pwysleisiai mai dosbarthiadau bychain, 'gwell yw deuddeg nag ychwaneg o blant ymhob dosbarth[121] oedd y nod fel y gallai pob plentyn gael chwarae teg – i Charles roedd pob unigolyn yn werthfawr yng ngolwg Duw ac achub enaid yr unigolyn oedd ei nod.

Ei ddull o ddysgu darllen oedd dechrau trwy adnabod a dysgu llythrennau'r wyddor yna symud ymlaen i eiriau syml o ddwy neu dair llythyren. Erbyn y trydydd a'r pedwerydd dosbarth disgwylid i'r plant ddarllen paragraff o eiriau un a dwy sillaf i fyny i dair ac ychwaneg o sillafau. Erbyn y pumed a'r chweched dosbarth byddai rhai o'r disgyblion yn barod i ddarllen rhannau o'r Testament Newydd a'r Beibl. Nid oedd plentyn i symud o un dosbarth i'r llall heb yn gyntaf feistroli gofynion a thasgau'r dosbarth hwnnw.

Un nodwedd amlwg o'r ysgolion hyn oedd eu trefn ddemocrataidd. Er eu bod o dan gochl a threfn y Seiadau fe'i rheolid yn lleol gan yr athrawon. Dewiswyd yr athrawon ar sail ymarweddiad crefyddol, dawn a medr ac nid ar sail sefyllfa neu haen gymdeithasol. Byddai dynion yn dysgu'r bechgyn a merched 'er gweddeidd-dra' yn dysgu'r genethod a phwysleisid y dylid 'cymeryd y gofal mwyaf i gadw merched a'r bechgyn ar wahân ym mhob peth'.[122]

Ysgolion Sul Oedolion

Myn Lewis Edwards mai 'y pennaf o holl weithredoedd Charles o'r Bala' oedd sefydlu Ysgolion Sul i bob oedran a hynny yn ei farn ef, 'yn beth anarferol ac annealladwy ym mhob gwlad oddieithr yn unig yn Nghymru'.[123] Mae cyfran helaeth o ormodiaith yn yr haeriad hwn gan fod Ysgolion Sul yn ardal Manceinion, cyn gynhared ag 1790 yn dysgu oedolion i ddarllen y Beibl a llafuriai'r chwiorydd More, o 1789 ymlaen, i gyflwyno addysg grefyddol i weision ffermydd a diwydianwyr yng Ngwlad yr Haf.[124]

Yr hyn a'i symbylodd i ganolbwyntio ar addysgu'r oedolion oedd eu hanwybodaeth affwysol a lesteiriai ei waith fel pregethwr.[125] Gwelai ei ysgolion cylchynol yn feithrinfa i hyfforddi athrawon ar gyfer yr Ysgolion Sul a dechreuodd trwy hyfforddi un athro ar y cychwyn ac yna 'when I instructed one, I sent the rest to his school'.[126] Gyda'r blynyddoedd cynyddai'r disgyblion o bob oed ac erbyn haf 1811 agorwyd ysgol benodol ar gyfer oedolion yn y Bala.[127] Meddai mewn llythyr at Thomas Pole, 'we had no particular school for their instruction exclusively till then, though many attended the Sunday School with the children in different parts of the country previous to that time.'[128] Yn ôl pob golwg byddai'r plant yn cael eu dysgu mewn un rhan o'r ystafell a'r oedolion mewn rhan arall, ac er bod cynnydd y plant a'r oedolion yn hafal i'w gilydd, 'this admixture of all ages was found to re-act prejudicially upon the elder pupils, and their numbers speedily diminished'.[129]

Nid yn ddifeddwl yr aeth ati i ystyried yr ysgolion hyn. Pwysodd yn drwm ar ei brofiadau a rhydd enghreifftiau o arfer dda ymhlith yr oedolion yn eu hawch i ddarllen, deall a dehongli'r Gair. Ar ei grwydriadau ar hyd y wlad 'ei destun gwastadol oedd addysg. Pa un bynnag ai yn y tŷ, ai ar y ffordd, ai yn yr areithfa, ei hyfrydwch oedd dysgu y bobl, ac annog eraill i wneuthur yr un modd.'[130]

Gwêl y cyfarwydd, unwaith eto, ddylanwad cyfundrefn addysg Griffith Jones, gan i'r arloeswr hwnnw yn ei dro agor ysgolion gyda'r nos ac ar y Sul ar gyfer oedolion.[131] Bu'r ysgolion yn llwyddiant mawr ac aeth sôn amdanynt drwy'r wlad ac mewn sawl ardal galwai'r oedolion am gael eu dysgu a'u hyfforddi.[132] Mewn un sir, yn dilyn anerchiad cyhoeddus ar addysg i oedolion, daeth pobl o bob oed at ei gilydd ac anodd oedd i'r siopwyr gael digon o sbectolau ar eu cyfer.[133] Cynhaliwyd yr ysgolion hyn mewn capeli ond mewn ardaloedd lle nad oedd mannau addoli cynhaliwyd hwy yn ystod tymor yr haf mewn ysguboriau.[134]

Roedd Charles eisoes wedi paratoi deunyddiau addas ar gyfer plant ond bellach gyda chymaint o oedolion yn mynychu'r Ysgolion Sul rhaid oedd rhoi canllawiau pendant iddynt i ddeall a dehongli eu Beiblau'n ddeallus. Gan nad oedd esboniadau penodol ar lyfrau'r Beibl yn y cyfnod hwn, er bod Beiblau â throednodiadau ynddynt, cyhoeddodd ei *magnum opus* oedd yn ei eiriau ei hun yn 'Herculean task'[135] sef y *Geiriadur Ysgrythyrol*. Meddai R. Tudur Jones, 'yn hytrach na llunio corff o ddiwinyddiaeth, dewisodd roi ei athrawiaeth i'r cyhoedd yn y ffurf hon'[136] ac ym marn Gwilym H. Jones, 'yr oedd ei gyfundrefn ddiwinyddol mor glir ac awdurdodol trwy ei holl waith ag oedd ei gred yn awdurdod a dwyfoldeb yr Ysgrythur'.[137] Calfiniaeth Gymedrol oedd sylfaen ei ddiwinyddiaeth a'r hyn a wna drwy'r Geiriadur 'yw symud oddi wrth eiriau'r Beibl at yr athrawiaeth, oddi wrth esbonio at ddiwinydda'.[138] Bellach roedd yn nwylo'r oedolion gyfrol fyddai'n dehongli'r

Ysgrythurau gan y credai Charles mai 'y diffyg o ddeall yr Ysgrythyrau, ac ymostyngiad i awdurdod Duw ynddynt, yw yr achos o bob cyfeiliorniad mewn barn a bucheddiad'.[139]

Dwy elfen amlwg yn y maes llafur oedd dysgu darllen a hyfforddi yn egwyddorion y ffydd Gristnogol. Mae'n amlwg fod yr oedolion yn defnyddio llyfrau'r plant i ddysgu darllen gan y cyfeirir at Catherine Griffith o Benrhyndeudraeth 'yn ei llyfr A,B,C, yn dechrau dysgu pan oedd yn 80 mlwydd oed'[140] a cheir cofnod o ymweliadau Charles â Rhuthun ac fel byddai'r 'crydd ar ei *seat,* a'r teiliwr ar y bwrdd, a'r gof wrth yr engan.....yn prysur ddysgu yr Hyfforddwr neu y Beibl'.[141] Y dull a ddefnyddid i ddysgu egwyddorion y ffydd oedd dewis adran o'r Beibl a gynhwysai'r prif athrawiaethau a'i ailadrodd hyd nes y byddai'r disgyblion yn ei gofio ac yna'r Sul dilynol ei adrodd yn gyhoeddus[142] a chredai Charles y dylid hyfforddi'r oedolion yn egwyddorion y ffydd cyn iddynt ddechrau dysgu darllen.[143]

Yn ei farn ef lledaenodd dylanwad yr ysgolion hyn i galon y gymdeithas gydag oblygiadau crefyddol a chymdeithasol pellgyrhaeddol. Codasant ymwybyddiaeth grefyddol ymhlith y bobl gyda'r pwyslais ar wybodaeth Feiblaidd a'r awch i ddarllen ac astudio'r Gair a phen draw hyn oedd i aelodau'r Ysgolion Sul ymgynnull i godi capeli.[144] Mewn gair roedd hyder newydd yn y tir. Cysylltwyd yr awydd i ddysgu'r Ysgrythurau â phresenoldeb ffyddlon a chyson mewn oedfaon crefyddol a hynny ymhlith pobl nad oedd byth yn mynychu'r capeli.[145] Yn ôl D. G. Evans yn ei astudiaeth o fro Abertawe, 'Sunday Schools lay at the centre of the whole Nonconformist growth' a phan aed ati i gychwyn achos yn aml iawn ysgoldy'r Ysgol Sul oedd y man cychwyn.[146] Elfen bwysig i Charles oedd cyfuno cymdeithas gyfan, hen ac ieuainc, i ddysgu ar y cyd a llwyddodd i oresgyn yr hen syniad na fedrai pobl oedrannus ddysgu.[147]

Bu dylanwad yr ysgolion hyn yn foddion i drawsnewid arferion moesol y bobl. Bellach roedd ffyrnigrwydd barbaraidd wedi rhoi lle i gymdeithas wâr gyda'r pwyslais ar ddyletswyddau teuluaidd. Ynghlwm wrth hyn, lleihaodd meddwdod, ymladd a chweryla ac yn eu lle daeth cymedroldeb a gwedduster.[148] Eu hunig lawlyfr oedd y Beibl, 'now it is their sturdy and constant companion'[149] a'r *Geiriadur* wrth eu penelin, yn egluro, goleuo ac esbonio'r Beibl. Roedd yr Ysgrythurau'n ganllaw iddynt i ddysgu gwersi, eu hyfforddi yn y ffydd ac yn llusern i'w harwain yn eu bywydau beunyddiol. Dysgodd yr aelodau, hefyd, sut i drafod syniadau a chyfnewid barn ac er mai Beibl ganolog oedd y trafodaethau roedd yn ddisgyblaeth ac yn ddarpariaeth i drafod amrywiol bynciau eraill.

Nid dyn ei filltir sgwâr yn unig ydoedd canys bu'n ysbrydoliaeth i agor ysgolion tebyg tu hwnt i Gymru. Anogodd arweinwyr yn Llundain i addysgu, 'nid plant y tlodion yn unig, ond *pobl mewn oedran* hefyd, i fedru darllen Gair Duw yn eu hiaith eu hunain'.[150] Credid mai ym Mryste yr agorwyd ysgolion i oedolion am y tro cyntaf dan ddylanwad William Smith, porthor capel Methodistaidd, gŵr tlawd, gwylaidd ac heb fawr o addysg,[151] ond fel y dywed Thomas Pole, 'the laurel of honour belongs to Thomas Charles.....the first establisher and father of adult schools'.[152] Buan iawn y cynyddodd yr ysgolion hyn ym Mryste ac ymhen blwyddyn o'u sefydlu roedd un ar hugain o ysgolion i ddynion a thair ar hugain i ferched.[153] Yr un oedd y pwyslais yn yr ysgolion hyn sef darllen a dehongli'r Gair, a hynny'n ei dro yn arwain at addoliad.[154] Lledaenodd y cysyniad i sawl tref a dinas yn Lloegr gan gynnwys Caerfaddon, Ipswich, Plymouth, Salisbury ac Yarmouth erbyn 1813,[155] a thros yr Iwerydd i Efrog Newydd pryd yr agorwyd ysgolion i blant ac oedolion ar 16 Chwefror 1816.[156] Anfonodd Mr Prust, o Fryste, gopi o gyfrol Thomas Pole i Mr Bethune yn Efrog Newydd[157] a daeth yntau i Loegr i weld drosto'i hun weithgarwch yr Ysgolion Sul.[158] Yng nghyfarfod ffurfiannol 'The Female Sunday School Union' ymhlith gohebiaethau yn disgrifio nodweddion yr ysgolion darllenwyd dau lythyr o eiddo Charles.[159] Bu eu dylanwad yn fawr gan i gomisiynwyr y Llyfrau Gleision dynnu sylw at hyn yn eu hadroddiad un mlynedd ar bymtheg ar hugain yn ddiweddarach.[160] Cyfeiriodd Lingen yn siroedd Caerfyrddin, Morgannwg a Phenfro at weithgarwch Ysgolion Sul yr oedolion fel 'fields of activity' lle roedd un wraig bedwar ugain oed wedi dysgu darllen yn ei henaint ond er ei bod yn ddall roedd hi'n dal i fynychu'r Ysgol Sul fel gwrandäwr yn unig a gallai adrodd rhai o'r Salmau ar ei chof.[161] Tystiodd Johnston i'r un math o fwrlwm yn siroedd Gogledd Cymru, 'thronged with members of all ages'.[162]

Y Cynnydd

Cam rhesymegol yn hanes yr Ysgolion Sul, fel yn holl hanes Methodistiaeth, oedd ffurfio'n gymdeithasau neu'n seiadau. Wrth i fudiad yr Ysgol Sul gynyddu hollol naturiol oedd i ddatblygiad y cymanfaoedd dyfu a datblygu. Nis gwyddys yn union pa bryd y dechreuwyd cynnal Cymanfaoedd Ysgolion Sul, ond fe ddywed Charles mewn llythyr yn 1808 fod chwe chymanfa wedi'u cynnal yn ystod y flwyddyn honno, tair yn y Gogledd a thair yn y De. Eithr yn ôl cofnod yn *Trysorfa* ym Mawrth 1809 meddai T. R. o Drefîn, 'Cynnaliwyd y flwyddyn ddiweddaf wyth ohonynt. Tair yn swydd Pembro, tair yn swydd Ceredigion a dwy yn swydd Caerfyrddin; a miloedd o bobl yn nghyd yn mhob un ohonynt.'[163] Cawn ddisgrifiad llawn ganddo yn y *Tadau Methodistaidd* ac mae'n werth nodi strwythur y cyfarfodydd hyn yn ei eiriau ef ei hun:

Rhoddir pwnc i bob ysgol, yn yr hwn y maent i gael eu holi, a'r hyn y maent i egluro trwy adrodd rhannau priodol o'r Ysgrythur. Ar y dydd apwyntiedig, yn gyffredin y Sabbath, bydd plant y gwahanol ysgolion yn ymgasglu gyda eu hathrawon. Bydd ambell ysgol wedi cerdded deng milltir erbyn wyth o'r gloch y boreu, gan fod y plant yn wasgaredig, ac nad ydynt yn preswylio mewn pentrefydd, fel yn Lloegr, trefnant i gyfarfod mewn man neilltuol; ac wedi gweddïo a chanu emyn, gorymdeithiant yn drefnus tua'r lle sydd wedi ei drefnu. Gan nad oes adeilad yn ddigon eang i gynnwys y torfeydd sydd yn ymgasglu ar achlysuron fel hyn, yr ydym yn gorfod codi esgynloriau ar y maes – un fawr i'r plant, i ddal dwy neu dair ysgol ar yr un pryd; ac un arall gyferbyn ag eiddo y plant, i'r holwyddorwyr, a thua pymtheg neu ddeunaw llath o bellder rhwng y ddwy. Y cyfrwng hwn a lenwir gan y gynulleidfa. Yr ydym yn dechrau ar y gwaith yn y boreu, a threulir yr holl ddiwrnod mewn arholi. Bydd pob oedfa yn parhau am dair i bedair awr a therfynir hi fel rheol gydag anerchiad i'r plant a'r bobl. Ar achlysuron fel hyn yr ydym yn cael o bymtheg i ugain o ysgolion wedi ymgasglu. Rhydd rhagddarpar waith am ddau fis i'r ieuenctyd o'r ddau ryw, yn yr hwn yr ymaflant gyda brwdfrydedd a phleser.[164]

Cynhaliwyd y Gymanfa gyntaf ym Mlaenannerch ar y Llungwyn 1808 ac yn y Gogledd, yn ystod yr haf yr un flwyddyn, cynhaliwyd Cymanfa yn Llannerchymedd a Charles ei hun yn bresennol. Cynhaliwyd y gymanfa o flaen y dafarn fwyaf yn un o'r 'trefydd gwaethaf am feddwdod, anwybodaeth a halogedigaeth yng Nghymru,' ac yn ôl pob tystiolaeth bu'r Ysgol Sul yn fwy llewyrchus yn Llannerchymedd nag yn unman arall yn y sir am lawer o flynyddoedd. Cawn ddisgrifiad manwl gan 'J. R.' am y Gymanfa, Caernarfon, Tachwedd 1808 pan ddaeth pedair ysgol ynghyd i gychwyn am 9 o'r gloch y bore ar ôl cerdded 5 i 6 milltir. Holwyd plant ar y materion canlynol a fyddai wedi codi braw ar sawl un yn y dyddiau hyn:

Plant Llanrug:
1.   Y Bod o Dduw
2.   Mawredd Duw yn y Greadigaeth

3. Mawredd Duw yn ei Ragluniaeth
4. Ei fawredd yn yr Iechydwriaeth

Plant Llanddeiniolen:
1. Yr Enwau ar Uffern
2. Yr Enwau ar y ffordd yno
3. Yr Enwau neu y Nodau ar y rhai sydd ar y Ffordd
4. Yr Enwau ar y Nefoedd
5. Yr Enwau ar y Ffordd
6. Nodau y Fforddolion

Yn y prynhawn - plant Caernarfon:
1. Cwymp dyn
2. Y modd y cwympodd
3. Y cyflwr drwy y cwymp – colli delw Duw

Plant Waunfawr:
1. Ail Eni, a'r angenrheidrwydd am Ail Enedigaeth
2. Gwaith pwy yw yr Ail Enedigaeth
3. Enwau yr Ail Enedigaeth
4. Natur yr Ail Enedigaeth
5. Breintiau yn perthyn i'r Ail Enedigion[165]

Hynodrwydd y cyfarfodydd hyn oedd eu trefnusrwydd, brwdfrydedd a'u cenhadaeth yn y gwahanol ardaloedd. Dyma ddisgrifiad unwaith eto o Gymanfa Caernarfon:
cerddasant o 5 i 6 milltir o ffordd o hyd bob yn ddau, ochr yn ochr, dan ymddyddan am yr ysgrythyrau a'r materion gosodedig iddynt. Pan ddaethant yn agos i'r dref, dechreuasant ganu gair o hymn, parhausant nes dyfod i ymyl y capel. Yna cymerasom hwynt i mewn i'r capel, arweiniasom hwynt i'r lle gosodedig iddynt.....Ni welais y fath dywalltiad o awel ar yr hen bobl a phlant ers blynyddoedd maith.[166]

Nid yn unig yr oedd y Gymanfa yn foddion i ysbrydoli plant ac oedolion yr ysgolion ond hefyd ardaloedd cyfain pan ymwelid â hwy. Doedd ryfedd yn y byd i awduron y *Tadau Methodistaidd* gyhoeddi, 'trwy bob ardal yn y Dywysogaeth yr oedd diwrnod 'adrodd y pwnc' yn ddydd o uchel wyl; edrychid yn mlaen tuag ato am fisoedd yn mlaen llaw'.[167] Amrywiad ar y Gymanfa

Ysgolion oedd y Gymanfa Bwnc a ddatblygodd yn ddiweddarach yn y De-Orllewin dan arweiniad Samuel Griffiths (1783 – 1860), gweinidog gyda'r Annibynwyr, Horeb, Ceredigion.[168]

Daw'n amlwg fod yr Ysgolion Sul yn rym dylanwadol oedd yn barod i herio'r gwaethaf yn y Gymdeithas. Nid oddi mewn i furiau ysgoldai ac ysguboriau'n unig y lefeiniwyd y gymuned ond allan ar faes y gad, o flaen tafarndai, canolbwynt y gymdeithas ac i lawer gwraidd y drwg. Wynebu, herio a chynnig rywbeth gwell oedd crwsâd Charles a'i Ysgolion. Gwyddom i'r oedolion elwa'n drwm ar gyfraniad yr Ysgolion Sul a gellir edrych ar eu presenoldeb yn foddion i ddylanwadu ar ethos, trefniadaeth a disgyblaeth yn yr ysgolion. Yn Ysgolion Sul Raikes plant yn unig oedd yn cael eu dysgu gan un oedolyn ond yng Nghymru roedd plant a'i rhieni'n gymysg gyda'i gilydd a datblygwyd perthynas wahanol wedi eu sylfaenu ar barch ac ymddiriedaeth.

Gwrthwynebiad

Nid rhywbeth newydd a gododd yng nghyfnod Thomas Charles oedd y gwrthwynebiad i haenau isaf cymdeithas dderbyn addysg. Yng nghyfnod y Gymdeithas er Taenu Gwybodaeth Gristnogol un o'r beirniaid llymaf oedd Bernard de Mandeville a ddadleuai mai llafurio'n unig oedd dyletswyddau'r haenau isaf o gymdeithas ac y dylid eu cadw mewn anwybodaeth ynglŷn â materion dinesig, cymdeithasol a chrefyddol.[169] Bu ysgolion cylchynol Griffith Jones ynghyd â'u hathrawon dan lach Canghellor Esgobaeth Bangor ynghyd ag un ar ddeg o'i gyd glerigwyr.[170] Wynebodd ysgolion Thomas Charles anawsterau a gwrthwynebiad chwyrn ar y cychwyn. Daeth cryn wrthwynebiad, fel y gellid disgwyl, o du clerigwyr yr Eglwys Sefydledig gan eu bod yn gweld twf yr ysgolion yn foddion i ledaenu Methodistiaeth drwy'r wlad. Bu un o glerigwyr Môn, Y Parch Thomas Ellis Owen, rheithor Llandyfrydog a Llanfihangel Tre'r Beirdd, yn uchel ei gloch yn erbyn yr Ysgolion Sul mewn dau bamffledyn gwrth Fethodistaidd.[171] Er i'r rheithor agor Ysgol Sul yn Llandyfrydog byr iawn fu ei pharhad, 'because of the opposition given to it by the sectaries'[172] a'r canlyniad oedd beio'r Methodistiaid am y methiant. Ymysg y cyhuddiadau yn erbyn y Methodistiaid cyhuddwyd y pregethwyr o 'ddysgu egwyddorion chwyldroadol yn yr Ysgolion Sul a sefydlant o dan gochl rhoi addysg rad i blant y tlodion'.[173]

Roedd yr ysgolion hefyd yn gweithredu'n gwbl groes i egwyddorion crefyddol rhai o'r hen anghydffurfwyr oedd yn credu yng nghadwraeth y Saboth. Ymhlith yr huotlaf o'r rhain oedd y Bedyddiwr, John Richard Jones, (Ramoth) (1765-1822). Mynnai ef 'nad oedd cadw ysgol ar y Sul i ddysgu darllen yn ddim gwell na gwaith dyn yn myned i'r maes ar y dydd hwnnw gyda chaib a rhaw'.[174] Nefydd, y Bedyddiwr, o blith yr Hen Ymneilltuwyr, oedd ffyrnicaf yn erbyn yr Ysgolion Sul a hynny mor ddiweddar ag 1820.[175] ac ar ran yr Annibynwyr, yn ardal Llanuwchllyn, barn Ap Vychan oedd mai 'rhyw ffordd respectable o dori y Saboth oedd cadw Ysgol Sabbothol'.[176]

Bu gwrthwynebiad llym o du'r Methodistiaid eu hunain a hynny am ddau reswm fel y gwelwyd ym Mrynengan:

Gwrthwynebid hi ar ddau gyfrif; yn gyntaf, amheuent y priodoldeb o addysgu plant ar y Sabboth, mwy na chyflawni rhyw orchwyl cyffredin arall; edrychant arni yn llesteirio i niferi o bobl, fychain a mawrion, fyned o amgylch i wrando pregethau.......Yr oedd y gwrthwynebiad i sefydlu yr ysgolion Sabbothol, yn codi oddiar egwyddorion o wedd mor grefyddol, fel mai prin y gallem feddwl y llwyddasid i'w sefydlu oll, oni bai y dylanwad rhyfeddol a feddai Mr Charles, o'r Bala, yn y cyfundeb.[177]

Eithr yn ôl cofnod o ardal Penrhyndeudraeth roedd pwrpas llawer mwy ysgeler i'r Ysgolion Sabothol:

A ydych wedi sylwi ar bobl y capel bob Sul yn dyfod hyd y tai i hel hogiau bychain i ddyfod i'r ysgol i ddysgu darllen – y prif ddyben sydd ganddynt mewn golwg ydyw cael y bechgyn i gyd, yn soldiers, a'u hanfon i ffwrdd i ryfel......mae yn beth peryglus iawn, a dylem godi fel cymdogaeth yn eu herbyn.[178]

Yn Nolgellau yn 1802 wynebodd Lewis Wiliam, un o'r athrawon, anhawster ar law aelodau'r seiat Fethodistaidd. Cynhelid y seiat am naw y bore, felly cynhaliodd Wiliam ei ysgol am chwech y bore. Symudodd y gwrthwynebwyr, oedd yn y mwyafrif, y seiat i chwech o'r gloch y bore ond nid dyn i'w goncro oedd yr athro a symudodd yntau ei ysgol i bedwar y bore a deuai rhwng 60 ac 80 o blant i'r ysgol yn y bore bach. Ymwelodd Thomas Charles â'r lle a buan iawn y tawelwyd y dyfroedd a chynhaliwyd yr ysgol am naw y bore a diflannodd y gwrthwynebiad.[179] Chwaraeai unigolion eu rhan i lesteirio gwaith yr ysgol a cheir cofnod am flaenor Capel Coch, Llanberis, oddeutu 1805 yn mynd ag allwedd y capel gydag ef i oedfa yn Waunfawr fel na ellid cynnal Ysgol Sul yn y prynhawn.[180]

Mewn drafft o lythyr a anfonwyd at 'ohebydd yn Wrecsam' mae Charles yn mynnu fod yr athrawon yn dysgu 'ye children to read native language correctly, and to instruct them in yᵉ principles of Christianity, and nothing more, as the Salvation of their Souls is yᵉ only point we have in view we exclude everything from our little seminaries yᵗ has no direct tendency to promote that most important end.'[181]

Er mai llythyr yn esbonio gwaith yr ysgolion cylchynol oedd hwn roedd yr un egwyddor yn dal ei thir yn yr Ysgolion Sul hefyd. Ymateb i lythyrwr a gwestiynai amcanion ei ysgolion a thanlinellodd *'nothing more'* er mwyn sicrhau ei amheuon. O bwyso a mesur y gwrthwynebiadau a'r anawsterau, teg yw dod i'r casgliad mai araf a herciog fu twf yr ysgolion yn y cyfnod cynnar ac mai tyfu yn araf a graddol wnaeth y mudiad ond er hynny roedd yn dyfiant sicr.[182]

Casgliadau

Nodweddion amlwg yr Ysgolion Sul oedd eu bod yn holl gynhwysol, yn cofleidio teuluoedd cyfain, yn gyfun eu naws lle rhoddid cyfle i'r hen a'r ieuainc, gwryw a benyw fel ei gilydd. Cyfrennid yr addysgol a'r crefyddol i bob un yn ôl ei allu a phwysleisid y cysyniad o addysg barhaol a chynyddol ac nad oedd diwedd i'r dysgu. Nid oedd haen gymdeithasol yn cyfrif dim, doniau a duwioldeb yn hytrach na chefndir a statws a deyrnasai. Sylfaenwyd y cyfan ar ddulliau democrataidd gan mai o blith aelodau'r ysgol y dewiswyd y swyddogion a byddai, o dro i dro, enghraifft o'r gwas neu'r forwyn yn dysgu'r meistr.

Ni ellir rhoi'r clod i gyd i Thomas Charles am gychwyn yr Ysgolion Sul, gan fod rhai fel y crybwyllwyd yn yr ail bennod yn bodoli yma a thraw ond 'yr hyn a honnir iddo ydyw mai ef oedd yr arloeswr pennaf ynglŷn â sefydlu Cyfundrefn o Ysgolion Sul ac ef yn bennaf o bawb a roddodd ei ddelw arni'.[183] Ym mherson Charles roedd dwy wedd amlwg yn amlygu eu hunain sef ar y naill law sêl y diwinydd ac ar y llaw arall ddiwydrwydd yr addysgwr. Ynghyd â hyn roedd yn bregethwr, arweinydd, ysgogydd a threfnydd heb ei ail; mewn gair roedd holl gynhysgaeth y cenhadwr yn ei nodweddu a thrwy ei bersonoliaeth gynnes, radlon llwyddodd y gwaith. Roedd ei ddelw ar ei athrawon a hwy heb os fu'n gyfrifol am ddwyn ei weledigaeth i Gymru gyfan a phan fu farw yn 1814 roedd cyfundrefn o Ysgolion Sul wedi'i sefydlu, roedd yr had wedi dwyn ffrwyth ar ei ganfed ac wedi treiddio i'r holl enwadau'n ddiwahân. Llwyddodd i greu undod gan fod yr ysgolion wedi lledaenu drwy'r wlad a'r dref i greu Cymru grefyddol, Ymneilltuol. Edwino a marw fu hanes mudiadau i hyrwyddo addysg yng Nghymru cyn hyn ond yn hanes Thomas Charles, ar ôl ei farw, gwelwyd cynnydd a llwyddiant a hynny'n benodol am ei fod wedi gosod cyfundrefn Gymreig yn ei lle, oedd yn y pen draw, yn annibynnol arno ef. Bellach crëwyd cenedl lythrennog, hyderus, feiddgar oedd yn barod i ymgodymu â phethau heblaw'r Beibl a rhagwelwyd hyn ganddo o'r dechrau gan iddo baratoi llenyddiaeth eang a arloesol. Rhoddodd riniog newydd i'r Methodistiaid gamu arno a rhoddodd drothwy cadarn, diysgog i'r werin i agor drysau i holl rychwant y diwylliant crefyddol ac addysgol a hynny yn yr iaith Gymraeg. Sylfaenwyd y cyfan, a dyma ei gyfrinach a ffynhonnell ei lwyddiant, ar neges ganolog y ffydd Gristnogol, fod Crist wedi marw nid dros y cyfiawn a'r teilwng ond tros yr annuwiol a'r annheilwng a chan fod Crist wedi rhoi ei hun yn gyfan gwbl yna nid oedd yntau am arbed dim ond rhoi o'i orau i'r fenter.[184] Yr anchwiliadwy olud hwn ddyrchafodd Charles i dir uwch, dangosodd fod pob unigolyn yn cyfrif a rhoddodd hyn hunan hyder a gobaith newydd i genedl lesg a bregus.

4: Hau'r Had : Adnoddau dysgu

'Cyfunodd Charles ynddo ei hun frwdfrydedd y diwygiwr ac ymroddiad yr addysgwr; asiwyd y mudiad addysgol a'r mudiad crefyddol yn un mudiad cenhadol cryf'
                                                            B. Thomas [1]

Defnyddiodd Efengyliaeth y deunydd print yn erfyn defnyddiol a phwrpasol i'w cenhadaeth a daeth cyhoeddi a dosbarthu'r Beibl a chyfarpar ategol yn ddiwydiant pwerus a grymus. Yn yr hinsawdd hwn sylweddolodd Thomas Charles, fel Raikes o'i flaen, rym y gair printiedig i addysgu'r bobl.

Rhennir yr adnoddau dysgu i bedwar dosbarth, llyfrau sillafu, llyfrau dysgu darllen, catecismau a'r geiriadur a'r rhain wedi eu hanelu at blant ac oedolion. Yn dilyn rhoddir crynodeb cronolegol o'i brif gynhyrchion a'u dylanwadau ar genedlaethau o ysgolheigion yr Ysgol Sul gan roi sylw hefyd i'w waith gyda'r Feibl Gymdeithas a'r wasg yn y Bala.

Yr Adnoddau

Yn y bennod hon, trafodir:

Crynodeb o Egwyddorion Crefydd: neu Gatecism Byrr i Blant, ac Eraill, i'w Ddysgu. (Trefecca 1789) 96t; ail arg. (Wrecsam 1791) 96t; 3ydd arg. (Llundain 1794) 86t.

Crynodeb o Egwyddorion Crefydd: neu Gatecism Byrr i Blant, ac eraill, i'w ddysgu. (Caerlleon 1799) 72t; Mae'r ddau argraffiad cyntaf yn dwyn yr un teitl â'r *Crynodeb* ond mae'n argraffiad gwahanol. Erbyn y trydydd argraffiad mae'n dwyn y teitl, *Catecism Byrr: neu Grynodeb o Egwyddorion Efengylaidd* (Bala 1805) 48t.

Esboniad Byr ar y Deg Gorchymyn, i Blant ac eraill i'w ddysgu (Caerlleon 1801) 60t. O'r ail argraffiad (1809) ymlaen mae'n dwyn y teitl *Eglurhad Byr.* (o'r 3ydd arg. 48t.)

Yr Hyfforddwr yn Egwyddorion y Grefydd Gristnogol (Bala 1807) (arg. cyntaf 104 t; a'r ail arg. i'r chweched ar hugain 80 t; ymlaen wedyn 60 t.)

Sillydd Cymraeg; neu Arweinydd i'r Frutaniaeth (Bala 1807) (arg. cyntaf 84 t; ail arg. i'r pedwerydd 72 t; pumed arg. 78 t.)

Trysorfa Ysprydol; yn cynnwys Amrywiaeth o bethau ar Amcan Crefyddol, yn Athrawiaethol, yn Annogaethol, yn Hanesiol (Caerlleon 1799).

Trysorfa: yn cynnwys Amrywiaeth o bethau ar Amcan Crefyddol, yn Athrawiaethol, yn Annogaethol, yn Hanesiol (Bala 1813).

Geiriadur Ysgrythyrol (Bala 1805); Yr Ail Lyfr (Bala 1808); Y Trydydd Llyfr (Bala 1810); Y Pedwerydd Llyfr (Bala 1811).

Rheolau i Ffurfiaw a Threfnu yr Ysgolion Sabbothawl (Bala 1813) 16 t.

Crynodeb o egwyddorion Crefydd neu:
Catecism Byrr i Blant ac Eraill i'w ddysgu [2]

Yn nhymor yr hydref 1786, flwyddyn ar ôl iddo ddechrau gyda'r ysgolion cylchynol, paratôdd Thomas Charles y *Crynodeb* ac anfonodd gopi ohono i Wasg Trefecca ond ni chyhoeddwyd y gwaith tan Chwefror 1789. Yn 1788 cyhoeddodd y wasg gyfrol Robert Jones, Rhoslan, *Drych i'r Anllythrennog*, cyfrol ymarferol i ddysgu plant i sillafu, atalnodi a darllen yn gywir, cyfrol a ysgrifennwyd yn ôl pob golwg ar gais Charles.[3] Er y gwyddai am arafwch y wasg mae'n amlwg fod yn ei fwriad i'r gyfrol ymarferol ragflaenu ei gatecism gan gofio ei bwyslais ar ddysgu darllen a sillafu.

Ceir un adran ar ddeg neu benodau yn y *Crynodeb:*

Pennod 1:   Am Dduw
Pennod 2:   Am gwymp dyn
Pennod 3:   Am y Cyfamod Gras a Pherson Crist
Pennod 4:   Am waith y Prynedigaeth
Pennod 5:   Am waith yr Ysbryd Glân
Pennod 6:   Am argyhoeddiad trwy'r Ysbryd Glân
Pennod 7:   Am waith yr Ysbryd Glân yn amlygu Crist i'r enaid
Pennod 8:   Am Ffrwythau yr Ysbryd a Rhyfel y Cristion
Pennod 9:   Am y Sacramentau
Pennod 10: Am Lywodraeth Duw a'i gyfraith
Pennod 11: Am Ddydd y Farn

Yn dilyn y penodau ceir y Catecism Byrrach sef sylwedd y penodau ar ffurf gryno a syml, yna adnodau penodol â chwestiynau ar eu cynnwys, sef math o 'gynllun-wers' hynny yw, adnod i'w dysgu a chwestiynau perthnasol yn codi ohoni. Yn rhan olaf y gyfrol ceir naw o'r Deugain Namyn Un o Erthyglau Ffydd yr Eglwys Sefydledig o'r *Llyfr Gweddi Gyffredin* a phwrpas hyn oedd sicrhau fod y *Crynodeb* wedi ei sylfaenu ar egwyddorion cred Eglwys Loegr yn benodol. Mae'n mynd rhagddo i annog y darllenydd i sylwi fod cynnwys y *Crynodeb* yn cyd-fynd â'r Beibl ynghyd ag Erthyglau'r Eglwys, 'ac nad ydyw yn cynnwys dim amgen na'r hyn a sefydlwyd gan ein hen Esgobion duwiol' sy'n dangos yn glir ei ymlyniad wrth yr Eglwys Sefydledig[4] yn ogystal ag awdurdod yr Eglwys ar ei ymdrechion. Deublyg oedd ei fwriad, yn ôl y Rhagymadrodd, sef 'cadw at y pethau o bwys' a gwneud hynny'n 'fyr, eglur a chynhwysfawr'.[5]

Yn dilyn Synod Dordt 1618-19, crisialwyd dysgeidiaeth Calfin yn daclus dan bum pennawd sef cyflwr truenus yr enaid trwy bechod, etholedigaeth ddiamod, cymod cyfyngedig, gras anorchfygol a diwydrwydd y saint.[6] Daeth yr egwyddorion hyn yn gyfarwydd i arweinwyr crefyddol Cymru oddi mewn i fframwaith ehangach diwinyddiaeth y Cyfamodau; y Cyfamod Gweithredoedd a'i bwyslais ar y berthynas rhwng Duw a dyn a ddinistriwyd gan Adda a'r Cyfamod Gras oedd yn addo iachawdwriaeth i ddynion ar sail eu ffydd a gyflawnwyd yng Nghrist.[7] Sianelwyd hyn yng Nghalfiniaeth Gymedrol y Methodistiaid. Rhydd teitlau'r penodau grynodeb o brif deithi'r athrawiaeth gan ddechrau gyda'r cysyniad o Dduw sofran, y Creawdwr, yn ei fawredd, ei ogoniant a'i lywodraeth dros bopeth a greodd:

> Cw: Pa fath un yw Duw?
> Att: Y mae Duw yn Fôd tragwyddol, Hollalluog, Hollwybodol, Hollbresennol, Anghyfnewidiol, ac Anfeidrol mewn mawredd, gogoniant a pherffeithrwydd.[8]

I Charles, y Duw sofran a lywodraethai'r cyfan, a chreodd ddyn 'mewn cyflwr sanctaidd a dedwydd'[9] eithr syrthiodd trwy anufudd-dod i orchymyn Duw a'r canlyniad oedd iddo ddwyn melltith Duw ar yr holl greadigaeth,[10] a phen draw hyn oedd na allai waredu ei hun o'r cyflwr truenus a melltigedig hwn.[11] Golygai hyn ddioddef llygru ei holl natur ond nis gadawyd yn y cyflwr hwn, 'etholodd ei Fab yn ben cyfamodol ac a'i hordeiniodd yn Feichydd i'w bobl':[12]

'Pa beth y mae gwaith Duw yn rhoddi ei Fab, yn ei ddysgu i ni?'

Rhydd ateb i'r cwestiwn dan bedwar pen, sef dangos fod colledigaeth yn arswydus, fod cariad Duw wedi rhoi ei Fab i achub ei bobl, fod cariad Crist yn aruthrol yn darostwng ei hun er mwyn gwaredu'i bobl a bod rhoddi'r Mab yn sicrwydd o bob bendith arall angenrheidiol.[13]

Pwysleisir dwy natur person Crist, mewn emyn sy'n adleisio cwpled enwog Ann Griffiths: 'Dwy natur mewn un person/Yn anwahanol mwy':

> Gwaith dwy natur mewn un Person
> Sydd yn cadw enaid Cristion.
> Rhaid i'n Prynwr, Duw a dyn
> Weithio'r gwaith cyn cadwer un.[14]

Rhydd le amlwg i ras achubol Duw yn ymaflyd mewn dyn a hynny'n rhad ac anhaeddiannol, yn dragwyddol a sanctaidd a phan fo'r gras hwn yn weithredol mae'n effeithio ar y person cyfan a phan orseddir Crist yn y galon dyletswydd dyn tuag at Dduw wedyn yw:

> Ymostwng yn ufudd i'w holl drefniadau doeth.
> Ymddiried ynddo a disgwyl wrtho ym mhob cyfyngder.
> Ufuddhau i'w gyfraith sanctaidd.[15]

Unwaith eto, mae'r cymal olaf yn cadw'n glos at y ddysgeidiaeth Galfinaidd trwy bwysleisio mai ymgais i ufuddhau i ddatguddiad Duw ohono'i hun yn y Beibl yw sail ei athrawiaeth drwyddi draw. Elfen lywodraethol pob ufudd-dod yw ymostwng a cheir adlais o eiriau Thomas Jones o Ddinbych pan ddywed mai ateb Calfin i'r cwestiwn ynglŷn â thair rheol bwysicaf crefydd bob tro oedd 'gostyngeiddrwydd'.[16]

O safbwynt cyfnod plentyndod cyhoeddodd Calfin yn ei *Institutes* fod y plentyn bach yn cario 'hadau llygredigaeth' gydag ef o groth ei fam, 'indeed, their whole nature is a seed of sin; thus it cannot be but hateful and abominable to God'.[17] Adleisir hyn i raddau yn y bennod ar y Sacramentau ond mae rhan olaf yr ateb yn pwysleisio'r 'enedigaeth newydd' oedd mor allweddol yn nysgeidiaeth Efengyliaeth y cyfnod:

> Cw. Beth yw'r gras ysprydol oddi fewn yn y bedydd?
> Att. Marwolaeth i bechod a genedigaeth newydd i gyfiawnder.
> 'Canys gan ein bod ni wrth naturiaeth, wedi ein geni mewn

pechod, ac yn blant digofaint trwy enedigaeth newydd y gwneir
ni yn blant gras.' Eff 11: 3, Ioan iii, 3, 1, 12 – 16 [18]

Nid â Charles i'r eithafion yr aeth Jonathan Edwards (1703 – 1758) o gyffelybu
plant i wiberod gwenwynllyd 'and are infinitely more hateful than vipers'.[19]
Yn y broses o feithrin plant credai fod y dasg o efengylu ac addysgu yn
hanfodol yn y broses o achub enaid ac aeth ati i gyhoeddi'r *Catecism Byrrach*,
sy'n rhan o'r *Crynodeb*[20] gyda'i gwestiynau ac atebion byr a chryno:

> Cw: Pwy a'ch gwnaeth chi?
> Att: Duw

> Cw: Beth yw Duw?
> Att: "Ysbryd yw Duw" Ioan iv. 24 [21]

> Cw: Pwy anfonodd Duw i waredu dyn?
> Att: Iesu Grist.[22]

> Cw: Ar bwy y dylem weddïo?
> Att: Ar Dduw yn unig.'[23]

> Cw: Yn enw a thrwy gyfryngdod pwy mae i ni weddïo?
> Att: Yn enw a chyfryngdod Crist.'[24]

Er na rennir y *Catecism Byrrach* yn benodau gwelir camau pendant Calfiniaeth
yn amlygu ei hun: natur Duw, Duw y Creawdwr, cyflwr dyn, Duw yn anfon
ei Fab i wared dyn o'i bechod, bywyd a marwolaeth Crist, cymorth yr Ysbryd
Glân, pechod ac edifeirwch, barn ac atgyfodiad.

Esponiad Byrr ar y Deg Gorchymyn i Blant ac Eraill i'w ddysgu [25]

Ymdriniaeth ar ffurf holwyddoreg ar bob un o'r gorchmynion yw cynnwys y
gyfrol. Cydnabu ei ddyled i waith arloesol Griffith Jones yn ei ragair i'r
Crynodeb[26] a daw hyn yn amlwg wrth gymharu'r *Esponiad Byrr* â *Hyfforddiad*
Griffith Jones.[27] Mae'r *Esponiad Byrr*[28] yn cadw'n glos at drefn yr
Hyfforddiad,[29] sef y rhesymau dros gadw'r Saboth, pam yr ordeiniodd Duw
y Saboth?, a ddylid gwneuthur dim gwaith ar y Saboth?, a'r pechod a
waherddir yn ôl y gorchymyn. Eithr nid cadw at drefn y cwestiynau'n unig â
wna Charles ond defnyddio'r un eirfa:

pa bechodau a waherddir gan y gorchymyn hwn? (*Esponiad Byrr)*
pa bechodau a waherddir yn y pedwerydd gorchymyn? (*Hyfforddiad).*

Yr un modd dilynir cwestiwn ac ateb yr *Hyfforddiad* yn glos o dan dri phennawd wrth drafod y tri math o waith y dylid eu cyflawni ar y Saboth. Diddorol yw sylwi hefyd fod yr *Esponiad Byrr* yn dilyn cyfeiriadaeth Feiblaidd yr *Hyfforddiad* fel y cyfeiriad o Lefiticus 23: 30 'Pob enaid (medd yr Arglwydd) a wnelo ddim gwaith o fewn corph y dydd hwnw, difethaf yr enaid hwnw o fysg ei bobl' a'r cyfeiriad o efengyl Mathew 12: 7, fod Duw yn ewyllysio trugaredd o flaen aberth, i gadarnhau bod gweithredoedd o drugaredd i ddyn ac anifail i'w gwneud ar y Saboth.[30]

Gwelir fod cwestiwn ac ateb Charles ar y cyfan yn llai cymalog ac yn fwy uniongyrchol ac os rhywbeth yn nes at y darllenydd. Cymharer, er enghraifft, bwyslais yr *Hyfforddiad* ar gadw'r Saboth:

Am fod Duw yn cadw ei Hawl, o'r seithfed Dydd iddo ei Hun, i'w dreulio yn ei Addoliad ef. Cyssegrysbeilio Duw yw ei dreulio mewn modd arall. Y Seithfed Dydd yw Sabbath yr Arglwydd dy Dduw[31]

a'r hyn a geir yn yr *Esponiad Byrr* yw:

Fod Duw, mewn modd awdurdodol wedi neillduo'r Sabbath iddo ei hun, Y seithfed   dydd yw Sabbath yr Arglwydd dy Dduw.[32]

Y rheswm am yr uniongyrchedd hwn, oedd iddo gael profiad helaeth o holi a chateceisio ar ei deithiau o gwmpas y Gogledd ac felly'n fwy profiadol yn y dull o holwyddori.[33]

Pwyslais cyson yr *Hyfforddiad* yw barn a chosb Duw ar dorri'r Saboth, eithr mae'r *Esponiad Byrr* yn fwy grasol a phendant yn edrych ar y dydd sanctaidd fel 'cyfle dyn' yn hytrach na 'barn Duw' a rhydd yr *Esponiad Byrr* bwyslais ar y cyfnewidiad o'r seithfed i'r dydd cyntaf o'r wythnos 'yn goffadwriaeth am waith y prynedigaeth ac o adgyfodiad Crist oddi wrth y meirw,' ac yn orffwysfa i 'bechadur llwythog a blinderog' ac yn arwydd sicr 'o'r orphwysfa sydd etto yn ol i bobl Dduw yn y nefoedd, wedi ymadael â'u pechodau a'u croesau am byth'.[34] Mae'n werth sylwi ar bwyslais yr *Hyfforddiad* ar yr Eglwys, 'dyfod i'r Eglwys ar y Sabboth i gam ddiben ....segura a phorthi gartref, yn lle addoli Duw yn ei Eglwys' sef cyfeiriadau pendant at yr Eglwys Sefydledig[35] ond yr hyn a geir yn yr *Esponiad Byrr* yw fod y Saboth yn gyfle i addoli Duw yn gyhoeddus a phenodol ar y dydd hwnnw.[36] Mae'r ddau gatecism yn pwysleisio rôl y teulu cyfan yng nghadwraeth y Saboth, a'r *Esponiad Byrr* yn cadw'n bur agos at eiriau'r *Hyfforddiad* 'esgeuluso llywodraeth deuluaidd ar y Sabbath, ac edrych ar fod pob un o'n teulu yn cadw y Sabbath gyd â ni'.[37]

Mae Charles yn cyflwyno cymorth i'r credadun ym mherson yr Ysbryd Glân i 'ymorffwyso ac ymhyfrydu yn yr Arglwydd a'i waith gyda'r nod o gael ei haeddfedu' i dreulio Saboth tragwyddol gyda Duw[38] ond nid oes sôn am gymorth y trydydd person yng ngwaith Griffith Jones. Yr Ysbryd Glân yn ddi-os, yw ffynhonnell holl obaith a chynhaliaeth Charles a daw hyn i'r amlwg yn ei gatecismau a'i eiriadur. Wrth grynhoi, er ei fod wedi dilyn Griffith Jones yn bur agos o ran trefn a chynnwys mae ei ymdrech yn gliriach, yn nes at y disgybl ac yn pwysleisio'r cadarnhaol yn hytrach na barn a chondemniad negyddol.

Yr Hyfforddwr yn Egwyddorion y Grefydd Gristionogol [39]

Teitl gwaith pwysicaf Calfin oedd *Institutio Christianae Religionis* a Chymreigio'r teitl hwn a wnaeth ar gyfer ei gatecism, *Yr Hyfforddwr yn Egwyddorion y Grefydd Gristionogol.*

Ffurf lawnach o'r *Crynodeb* 1789 oedd yr *Hyfforddwr* ond heb gynnwys y *Catecism Byrrach* ar gyfer y plant iau. Ni chynhwyswyd chwaith yr emynau oedd yn glo i bob adran yn y *Crynodeb.* Daeth yr *Hyfforddwr* o'r wasg am y tro cyntaf yn 1807, ei wasg ei hun yn y Bala, ac erbyn diwedd y ganrif ymddangosodd mewn pedwar ugain o argraffiadau heb sôn am argraffiadau answyddogol megis argraffiad a gyhoeddwyd yn Utica (1842) a chyfieithiad Saesneg ohono gan D. Williams a'i Fab, Llanelli, yn 1867 sef y *Christian Instructor; or Catechism on the Principles of the Christian Religion.* Rhwng 1807 a'i farwolaeth yn 1814 cyhoeddwyd 320,000 o gopïau o'r *Hyfforddwr.*[40] Y tair adran ar ddeg yn yr argraffiad cyntaf oedd:

Am Dduw
Am Gwymp dyn
Am Berson Crist a'r Cyfamod Gras
Am Swyddau Crist
Am Ffydd a Chyfiawnhad
Am Waith yr Ysbryd Glân
Am Waith yr Ysbryd Glân (parhad)
Am y Gyfraith
Am Foddion Gras
Am yr Ordinadau

Am y Sacramentau
Am Ddydd y Farn
Am yr Atgyfodiad [41]

Yn ystod y blynyddoedd ehangwyd ar y cynnwys a chafwyd penodau ychwanegol, 'Am y Greadigaeth,' 'Am y ddau gyfamod,' 'Am swm y Gyfraith,' 'Am Swper yr Arglwydd,' ac 'Am Atgyfodiad a Dyrchafiad Crist'. Yn dilyn y penodau hyn mae naw adran dan y teitl, 'Gofynion a atebwyd gan y plant mewn amrywiol fanau' sef 'atebion plant Gwynedd' neu yn fwy cywir eu hymateb i'r penodau ac mae'n amlwg mai atebion ac ymateb a glywodd ef ei hun yw'r cynnwys.[42]

Dengys Lewis Edwards mai 'llyfr wedi tyfu ydyw yr Hyfforddwr'[43] a rhydd enghreifftiau o'r sylw manwl a roddai'r awdur i air a chystrawen trwy gymharu geiriad y *Crynodeb* (1789) ac ail argraffiad yr *Hyfforddwr*. Yn yr enghraifft gyntaf dim ond un gair yn unig a newidir ond yn yr ail enghraifft newidir holl ystyr ac arwyddocâd y cwestiwn a'r ateb:

Crynodeb (1789): Pa lun y daeth Crist i fod yn Dduw ac yn ddyn hefyd.[44]
Hyfforddwr (1807): Pa fodd y daeth Crist i fod yn Dduw ac yn ddyn hefyd.[45]

Crynodeb (1789):	Beth yw'r Diafol?
	Angel yn pechu[46]
Hyfforddwr (1807):	Beth a feddylir wrth y Diafol?
	Ysbryd aflan syrthiedig yw, yn gwrthryfela yn erbyn Duw.[47]

Eithr nid geiriau'n unig a newidiwyd ond gogwydd newydd ar ystyr a natur athrawiaeth fel y gwelir yn ei ymdriniaeth o'r pechod gwreiddiol:

Crynodeb (1789):	Beth yw pechod gwreiddiol?
	Llygredigaeth ein holl natur trwy gwymp Adda. 'Wele mewn anwiredd i'm lluniwyd; ac mewn pechod y beichiogodd fy mam arnaf' Salm li [48]
Hyfforddwr (1807):	Beth yw pechod Gwreiddiol?
	Cyfrifiad o bechod cyntaf Adda i ni, a'r felltith ddyledus am dano, yn ynghyda llygriad ein holl natur yn ganlynol i hyny. 'Felly, gan hyny, megys trwy gamwedd un y daeth barn ar bob dyn i gondemniad, felly hefyd trwy gyfiawnder un y daeth

y ddawn ar bob dyn i gyfiawnhad bywyd. Oblegid
megys trwy anufudd-dod un dyn y gwnaethpwyd
llawer yn bechaduriaid, felly trwy ufudd-dod un y
gwneir llawer yn gyfiawn.' Rhuf, v, 18, 19.[49]

Dengys Lewis Edwards fod dyn yn ôl y *Crynodeb* fel anifail, 'dan lywodraeth
deddfau anianyddol yn unig' ond yn yr *Hyfforddwr* edrychir arno 'fel creadur
rhesymol dan lywodraeth deddfau moesoldeb.'[50] Arweiniodd hyn yn ei dro at
ychwanegiadau a chafwyd pennod gyfan ar 'Ffydd a Chyfiawnhad'. Yn y
Crynodeb y mae cyfiawnhad yn dilyn sancteiddhad lle'r ymdrinir â'r Ysbryd
Glân yn sancteiddio pechadur a thrwy hyn yn uno yr enaid â Christ. Yn dilyn
y cwestiynau a'r atebion sy'n egluro'r undeb rhwng Crist a'i bobl a'r
manteision sy'n deillio o'r undeb hwn dilynir hyn gan y cwestiwn 'beth yw
cyfiawnhad?' a'r ateb yn y *Crynodeb* oedd 'Gwaith Duw' eithr mae'r
Hyfforddwr yn camu ymhellach, 'Gweithred rasol Duw' sy'n dangos yn glir
holl duedd trefn y cadw sef cydnabod a mawrhau gras Duw sy'n adleisio ei
ddehongliadau yn y *Geiriadur*.[51]

Mae erthyglau R. D. Rowland (Anthropos) yn y *Llusern*[52] yn tynnu
sylw at gopi o'r *Hyfforddwr* a anfonwyd 'from T. Charles to the Revd Thos
Jones' sef Thomas Jones o Ddinbych.[53] Ar y copi gwelir nodiadau ymyl y
ddalen, ac ym marn y Dr Owen Thomas, llawysgrifen Thomas Jones ydyw
a'r sylwadau, gan amlaf, yn Saesneg.[54] Cyfeiria at air penodol fel y gwelir yn
y cwestiwn, 'A ydyw Duw wedi anfoddloni drwy bechod?'[55] Mae'n
ymddangos nad oedd y gair 'anfoddloni' yn ddigon pendant ac ysgrifenna
Thomas Jones 'digio' uwch ei ben.[56] A dyna air yn yr *Hyfforddiad* 'A
ydyw Duw wedi ei ddigio trwy bechod'.[57] Yn yr adran ar 'Waith yr Ysbryd'
beirniada'r cwestiwn, 'Anian pwy sydd ynom wrth natur?'[58] gan ddweud fod
'anian' a 'natur' yr un peth gan newid y cwestiwn, 'Anian pwy sydd ynom
dan y cwymp?'[59] Mae'n mynd rhagddo o dan y cwestiwn, 'Pa sawl math o
bechod sydd?' i ysgrifennu, 'Oni ddylech gyfeirio yn fwy pendant at *ddrwg*
pechod yn y fan hon, neu mewn rhan arall o'r gwaith?'[60] Ond nid cynnig
awgrym yn unig a wna Thomas Jones mae hefyd yn cynnig gwelliant fel y
gwnaeth gyda'r cwestiwn, 'Beth yw ffydd?',[61] 'gorffwys ar Grist; A'r galon
y credir' a dywed, 'Y mae hyn yn hanfodol i ffydd ac nid ydyw dim amgen
yn wir ffydd'.[62] Awgryma hefyd y dylid symud yr emyn, 'Pwy feddwl, pwy
madrodd, pwy ddawn' (emyn yn ôl pob golwg oedd yn ddieithr i Thomas
Jones, gan ddweud fod ynddo 'nerth meddwl a gwir dân barddonol') a'i roi
ar ddiwedd y bennod yr ymdrinir â 'Pherson a Swyddau y Cyfryngwr'[63] ond
mae'n amlwg na wnaethpwyd hyn. Â ymlaen i feirniadu cystrawen a gramadeg

y brawddegau gan gyfeirio at ran olaf y bennod ar y Sacramentau, 'trwy barchus a ffyddiog ymarferiad o'r Sacramentau'[64] gan fynegi ei bod yn 'awkward, anghelfydd, yn chwithig fel darn o Gymraeg' a'r hyn a geir yn yr argraffiadau dilynol oedd, 'Arferiad parchus a ffyddiog o'r Sacramentau'.[65] Bu'n llaw-drwm ar ambell emyn a gynhwyswyd ar ddiwedd y penodau ac wrth ochr yr emyn gyda'r geiriau, 'Mae'r tâl hyd eitha'r ddyled/ofynnir gan y Tad' ysgrifennodd 'No Gospel' gan mai athrawiaeth gyfyng ar yr Iawn a bwysleisid ac nid oedd ganddo unrhyw 'gydymdeimlad â'r system fasnachol i osod allan athrawiaeth ogoneddus yr Iawn'.[66] O'r enghreifftiau uchod gwelir bod cyfraniad Thomas Jones wedi bod o fudd i Charles gan fod ei sylwadau wedi eu defnyddio, o safbwynt ieithyddol ac athrawiaethol yn argraffiadau dilynol yr *Hyfforddwr*.

Cynnwys yr *Hyfforddwr* 271 o gwestiynau ac atebion ynghyd ag adnodau helaeth i gefnogi'r pwnc, wedi eu rhannu i bum adran: penodau 1–3 yn trafod yr athrawiaeth am Dduw, penodau 4–6 yn esbonio'r cyfamod gras, penodau 7–9 yn tanlinellu bendithion a ddeilliai o'r cyfamod hwnnw, penodau 10–13 yn trafod swyddogaeth y gyfraith a phenodau 15–17 ar atgyfodiad Crist ac eschatoleg. Gwêl Lewis Edwards mai nodwedd amlycaf *Yr Hyfforddwr* oedd ei natur Grist – ganolog a'i unoliaeth, 'Nis gellir cael geiriau i ddisgrifio pa mor bwysig yw edrych ar bob cangen o athrawiaeth fel yn derbyn ei goleuni a'i bywyd oddi wrth berson yr Arglwydd Iesu Grist.'[67] Canmolir y gyfrol i'r entrychion gan Edward Matthews, Ewenni a J. Cynddylan Jones gan gyfeirio ato fel y 'catecism gorau ar athrawiaethau Cristionogaeth y gwyddom ni amdano, nid yn unig yn y Gymraeg ond mewn unrhyw iaith arall'.[68]

Pwynt pwysig a ddaw yn glir yn yr *Hyfforddwr* yw nad dysgu darllen a meithrin moesau yn unig a wnaed yn yr Ysgolion Sul ond trafod pynciau'r ffydd ac astudio'r Beibl a 'chyd ystyried pa Ysgrythurau sydd yn gyfaddas at y pynciau mewn llaw megis cwymp dyn.....y mawr ddrwg sydd mewn pechod.....gogoniant Person Crist.....hefyd am waith yr Ysbryd Glân a'r angenrheidrwydd ohono'[69] a'r cyfanwaith yn cael ei oleuo gan y catecism. Dengys hyn yn glir mai pwrpas yr addysg a gyfrennid yn yr Ysgol Sul oedd goleuo ac addysgu'r disgyblion yn nysgeidiaeth yr Efengyl. Gyda'r blynyddoedd daeth yr *Hyfforddwr* yn llyfr gosod penodol yn yr ysgolion a chofnodwyd yn fanwl niferoedd y penodau o'r gyfrol a feistrolwyd gan y disgyblion. Yn Nosbarth Dinbych (1864) rhoddyd gwobr am ddysgu cynnwys yr *Hyfforddwr* yn ei grynswth ac enillodd pedwar ugain o ddisgyblion y wobr a'u hoedran yn amrywio o 12 i 80 mlwydd oed.[70]

Y Sillydd Cymraeg; neu Arweinydd i'r Frutaniaeth (1807) [71]

Cyfrol ymarferol a gyhoeddwyd 'y'ghanol amrywiaeth llafur mwy pwysig' oedd hon, ond yr hyn a'i cymhellodd i'w chyhoeddi oedd gweledigaeth ei fywyd am ei gyd-ddyn 'fod eu cynnydd mewn gwybodaeth o air Duw, a iechydwriaeth eu heneidiau trwy hyny yn gorphwys ar fy meddwl yn ddibaid'.[72] Roedd marw aberthol Iesu, a roddodd y cyfan er mwyn dynoliaeth, yn amlwg yn ei ddwysbigo yntau i roi o'i orau i'w genedl.

Yn dilyn y Rhagymadrodd lle mae'n amau ai ef oedd y mwyaf addas i gyhoeddi'r fath gyfrol er ei fod ar yr un gwynt yn dweud fod ganddo gyfrol ar ramadeg ar y gweill, cawn enghraifft o'r 'egwyddawr'. Mae gweddill y gyfrol yn cynnwys gwersi ymarferol ar sillafu gan ddechrau gyda geiriau unsill, dwy lythyren e.e. 'am', 'bu', 'hi', 'yr'. Yn dilyn yn yr ail wers defnyddir y geiriau hyn i ffurfio brawddegau bychain 'i ba le yr af' ac 'yn ei le yn dy dŷ di'. Mae'r gwersi'n cynyddu i gynnwys geiriau fel 'rhe-sym-ol-deb, ym-ad-aw-iad, y-sgryth-yr-au'. Cawn hefyd adran ar rifolion, priflythrennau a'r gwahanodiad a'r term hyfryd am ebychiad sef 'rhyfedd-nôd'. Cynnwys hefyd nifer o ddarnau i'w darllen a'r rhain i gyd wedi'u cymryd o'r Beibl. Yn y *Sillydd*, cynhwysir geiriau o'r Beibl fyddai'n rhan o gynhysgaeth y plant yn eu hastudiaethau o'r Ysgrythurau – nid geiriau wedi'u codi o gyd-destun cwbl ddieithr yw'r rhain ac yn hyn o beth mae'r awdur ar dir cadarn addysgol. Ar hyn mae'n rhaid anghytuno â G. Wynne Griffith pan ddywed 'ond teg ydyw dywedyd mai fel ymarferiadau mewn sillafu yn unig y bwriedir y rhain, ac na ddigwyddodd inni weled un ohonynt yn yr adrannau a roddid i'w darllen ynglŷn â'r wers'.[73] Dyma'r geiriau a'r cystrawennau y byddai'r ysgolheigion yn eu clywed hefyd yn y pregethu o Sul i Sul ac felly roedd sŵn y geiriau hyn eisoes yn gyfarwydd iddynt. Nid yw'n colli cyfle chwaith, hyd yn oed yn y *Sillydd*, i fynd ati i 'lân-fucheddu'r Cymry' a rhydd amryw o gynghorion ar 'Ymddygiad addas yn Addoliad Duw' lle rhestrir rhinweddau fel 'dod yn brydlon i addoliad' a 'gadael efo'r gweddill yn hytrach na rhuthro allan' a hefyd 'anweddus iawn yw edrych oddi amgylch, llygadrythu ar eraill neu ymddangos yn segurllyd mewn addoliad'. Mae'n bwysig hefyd peidio â dylyfu gen, pendwmpian na chysgu a 'byddwch yn fwy parod i feio arnoch eich hunain nag ar y pregethwr, os na byddwch yn cael bendith'. Mae'n mynd rhagddo yn yr adran o dan y pennawd 'Rheolau Moesau Da' lle ceir un ar bymtheg o reolau yn ymwneud â sut i fwyta 'a pheidio cymryd halen â'r gyllell yn bwytta â hi'. Mae'r moesau hyn i gyd yn troi o gwmpas yr ymwybyddiaeth o holl bresenoldeb y Duw sofran a'r rheol yw, 'Gwiliwch arnoch eich hun ym mhob man: cydnabyddwch Dduw yn bresennol gyda

chwi, yn gweled ac yn clywed pob peth.....' Mae'n werth cymharu ei reolau â rheolau Ysgol Sul yr Octagon, Caer (1782), a'r prif wahaniaeth yw'r elfennau negyddol a amlygir yn rheolau Caer, er enghraifft dylai'r athro eistedd gyda'r plant yn ystod yr oedfa nid yn unig i gadw trefn ond 'to report such as misbehave so that they may be punished,' ac os ydi'r plant yn cam-ymddwyn a hynny am y trydydd tro, nid oedd maddeuant pellach ond eu diarddel.[74] Dengys ei reolau ef agwedd gynhesach fwy cadarnhaol, gyda phwyslais ar ofal a chariad, dyrchafu'r plentyn yn hytrach na'i gondemnio a chwilio am y gorau ynddo – plentyn i Dduw welai Charles ymhob unigolyn.
Cloir y gyfrol gyda'r deg gorchymyn.

Trysorfa Ysprydol a'r *Trysorfa*

Yn dilyn sêl bendith Sasiwn Dinbych, ddiwedd Rhagfyr 1798,[75] meddai Charles mewn llythyr at ffrind yn Llundain, 30 Mawrth 1799:

> We are commencing a Magazine in the Welsh Language, in which an account of missions, and other religious intelligence, will be regularly published every quarter.[76]

Nid menter unigolyn oedd hon ond Charles a Thomas Jones, Dinbych, ar y cyd gyda'r olaf yn gyfrifol am gywiro'r proflenni, yr argraffu a'r cyllid ac yn y cyd-destun hwn mae'n werth cyfeirio at gyfeillgarwch y ddau Thomas. Ym Medi 1784, ac yntau ar daith bregethu yn Sir Gaernarfon cyfarfu â Thomas Jones am y tro cyntaf a pharhaodd y cyfeillgarwch rhyngddynt hyd farwolaeth Charles yn 1814, naw mlynedd ar hugain yn ddiweddarach.[77] Wedi ymuno â'r Methodistiaid ymaflodd Thomas Jones â'i holl egni nid yn unig i bregethu, ond hefyd i gynnal ac ysgogi'r Ysgolion Sul yn ei ardal.[78] Yn 1799 cyrhaeddodd y cyfeillgarwch ei anterth pan ddaeth y ddau yn gyd-olygyddion y *Drysorfa Ysprydol*.

Cyhoeddwyd chwe rhifyn, gyda'r bwriad o gyhoeddi'n chwarterol ond oherwydd gwaeledd y ddau olygydd, afreolaidd fu'r ymdrechion. Ymddangosodd y rhifyn cyntaf ar 16 Ebrill 1799, (64 tudalen) yr ail ym Mehefin 1799, (64 tudalen) y trydydd Hydref 1799, (64 tudalen) y pedwerydd, (64 tudalen) gyda ffurf newydd ar y teitl yn Ionawr 1800, y pumed yn Hydref 1800 (54 tudalen) gyda ffurf wahanol ar y teitl unwaith eto, a'r rhifyn olaf, rhifyn byr (45 tudalen) yn Rhagfyr 1801.[79] Roedd y cylchrediad o gwmpas chwe chant o gopïau[80] a bu'r ymdrech yn golled ariannol yn y pendraw, er i'r cylchgrawn gael derbyniad fel y gwelir yn llythyr William Williams o

Landigige, ger Tŷ Ddewi, 'please send 50 Nᵒ of yʳ Welsh Magazine for Caervarchell Society, – 13 Nᵒ for Trevine – 14 Nᵒ for Fishguard with a continuation of 4 of the 3ᵈ Nᵒ......'[81] Mewn llythyr at Robert Jones, Tŷ Bwlcyn, Llŷn, erfynir arno i gyfrannu i'r cylchgrawn a rhydd benrhyddid iddo ysgrifennu hanes twf crefydd ym Môn ac Arfon ynghyd ag esboniad ar adrannau o'r Beibl.[82] Yr un oedd anogaeth Charles yn ei lythyr at Siôn Williams[83] ond ni chyhoeddwyd y llythyr hwn ar dudalennau'r *Drysorfa Ysprydol* gan fod ei sylwadau mor finiog a chiaidd, 'nid rhyfedd fod y Monwysion yn cael eu galw'n foch, byddai eu galw'n eirth neu lewod yn fwy addas'.[84] Mae'n amlwg nad oedd y golygyddion yn barod i fentro cyhoeddi sylwadau deifiol a bustlaidd gan mai'r bwriad yn ôl y rhagymadrodd oedd 'eich addysg a'ch adeiladaeth a lles eich eneidiau anfarwol' sy'n crynhoi unwaith eto y feddylfryd Efengylaidd.

Amrywiai'r cynnwys, o bregeth neu draethawd a ymddangosodd yn bedair rhan ar 2 Cor. 2: 15, 16, i ymddiddanion ac ymhlith yr enwocaf o'r rhain oedd hanes twf a datblygiad y diwygiad crefyddol yng Ngwynedd ar ffurf ymgom rhwng Scrutator sef Thomas Charles a Senex, John Evans o'r Bala a ymddangosodd yn y pedwar rhifyn cyntaf. Cafwyd cofnodion o Sasiynau'r Gogledd ond y tueddiad oedd cynnwys hen newyddion. Er enghraifft, yn rhifyn Rhagfyr 1801 cafwyd cofnodion Cymdeithasfa Pwllheli, Hydref 1795 a Chymdeithasfa Llanfair Sir Drefaldwyn, Ebrill 1796.[85] Ymhlith y bywgraffiadau cynhwyswyd hanes Walter Cradoc,[86] William Wroth[87] a Rees Prichard, Ficer Llanymddyfri. Ymddangosai cynnyrch hefyd dan ffugenwau, Eifion (Richard Jones, y Wern) a Clericus (Simon Lloyd, un o ben ffrindiau Thomas Charles.) Cyfrannodd Thomas Jones emynau, 'Mi wn fod fy Mhrynwr yn fyw'[88] ac 'O llewyrched Haul Cyfiawnder'.[89] Yn rhifyn Hydref 1800, ceir 'Cywydd i Gybydd-dod, mewn Byd ac Eglwys' gan Twm o'r Nant a charol 'Daeth Llywydd nef a llawr' o waith Dafydd Ddu Eryri.[90] Doedd y golygyddion ddim ofn mynd i'r afael â materion gwleidyddol a cheir barn wleidyddol mewn sawl rhifyn o dan y teitl 'Newyddion pellenig a chartrefol'.[91] Pwysleisia D. Llwyd Morgan fod golygyddion y *Drysorfa Ysprydol* yn awyddus i gysylltu eu darllenwyr â hanes Methodistiaeth y gorffennol gan gynnwys y Piwritaniaid trwy gynnwys hanesion am y Ficer Prichard, Morgan Llwyd a'u tebyg, ac arwyr y ddeunawfed ganrif, Daniel Rowland, Howell Harris, Williams Pantycelyn a Peter Williams. Nid gweld toriad rhwng arweinwyr cyfnod cyntaf Methodistiaeth â'r deffroad newydd mae'r cyd-olygyddion ond yn hytrach pwysleisio'r parhad.[92] Eithr nid cyflwyno hanes o fewn ffiniau gwlad oedd eu nod, ond 'cadw ein golwg yn fwy dyfal ar ansawdd ac agwedd crefydd trwy y byd yn gyffredinol, a hysbysu ein cydwladwyr o bob peth a ymddangosodd o bwys a chanlyniad arbenig yn yr achos'.[93] Hyn, ynghyd ag egwyddor lywodraethol ei fywyd, fel efengylydd, 'Anhawdd genyf gredu fod enaid y dyn hwnnw mewn cyflwr diogel, ag sydd yn ddifater am eneidiau eraill' a'i cymhellodd i gofnodi ar dudalennau'r *Drysorfa Ysprydol* ysgrifau ar yr Indiaid Cochion, yr Hottentotiaid a thrigolion Môr y De.[94] Ni ellir dweud fod nemor ddim ar dudalennau'r cylchgrawn wedi'i anelu at blant yn yr Ysgolion Sul. Deunydd i ddyfnhau profiadau a chyfrannu gwybodaeth i oedolion oedd cynnyrch y cylchgrawn a thrwy bob rhifyn gwelir fod y golygyddion yn hyderus fod crefydd, ac yn arbennig dylanwadau Efengyliaeth yn cofleidio bywyd yn ei gyfanrwydd. Unwaith eto gwelir y pwyslais ar y teulu cyfan yn dysgu gyda'i gilydd a'r oedolion ar yr aelwyd yn trafod y cynnwys gyda'r plant a'r ieuenctid a'r plant yn eu tro yn darllen y cynnwys i'w rhieni. Byr fu cyfnod y *Drysorfa Ysprydol* a doedd dim syndod fod Thomas Jones wedi digalonni gan mai ef a ddioddefodd fwyaf o'r golled ariannol.[95] Yn y diwedd oblygiadau ariannol sigodd y golygyddion – pris papur, anawsterau cylchrediad a gwaeledd y golygyddion. Ond nid un i'w goncro oedd Thomas Charles canys yn 1809 ar gais Sasiwn Dinbych, Rhagfyr 1808, adargraffwyd cyfrol gyntaf y *Drysorfa* newydd, a rhwng y flwyddyn honno ac yn 1813 ymddangosodd rhifynnau newydd dan ei olygyddiaeth ef.

Cwynai Thomas Jones pan oedd yn cydolygu'r *Drysorfa Ysprydol,* 'gyda golwg ar fyned yn mlaen gyda rhifyn arall, rhaid i mi addef nad wyf hyd yma wedi gwneyd dim' gan ei fod dan bwysau gwaith a chyflwr bregus ei iechyd. Eto i gyd bu'n weithgar yn ei faes ei hun gan gyhoeddi pamffledi, *Catecism Eglwys Loegr* (1809) ac *Ymddiddanion Crefydd* (1807) ond efallai mai'r rheswm pennaf iddo ffromi oedd arafwch gwasg y Bala yn cyhoeddi'i gyfrolau a dyma'r pryd yr aeth ati i annog Thomas Gee, yr hynaf (1780 – 1845) i ofalu am wasg a sefydlodd yn Ninbych. Bellach roedd ganddo ei wasg ei hun a roddodd dragwyddol hynt i Charles fynd rhagddo ar ei ben ei hun â'r dasg o olygu'r *Drysorfa* a bu wrthi'n ddiwyd hyd ei farwolaeth yn 1814.

Bellach ag yntau â'i wasg ei hun dan oruchwyliaeth Robert Saunderson cyhoeddwyd y *Drysorfa* rhwng 1809 ac 1813 gyda chynnwys tebyg i'r *Drysorfa Ysprydol*.[96] Eithr ymddangosodd dwy elfen newydd yn y rhifynnau hyn sef newyddion o wahanol Ysgolion Sul megis llythyr E.J. Llannerchymedd yn clodfori'r ysgol yn y pentref [97] a chrynodeb JR Nant y Gwyddil, o Sasiwn y plant yng Nghaernarfon a'r cylch gan nodi'r digwyddiadau'n fanwl.[98] Yr ail elfen oedd crynhoi hanesion am blant bach yn marw'n ifanc o dan y pennawd, 'Mabinogion'. Yn un o'r erthyglau hyn ceir cofnod am ferch ifanc ddeuddeg oed ar ei gwely angau, yn dweud wrth ei mam, 'pan weloch fy nghorff yn cael ei ddwyn i'r bedd.....yn unig meddyliwch fod fy enaid yn y nefoedd, gyda fy Mhrynwr......Llawenhewch yr wyf fi yn ddedwydd'.[99] Hanesion wedi'u cyfieithu o gylchgronau Seisnig oedd y rhai cyntaf a ymddangosodd ac wrth i'r cyfnodolyn brifio dechreuodd y darllenwyr anfon straeon tebyg o'u hardaloedd eu hunain. Pwrpas y math hwn o lenyddiaeth oedd cysuro deublyg; y cystuddiol a'r galarus fel ei gilydd a daeth poblogrwydd y cofnodi hwn i'w anterth yng nghyfnodolion hanner cyntaf y bedwaredd ganrif ar bymtheg.[100] Er nad oedd ymgais benodol yn y rhifynnau hyn i ysgrifennu ar gyfer plant mae'n bur debyg fod newyddion am weithgareddau'r Ysgolion Sul yn sicr o fod wedi argyhoeddi, symbylu a herio eraill i weithredu.

Y Geiriadur Ysgrythyrol [101]

Diwallodd yr angen am gyfundrefn o ddiwinyddiaeth i bregethwyr, athrawon a disgyblion yr Ysgolion Sul[102] yn y 'Geiriadur Ysgrythyrol' a argraffwyd saith o weithiau yn ystod y bedwaredd ganrif ar bymtheg. Ceisiodd ficer Llandrillo (Trefnant yn ddiweddarach) y Parchedig T. Williams (Coriolanus) brofi mai cyfieithiad o eiriadur John Brown, Haddington oedd y Geiriadur ac i raddau mae hynny'n wir fel y tystia R. Tudur Jones, 'Mewn geiriadur o'r math yma ofer disgwyl am wreiddioldeb gan fod geiriadurwyr yn byw ar ei gilydd.'[103] Dibynnai fel pob geiriadurwr ar waith eraill ac ymhlith y rhai a ddefnyddiodd mae geiriadur John Parkhurst (1728 – 1797) ar Roeg a Hebraeg a hefyd geiriadur Groeg – Lladin Johann F. Schleusner (1759 – 1831)[104]

Stori ryfeddol yw honno am gefndir y Geiriadur fel y bu i Charles, ar ddamwain, ymgymryd â'r gwaith. Cyhoeddodd Sion Rhobert Lewis (1731 – 1806) Caergybi[105] ei gyfrol Geirlyfr Ysgrythyrol yn 1773 a phenderfynwyd peidio ag ail gyhoeddi'r gyfrol eithr prynwyd y llawysgrif, gyda sêl bendith Thomas Charles a Thomas Jones gan John Humphreys (1767 – 1829).[106] Yn ôl D. E. Jenkins, Humphreys ei hun a baratôdd y rhifyn cyntaf o'r Geiriadur a elwid ar y pryd yn Geirlyfr, a hynny yn hydref 1801, eithr erbyn i'r ail ran ymddangos mae'n amlwg fod Charles ei hun â'i ddwylo ar yr aradr. Ym marn cofiannydd Thomas Jones unig dasg y Parchedig John Humphreys oedd cywiro proflenni'r rhifynnau cyntaf yng ngwasg W. C. Jones, Caer.[107] Pan ddechreuodd Charles ail ysgrifennu'r gyfrol gyntaf mae'n amlwg i Humphreys dorri pob cysylltiad â'r fenter a phan ymddangosodd y gyfrol yn 1805 gwaith Charles oedd y cyfan. Dyna'r pryd y newidiwyd teitl y gyfrol o Geirlyfr i

Geiriadur.[108] Gan anwybyddu cwyn ficer Llandrillo, canolbwyntir ar ragoriaethau'r *Geiriadur*.

Roedd cylch ei ysgolheictod yn eang. Ieithydd ydoedd a byddai'n darllen yr 'Ysgrythyrau Sanctaidd yn yr ieithoedd y llefarodd yr Ysbryd Glân hwynt; sef yr Hen Destament yn Hebraeg a'r Testament Newydd yn y Groeg'.[109] Coleddai'r syniad, fel Griffith Jones o'i flaen, mai'r iaith Hebraeg oedd mamiaith holl ieithoedd y byd, a'r iaith Roeg hithau yn 'rhagori ar bob iaith arall dan y nefoedd'.[110] Dengys Gwilym H. Jones pa mor fedrus a thrylwyr oedd ei wybodaeth o'r ieithoedd clasurol pan gyfeiria at 'wastadedd Moreh' gan awgrymu mai ystyr cywir y gair Hebraeg am wastadedd yw 'derwen' a dyma a geir yn y Beibl Cymraeg (1988) sef 'derwen More'.[111] Yn hanes Ismael, cyfeirir ato fel 'dyn gwyllt' ond yn ôl Bochart yr ystyr yw 'asyn gwyllt' a'r hyn a geir yn y Beibl Cymraeg Diwygiedig yw 'asyn gwyllt o ddyn'.[112] Eithr nid y cyswllt clasurol yn unig sy'n amlygu ei hun ond hefyd ei wybodaeth o'r gwahanol argraffiadau o'r Beibl Cymraeg. Mae Beibl William Morgan yn defnyddio'r gair 'cethrawl' i ddisgrifio 'gwynt' yn Eseciel 1: 4, gwynt llym sy'n treiddio; 'tymhestlog' yw gair y Beibl Cymraeg Diwygiedig (2004) arno. Ond nid yw yn barod i dderbyn hyd yn oed y Dr William Morgan bob tro. Meddai yn yr adran ar 'Halen', 'y mae rhai hen gyfieithiadau yn cytuno â Dr Morgan, ond yn amhriodol a thraws-gymhelliol.'[113] Trylwyredd a manylder a ddynoda nodweddion y *Geiriadur*. Pan fo'n olrhain y gair 'hysio', ychwanega droednodyn sy'n dangos iddo gymharu'r gair hwn mewn un ar ddeg o argraffiadau.[114] Bu'n pori yn Salmau Cân Edmund Prys a cheir enghreifftiau o eiriau megis ter (pur, coeth) 'Melysach hefyd ŷnt na'r mêl/ Sef dagrau têr-fêl tyner' (Ps 19: 10),[115] a swrn (ychydig) "O tyn dy gosp oddi wrthyf swrn" (Ps 39: 10),[116] a telm (magl, rhwyd) "Telm yr annuwiol, hoenyn main" (Ps 141: 9 38: 8).[117] Nid digon ganddo oedd tynnu sylw at y geiriau ond rhydd enghreifftiau o waith Prys i'w cadarnhau.

Wrth geisio pwyso a mesur diwinyddiaeth y gyfrol mae'n amlwg mai'r Piwritaniaid Seisnig a Phiwritaniaid y Cyfandir a gai'r lle amlwg ar draul y tadau cynnar, y diwygwyr Protestannaidd (ac eithrio Calfin) a hyd yn oed y Piwritaniaid Cymreig – ceir un dyfyniad o *Lyfr y Tri Aderyn* ac un cyfeiriad at waith Walter Cradock.[118] Yr hyn a geir yn y *Geiriadur* yw crynhoad o'i ddiwinyddiaeth ar ffurf geiriadur. Fel yr oedd cyfrol George Lewis, *Corph o Ddiwinyddiaeth* i'r Annibynwyr, a *Gwelediad y Palas Arian* John Jenkins i'r Bedyddwyr mae'r *Geiriadur* i'r Methodistiaid yn cyflwyno'r ddiwinyddiaeth Galfinaidd ac Efengylaidd fu'n gymaint o ddylanwad ar fywyd Cymru yn y bedwaredd ganrif ar bymtheg. Llwyddodd i gamu'n ôl a blaen o esbonio'r

Ysgrythurau at gyfundrefn o ddiwinyddiaeth, o awdurdod y Beibl i gyfundrefn ddiwinyddol gadarn. Dengys ei erthygl ar yr Ysgrythyrau[119] fod Duw wedi llefaru drwyddynt â'r fath 'ehangder, cywirdeb, manylrwydd, eglurdeb ac awdurdod' a'u bod wedi eu rhoddi i ddynion trwy'r Ysbryd Glân gyda'r fath gysondeb yn rhedeg fel llinyn arian drwyddynt, 'yr un iaith, yr un ysbryd, yr un athrawiaeth'. [120]

Nodwedd amlycaf y *Geiriadur* yw pwysleisio unoliaeth y Beibl sef y cysyniad o Dduw yng Nghrist a'i Eglwys a hynny i'w weld drwy'r Beibl. Yr hyn a wêl, yn unol â dehongliadau ei oes, ar dudalennau'r Hen Destament yw darluniau neu alegorïau o Grist a'i Eglwys, a'r gair a ddefnyddir yw 'allegawl' a gafodd o eiriadur William Owen Pughe.[121] Yn ei erthyglau cyfeiria at 'gysgod' o Grist fel y gwna yn hanes Noa, yn 'gysgod enwog o'r Meseia'[122] ac yn ei erthygl ar Abram ymhelaetha ar y berthynas rhyngddo â Iesu, 'cymerodd Crist sylwedd dynol o lwynau, neu hâd Abraham, i undeb personol â'i Berson Dwyfol, fel y byddai yn Achubwr addas i'w bobl'.[123] Galluogai'r feddylfryd hon iddo symud yn rhwydd o esboniadaeth Feiblaidd i ddiwinyddiaeth gadarn a sylfaenwyd ar Galfiniaeth ac a welir mor amlwg yn ei ddeunyddiau ysgrifenedig i gyd. Defnyddia pob cyfle i ddiwinydda ac fe wêl yng nghymeriadau'r Hen Destament gyfle Duw i achub creadur o ddyn. Yn hanesion Esau a Dafydd dengys na wrthodai Duw yr un creadur, er eu bod 'yn haeddiannol o gasineb Duw' ei neges yw 'fod yn yr iechydwriaeth fawr yng Nghrist feddyginiaeth ddigonol i'r pechadur mwyaf euog ac aflan'.[124] Y demtasiwn fawr oedd diwinydda ar bynciau digon annisgwyl megis y pwyslais a rydd ar y gair 'dawn', 'gair cysegredig yw, a arferir gan yr Ysbryd Glân i osod allan ffynon o ba un y mae holl roddion Duw i'w bobl yn tarddu – sef ei ewyllys da ei hun. Y mae yn cael ei roddi yn hollol rad, heb ei ryglyddu gan neb.'[125] Ac meddai yn ei erthygl ar yr 'epa', 'mawr yw tywyllwch ac ynfydrwydd plant dynion wedi colli Duw!'[126] a gallodd gyffelybu'r ysgyfarnog i bechadur anghrediniol, ofnus a chwantus.[127] Dengys yr enghreifftiau hyn ei ddull o esbonio, sef symud o'r gair, ei esbonio a chamu ymlaen i ddiwinydda.

Yr hyn sy'n arwyddocaol wrth sylwi ar ffynonellau'r *Geiriadur* yw cyn lleied o gyfeiriadau sydd at waith Calvin yn benodol. Ceir dau gyfeiriad at ei esboniadau a dau gyfeiriad at yr *Institutio,* sef yn ei ymdriniaeth ar y 'Swper' a'r llall yn ddadansoddiad ar y 'Trioedd' (Y Drindod). Sylwer mai diwinyddion yr uchel uniongrededd Brotestannaidd megis Francis Turretin (1623 – 1687), Hieronimus Zanchius (1516 – 1590), Herman Witsius (1636 – 1708), yr annibynnwr John Owen (1616 – 1683) a Chatecism Heidelberg oedd prif awdurdodau ei gyfundrefn. Ar sail hyn mae'r Athro Densil Morgan o'r farn, '[nad] plentyn John Calvin fel y cyfryw yw Thomas Charles, ond disgybl yr uchel uniongrededd Ddiwygiedig'.[128]

Elfen arall a ddaw i'r amlwg yw'r cyfle i bregethu ac fe welir enghreifftiau o hyn yn ei erthyglau ar Gabriel, 'un o'r angelion penaf' sydd a'i 'holl ymddygiad yn cyflawni ei genadwriaeth, yn ei ddangos yn ardderchog.......fel cenad addas oddiwrth y fath lys goruchel, a chenadwriaeth mor bwysig a gogoneddus'. Yn ei erthygl ar 'farw' cawn bregeth fer ar Phil 1: 21, 'Byw i mi yw Crist, a marw sydd elw' sy'n pwysleisio'r ffaith fod marwolaeth yn 'gymwynaswr hynod i gredadyn, o herwydd y gobaith Gwynfydedig tu draw i angau'.[129] Gwêl, hyd yn oed, ddeunydd pregeth yn y 'ffyrling', lle'r esbonia fanylder Iesu yn sylwi ar y pethau lleiaf ac 'yn canfod ysbryd a dybenion pob un yn yr hyn oll y mae yn ei wneuthur'.[130] Mae'r erthygl ar 'Joseff' yn un bregeth drwyddi draw ar ragluniaeth sy'n dangos Duw'n adolygu, trefnu a llywodraethu'n effeithiol holl achosion ei greaduriaid.[131]

Gan mai llyfr ysgolheigaidd diwinyddol a thrwm oedd y *Geiriadur* teg felly yw gofyn sut y daeth hwn yn llyfr deiliaid yr Ysgol Sul? Gwerin y Beibl oedd gwerin y geiriadur; cysyniadau, idiomau a dysgeidiaeth y Llyfr oedd eu cynhaliaeth feunyddiol. Dyma oedd canolbwynt y seiadau, y pregethu a thrafodaethau'r Ysgolion Sul. Ond yma a thraw cai'r darllenydd erthyglau amrywiol, blasus ac ymarferol ar rinweddau 'mêl' sy'n 'dra iachus a meddyginiaethol, ac yn oddefol i bawb ond ei ferwi'[132] i gyfarwyddyd ar y ffordd orau i ddefnyddio tywod i wneud morter.[133] Mae'n annog ei ddarllenwyr hefyd i archwilio'r byd gwyddonol a hyd yn oed eangderau'r gofod. Daw ehangder ei ddiddordebau yn amlwg yn ei erthyglau ar y gaeaf, gwalch, helygen, llin, ystlum, lleuad a haul ond efallai ei fod braidd yn sigledig ar y soflieir![134] Ymddengys cyffyrddiadau digon ysmala dan ambell bennawd, 'Tywydd, (tyw) hin. Mat 16: 2. Am y tywydd goreu tewi. Diar.' a dyna i gyd,[135] a'r cyfeiriad hwnnw at 'ffa', 'y mae pob math o ffa yn faethlon, ond yn Wyntog'.[136] Trwy dudalennau'r *Geiriadur* ei uchelgais oedd dangos fod holl amrediad bywyd dan arglwyddiaeth Duw yng Nghrist a daeth y gyfrol yn llawforwyn i ddehongli a deall y Beibl, sef tarddiad yr holl wybodaeth i greu nefoedd a daear newydd.

Dylanwad y Geiriadur ar y *Gyffes Ffydd*

Edrychid ar Thomas Charles fel y trydydd person yn ffurfiant y Methodistiaid yng Nghymru, 'Howell Harris i efengylu, a William Williams i roi iaith newydd i foliant a chân, diau mae gorchwyl penodedig Thomas Charles ydoedd athrawiaethu'.[137] Rhwng 1805 ac 1811, blwyddyn yr ymwahanu, cyhoeddodd Charles y *Geiriadur* a'r *Hyfforddwr* ac fel y tystiolaetha J. Young Evans (1895), 'hwynt-hwy oedd yn derfyn ar bob ymryson, pa un bynnag ai ynghylch athrawiaeth a'i ynghylch ystyr geiriau'.[138] O ddechreuadau'r Methodistiaid yn 1735 hyd 1823 ni fu ganddynt Gyffes Ffydd a'r rheswm pennaf am hynny oedd fod llawer o arweinwyr y Corff o'r ddwy genhedlaeth yn aelodau o'r Eglwys Sefydledig a nifer ohonynt mewn urddau eglwysig. Os byddai achos neu anghydfod athrawiaethol yn codi gellid troi at gredoau'r Apostolion, Nicea ac Athanasiws a'r Deugain Erthygl namyn Un o Erthyglau'r Ffydd. Dros dreiglad y blynyddoedd daeth tro ar fyd; bu farw rhai o'r arweinwyr cynnar, penderfynodd y corff ordeinio gweinidogion (1811) a bu cryn ddadlau athrawiaethol rhwng y Calfiniaid a'r Arminiaid ar y naill law a'r Calfiniaid ymhlith ei gilydd ar y llaw arall. Cynyddai'r nifer o Fethodistiaid a goleddai ddehongliad cul yr Uchel Galfiniaeth ar Brynedigaeth a'r Iawn.[139]

Â Thomas Charles yn ei fedd yn Hydref 1814, 'sylwyd', yn Sasiwn Llanrwst, diwedd Rhagfyr 1814, 'ar y perygl o fyned i lwybrau cyfeiliornus yn yr athrawiaeth.....ac yn wyneb hyn, annogwyd pawb.....i ysgrifennu Cyffes o'i Ffydd a'i dwyn i Gymdeithasfa y Bala, fel y gellid gwneuthur un gyffes gyffredinol i'r holl gorph.....fel maen-prawf er penderfyniad ar bob mater perthynol i athrawiaeth a disgyblaeth y corph.'[140] Ai gweld eu cyfle wnaeth lladmeryddion a phleidwyr y Gyffes Ffydd yn dilyn ei farwolaeth? Yn ôl Gomer M. Roberts ni fu Charles erioed o blaid cael Cyffes Ffydd, 'O ran ein daliadau athrawiaethol, yr ydym yn cytuno yn holl âg Erthyglau egwyddorol Lloegr.'[141] Eithr yn ôl Humphrey Gwalchmai ym mhregeth angladdol John Elias, mynegodd mai Charles oedd y cyntaf a glywodd yn sôn am 'gael crynodeb o brif bynciau Cyffes ffydd, yn ôl arfer eglwysi Crist ymhob oes'.[142] Ymddengys fod Thomas Jones yntau'n wrthwynebydd chwyrn i bob ymgais i lunio cyffes a'i ddadl ef oedd bod Erthyglau'r Eglwys Sefydledig, 'o'u hiawn esbonio yn ddigon pendant i gau allan bob cyfeiliornad, ac ar yr un pryd, yn ddigon eang fel ag i ganiatáu rhyddid barn ac ymadrodd, cwbl angenrheidiol o fewn rhyw derfynau, er sicrhau undeb gwirioneddol yn y cyfundeb.'[143] Ei brif wrthwynebiad oedd y perygl o lunio cyffes a fyddai'n rhy gyfyng i gynnwys helaethrwydd y gwirionedd a gynhwysid yn y Beibl. Eithr roedd anniddigrwydd yn y tir a hynny o du'r Anglicaniaid – rhwng 1801 ac 1803 cyhoeddwyd pedwar pamffledyn ymosodol gan glerigwyr esgobaeth Bangor:[144]

.....if it be ascertained that there is a sect which has hitherto evaded the vigilance of Government, and is privately but indefatigably and incessantly labouring at the overthrow of the establishment, I think it high time that such a sect should be unmasked.....That sect is Methodism.[145]

Yn Sasiwn y Bala, Mehefin 1801, penderfynwyd cyhoeddi *Rheolau a Dybenion y Cymdeithasau Neillduol ymhlith y Methodistiaid Cymraeg* ac ymhen y flwyddyn cafwyd argraffiad Saesneg.[146] Dengys y *Rheolau*, cywaith rhwng Charles a Thomas Jones,[147] nad oedd unrhyw wrthwynebiad nac unrhyw ddrwgdeimlad tuag at awdurdod yr Eglwys Sefydledig. Yn yr argraffiad Saesneg o'r *Rheolau* mae'r neges yn glir a digamsyniol, 'In doctrine we exactly agree with the articles of the Church of England.....We highly approve of her excellent and most evangelical liturgy.'[148]

Yng ngoleuni'r cefndir hwn beth fu ei ddylanwad ar gynnwys y *Gyffes Ffydd*? Athrawiaeth oedd ei brif faes a gwnaeth gyfraniad enfawr trwy ei gyfrolau a hyd yn oed yn ei flynyddoedd olaf cyfansoddai ddeunyddiau athrawiaethol yn ei lawysgrifen a elwid 'Pwngc Ysgol' ar gyfer yr ysgolion penodol. Cawn enghreifftiau o dan benawdau amrywiol, 'Cenfigen', 'Anghrediniaeth', 'Cyfiawnder Crist', 'Swper yr Arglwydd' a'r 'Gwahaniaeth rhwng Cyfiawnhad a Sancteiddhad'.[149]

Daeth y dull o 'holi', 'adrodd' neu 'ganu' Pwnc yn elfen gyffredin o holwyddori a heddiw mewn rhannau o Sir Benfro ceir cynulleidfaoedd yn llafar ganu'r Pwnc. Ffurf fyrrach ar y catecism oedd y Pwnc a hwnnw wedi'i baratoi'n bamffledyn o bedair i wyth o dudalennau. Paratowyd Pynciau ar gyfer nifer o gapeli a byddai pob capel neu hyd yn oed ddosbarth o fewn capel yn mynd ati i ddysgu eu rhannau ar eu cof a'i adrodd mewn gwahanol gapeli. Dull cyffredin oedd gosod yr atebion ar gân neu lafarganu gan fod hynny'n haws i'w ddysgu a'i gofio mewn mydr ac odl a gwelir enghraifft o hyn yn y Pwnc ar yr Ail Bennod o lyfr Actau:

> Rhyw luoedd a welid o bob parth o'r gwledydd
> Yn ninas Caersalem yn rhodio'r heolydd,
> Neu casglu o'r cyfan, mewn syndod yr awrhon,
> I'r oruwch-ystafell, lle'r oedd y disgyblion.[150]

Byddai'r Pwnc fel arfer wedi'i ddosrannu'n ofalus gyda chyfarwyddiadau manwl ynglŷn â phwy oedd i adrodd y gwahanol adrannau a hynny dan benawdau BB, MB, BM, MM sef cyfeiriad at 'bechgyn bach', 'merched bach', 'bechgyn mawr' a 'merched mawr'. Yn y *Pwnc Ysgol ar Wyrthiau yr Harglwydd* [*sic*] *Iesu Grist* roedd yr holl ysgol i ateb y cwestiwn cyntaf, a'r ail gwestiwn i'w ateb gan y BM a'r MM i adrodd yr adnodau ac felly ymlaen drwy'r holl bwnc.[151]

Daeth bri mawr ar Bynciau ar destunau athrawiaethol megis, 'Bendithion y Cymod'. a 'Prynedigaeth trwy Waed Crist' ond o dipyn i beth disodlwyd y pynciau hyn a rhoddwyd mwy o bwyslais ar bynciau ysgrythurol eu naws. Yn 1831 paratowyd Pwnc ar ragoriaethau'r Ysgol Sul i gyd-fynd â *Jubili Yr Ysgol Sabbothawl:*

> G. Pa fuddioldeb personol sydd yn fwynhaol trwyddi?
> A. Llawer iawn, oblegid yma mae'r segur yn cael gorchwyl, y diwyd yn cael gwobr, yr afreolus reol, y gwan ei gryfhau, y llwfr ei sirioli a'r gwyllt ei arafu.[152]

Yn ysbryd canmoliaethus Pwnc y Jubili dechreuwyd paratoi deunyddiau ar nodweddion y gwahanol enwadau a cheir enghraifft o hyn gan Titus Lewis y Bedyddiwr a gyhoeddodd Bwnc yn 1841 a'i neges ganolog nad oedd neb yn perthyn i'r wir Eglwys heb ei fod wedi'i fedyddio trwy drochiad.[153]

Charles hefyd fu'n gyfrifol am baratoi a chwestiynu'r darpar weinidogion yn y cyfarfod ordeinio yn y Bala, ym Mehefin 1811 a chwestiynau yn ymdrin â phynciau sylfaenol y grefydd Cristnogol oeddynt i gyd.[154] Nid oes amheuaeth nad oedd y *Geiriadur* yn llawlyfr parod i gyfansoddwyr y *Gyffes.* Adleisir geiriau'r *Gyffes,* 'Y mae trefn, prydferthwch, addasrwydd, crynodeb a chydsafiad y greadigaeth, yn profi bod Duw doeth wedi rhoi bod iddi, ac yn cynnau ac yn llywodraethu y pethau sydd yn bod,'[155] yn adrannau cyntaf y *Geiriadur* ar Dduw.[156] Yn yr adran 'Am Briodoliaethau Duw' yn y *Gyffes*[157] sy'n disgrifio Duw, 'heb gorff, heb ranau, na nwydau, yn dragwyddol, heb ddechreuad, cyfnewidiad na diwedd; yn anfeidrol ac anamgyffredadwy; yn hunan-ymddibynol, hollbresennol, hollwybodol a hollalluog,'[158] meddai Charles, 'ond Bod unigol, pur diranau, di derfyn ac anfeidrol yw,'[159] ac ymhelaetha, 'y mae pob perffeithrwydd yn hanfodol ynddo, yn ddiddybyniad, yn ddichwanegiad, yn ddileihad ac yn ddiderfyn'.[160] Adleisir ei ymdriniaeth o'r Drindod,[161] 'hefyd nid yw ymgnawdoliad y Duwdod yn Mherson y Mab yn lleihau mawrhydi yr hanfod dwyfol a'r priodoliaethau yn y Mab.....' a chrynhoir hyn yn y *Gyffes*, 'y Tad yn Berson tragwyddol, y Mab yn Berson tragwyddol a'r Ysbryd Glân yn Berson tragwyddol'.[162] Pan fo'r *Gyffes* yn trafod yr Ysbryd Glân cedwir yn glos iawn at eiriau'r *Geiriadur.*

> *Y Gyffes:* Y mae yr Ysbryd Glân yn wir Dduw, ac yn Berson Gwirioneddol a gwahaniaethol yn y Duwdod mewn gallu a gogoniant â'r Tad a'r Mab oblegyd y mae enwau Dwyfol arno, priodoliaethau Dwyfol ynddo, telir addoliad Dwyfol iddo a gweithredoedd Dwyfol a wnaed ac a wneir ganddo, nas gablasai ac nas gall neb ond Duw eu gwneuthur.[163]

> *Y Geiriadur:* 'Ei fod o Dduw. Y mae pedwar peth canlynol yn profi ei ddwyfoldeb, yr un fath a'r Tad a'r Mab sef, yn 1. Enwau dwyfol, 2. Priodoliaethau dwyfol, 3. Addoliad dwyfol yn cael ei roddi iddo 4. a gweithredoedd nas gallasai neb ond Duw eu gweithredu.'[164]

Wrth reswm nid yw cyfansoddwyr y *Gyffes* wedi dilyn y *Geiriadur* bob tro fel yn yr adran ar yr 'Ysgrythurau' gan fod Charles yn dilyn Calfin pan ddywed, 'Y maent wedi eu rhoddi trwy ysbrydoliaeth yr Ysbryd Glân,'[165] ond yn y *Gyffes* anwybyddir y pwyslais ar yr Ysbryd Glân yn llwyr. Byddai wedi bod yn fuddiol i gyfansoddwyr y *Gyffes* graffu ar yr erthygl ar 'Iesu' i'w rhwystro rhag syrthio i fagl gau-athrawiaeth, 'felly y mae Person Dwyfol a natur ddynol wedi huno yn yr un Cyfryngwr,' eithr athrawiaeth glasurol y credoau yw 'dwy natur mewn un person' ac meddai'r *Geiriadur*, 'Y mae ynddo ddwy natur ond un Person a hwnw yn Berson Dwyfol. Mae yn ddyn ond nid yn berson dynol; ond yn Berson Dwyfol a'r natur ddynol mewn undeb â'r Person hwnw.'[166] Ac onid yw'r *Gyffes* yn cyfyngu ar gariad Duw yn yr adran 'Am Eiriolaeth Crist,' 'ac y mae yn eiriol dros y rhai y mae y Tad ei hun yn eu caru'.[167] Neges gadarnhaol y *Geiriadur* yw, 'Y mae yr holl greaduriaid a wnaeth Duw yn wrthrychau ei foddlonrwydd.....y mae yn cynnwys cariad cyffredin i bob dyn.....y mae yn eu cynnal ac yn eu cadw, ac yn tywallt arnynt fendithion ei ragluniaeth dyner.'[168]

Gellir crynhoi bod gweithgarwch y *Geiriadur* wedi bod yn sylfaen i'r brodyr, yn dilyn marwolaeth Thomas Jones ym Mehefin 1820, i fynd ati yn Sasiwn Llangeitho flwyddyn yn ddiweddarach i 'argraffu......math o Gyffes Ffydd sef barn y Corff am holl brif bynciau'r Athrawiaeth a gredir ac a bregethir yn ein mysg'.[169]

Y Beibl

O'r unfed ganrif ar bymtheg ymlaen pan ddechreuodd y ffydd Brotestannaidd ddylanwadu ar Gymru, pwysleisiwyd awdurdod y Beibl fel y datguddiad terfynol o air Duw a'i ganolbwynt yn yr athrawiaeth Brotestannaidd oedd y prif gymhelliad i'w gyfieithu i iaith y bobl. Dan ddylanwad y Diwygiad Protestannaidd daeth y pulpud i ddisodli'r allor a thrwy hynny roi lle canolog i ddarllen a phregethu'r gair. Sylfaen cyfieithiad Beibl William Morgan (1588) oedd yr egwyddor ledled Ewrop y dylai'r Ysgrythurau fod ar gael i bawb yn eu mamiaith. Yr un egwyddor fu'n hollbresennol yng ngrym y Diwygiad Efengylaidd ac yn nhwf Ymneilltuaeth.[170]

Ymgorfforai'r Beibl genadwri a alluogai'r bobl i fyw eu bywydau'n llawn ar y ddaear a 'marwolaeth,' fel y dywed yn y *Geiriadur,* 'yn gymwynaswr hynod i gredadyn, oherwydd y gobaith gwynfydedig tu draw i angeu'.[171]

Fel y datblygai'r Ysgolion Sul roedd y galw am Feiblau'n cynyddu a'r nod lywodraethol ym mywyd Charles oedd diwallu'r angen hwn. Er iddo gyhoeddi'r holl gyfrolau atodol, ei uchelgais oedd cael y Beibl i ddwylo'r bobl a thrwy hynny sefydlu 'Gair Duw' yn rhan greiddiol, allweddol o fywyd a diwylliant Cymru. Ar ei deithiau, 'I have been often........questioned, whether I knew where a Welch Bible co^d be bought for a small price? and it has hurted my mind much to be obliged to ans^r in ye negative.'[172] Teimlai i'r byw â'r diffyg hwn eithr ni ddiffygiodd.

Trwy haelioni Thomas Scott a John Thornton, yn 1787 sicrhawyd 125 o gopïau o Feiblau[173] ond ym marn Charles gallai'n hawdd gael gwared â mil neu ddwy fil o gopïau.[174] Er fod y Gymdeithas er Taenu Gwybodaeth Gristnogol yn barod i ddosbarthu Beiblau a'r esgobion yn barod i'w harchebu, eto i gyd anodd iawn oedd eu cael i ddwylo'r werin a'r rheswm pennaf am hyn oedd y gost.[175] Ni ellir rhoi'r clod i gyd ar ei ysgwyddau gan fod cofnodion y Gymdeithas er Taenu Gwybodaeth Gristnogol, 3 Mai 1785, yn dangos pa mor eiddgar oedd y Gymdeithas i rannu'r Beiblau oedd yn eu Stordai.[176]

Yn 1786 codwyd gobeithion y genedl pan gyhoeddodd David Jones a Peter Williams argraffiad Cymraeg o Feibl John Canne[177] a ymddangosodd o wasg Trefeca yn 1790. Cyhuddwyd Peter Williams o ymyrryd â'r cyfieithiad ac fe'i diarddelwyd yn Sasiwn Llandeilo 24 – 25 Mai 1791.[178] Cadarnhawyd penderfyniadau Sasiwn Llandeilo yn Sasiwn y Bala 8 Mehefin 1791[179] ac aethpwyd gam ymhellach trwy wahardd y Methodistiaid rhag prynu'r Beibl hwn a chan fod Charles â rhan weithredol yn niarddeliad Peter Williams anodd iawn oedd iddo roi sêl ei fendith ar y cyhoeddiad.[180]

Yn dilyn marwolaeth Madam Bevan yn 1779 gadawyd stoc o 520 o Feiblau, 50 o Destamentau, 200 o draethodau crefyddol ynghyd â manion eraill yn ei thŷ a chan fod anghydfod wedi codi ynglŷn â'i hewyllys yno buont nes i Charles berswadio un o ymddiriedolwyr yr ewyllys mai doeth fyddai gwerthu peth o'r stoc a gwnaed hynny am £122. Gwerthwyd hefyd 200 o draethodau crefyddol am 2d yr un a gwnaed elw o 16s.8d.[181]

Mewn llythyr, dyddiedig 19 Tachwedd 1795 daeth pwysau ar y Gymdeithas er Taenu Gwybodaeth Gristnogol o du Esgob Bangor, 'of the expendiency of the Society's undertaking to print a new edition of the Bible and Common Prayer in Welch'.[182] Penderfynwyd yng nghyfarfod cyffredinol y Gymdeithas, 'that this Society do undertake the same and cause an Edition of 10,000 Copies to be printed, according to the pattern of that printed for the Society in 1746.....'[183] Mewn llythyr dyddiedig, 3 Rhagfyr 1799, gan ysgrifennydd y Gymdeithas, hysbyswyd fod y Beiblau'n barod, 'the volume containing the Bible, and Book of Common Prayer, with the Singing Psalms, *at two shillings and nine pence,* and that containing only the New Testament at *Six Pence,* which is less than a fourth part of the price that must be charged if tendered for Sale by the Booksellers.'[184] Y cam nesaf oedd dosbarthu'r Beiblau. Gan nad oedd Charles yn aelod o'r Gymdeithas[185] bu'n rhaid iddo ddefnyddio dulliau anuniongyrchol o rannu a dosbarthu. Anogodd bobl i wneud ceisiadau trwy'r offeiriaid, 'I have directed them all to make application for them to the Clergy in the different parishes'[186] a chysylltu â chyfeillion.[187] Mawr oedd y galw a phenderfynodd Charles fod angen cyfrwng newydd i gyhoeddi a dosbarthu Beiblau. Fel 'Country Member'[188] o Gymdeithas y Traethodau Crefyddol a sefydlwyd ar 9 a 10 Mai, 1799 dan ysgogiad George Burder (1752 –1832),[189] rhybuddiwyd ef o gyfarfod o'r Gymdeithas ar y 9 Tachwedd 1802 a phan gynhaliwyd y cyfarfod dilynol ar y 23 Tachwedd, yn ei absenoldeb, rhoddwyd ei gais gerbron. Y cais yn syml oedd, penderfynu ar y dulliau i gyhoeddi a dosbarthu Beiblau Cymraeg. Yn ystod Rhagfyr 1802 bu tri chyfarfod yn trafod y pwnc dan sylw a thridiau ar ôl y Nadolig penderfynwyd mai amcan y gymdeithas newydd fyddai, 'to promote the circulation of the Holy Scriptures in foreign Countries and in those parts of the British Dominions, for which adequate provisions is not yet made, it being understood that no English translation of the Scriptures will be gratuitously circulated by the Society, in Great Britain.'[190] Ar 10 Ionawr 1804, sefydlwyd y 'Fibl Gymdeithas Frutanaidd a Thramor'. Bu llawenydd deublyg, meddai Joseph Tarn mewn llythyr at Charles, 'Fy annwyl Frawd, nis gallwn ni lai na chyd-lawenhau, pan ystyriom fod y gorchwyl hwn wedi cael ei ddechreuad mewn ymddyddan a fu rhyngom ni ein dau, ar foregwaith a fydd i'w gofio byth.'[191]

Yn y cyd-destun hwn mae'n werth crybwyll stori Mary Jones, (1784 – 1872), y ferch a fu yn un o ysgolion Charles, a gerddodd yn droednoeth o Abergynolwyn i'r Bala. Yn ôl Robert Oliver Rees, cyfeiriodd Thomas Charles at y ferch hon pan anerchodd y Gymdeithas, yn Llundain, ar 7 Rhagfyr 1802 a hi felly fu'n bennaf cyfrifol am ei ysbrydoli ac eraill i ffurfio'r Feibl Gymdeithas.[192] Anghytunai Bob Owen, Croesor, yn chwyrn (fel y byddai) nad oedd a wnelo stori Mary Jones ddim â sefydlu'r Feibl Gymdeithas[193] ac efallai iddo selio'i ddadleuon ar ymchwil D. E. Jenkins.[194] Mae'n bur debyg fod sail i stori Mary Jones ond nid oes tystiolaeth fod Charles wedi defnyddio'r digwyddiad wrth annerch y cyfarfodydd yn Llundain yn ystod Rhagfyr 1802. Dyletswydd gyntaf y Feibl Gymdeithas oedd mynd ati i argraffu Beiblau yn yr iaith Gymraeg. Cysylltwyd â Charles ynglŷn â manylion niferoedd, plyg a phrint ond y cwestiwn hollbwysig oedd ar batrwm pa argraffiad blaenorol y dylid gweithio. Mewn llythyr, dyddiedig 21 Gorffennaf 1804 oddi wrth Joseph Tarn, yr Ysgrifennydd cynorthwyol, anelir nifer o gwestiynau ato gan ddechrau gyda pha argraffiad, 'if the last Oxford Edition of the Scriptures in the Welsh Language is liable to objections as to the translation, and, if any, of what nature they are?' hefyd, 'If the Young Man, whom you mentioned as an Editor should visit Bala, it is desireable that you should converse with him on the subject, but *carefully avoid Committing the Society* to any engagement with him and report your opinion of his qualifications.'[195] Y 'gŵr ifanc' hwn oedd William Owen Pughe oedd eisoes wedi dylanwadu arno pan oedd yn paratoi'r Geiriadur. Yn Ebrill 1805, penodwyd Pughe i ofalu am broflenni'r argraffiad Cymraeg o'r Beibl a gyhoeddwyd gan y Feibl Gymdeithas, 'we know of no one more capable than Mr W. Owen of Pentonville.....and Mr W. O. stands *first* in the rank and is at the head of the list without dispute' meddai Charles mewn llythyr 17 Hydref 1804.[196] Cafodd gymorth hefyd gan Robert Jones, Rhos-lan a Thomas Jones Dinbych.[197] Bu'r dasg yn un drylwyr i'w rhyfeddu:

> 'I have particularly examined every Word, every letter and every stop. I have compared 8 different impressions together in the Welsh Language and 3 in English.....I found some Words omitted in this impression [1799] which have been replaced; others were changed through carelessness, which have been duly restored.....The alterations in the

spelling consist mostly in the omission of one of the two letters where one was quite sufficient, as *hyny,* instead of hynny etc. We found the negative *di* often put where the praepositive *dy* ought to have been, this error we have corrected in very many instances.'[198]

Cododd gwrthwynebiad i'w ymdrechion o du'r Parchg John Roberts, Tremeirchion, Esgobaeth Llanelwy, un a fu'n goruchwylio Beibl 1799 dros y Gymdeithas er Taenu Gwybodaeth Gristnogol. Cwynai yn ei lythyr at y Gymdeithas at yr orgraff ac ymdrechion Charles a'i griw, er nad oedd wedi gweld tudalen o'r gwaith ac meddai, 'I judge of it by the specimens which I have seen in some other Welsh publications'. Ond tybed nad oedd gwir achos y gynnen ym mharagraff olaf ei lythyr, 'The whole care of the edition in question, I understand, has been committed to two leading characters among the Methodists, and this new system of orthography is introduced by them.....'[199]

Eithr dyfnhaodd y cyhuddiadau pan benderfynodd y Gymdeithas er Taenu Gwybodaeth Gristnogol baratoi Beibl Cymraeg eu hunain ac yng nghyfarfod y Feibl Gymdeithas wythnos union yn ddiweddarach penderfynwyd mai doeth fyddai i'r Beibl oeddynt hwy yn ei baratoi gydymffurfio ag orgraff Beibl y Gymdeithas.[200] Yn dilyn hyn mae'r stori'n cymhlethu pan ofynnwyd i Charles baratoi copi ar sail Beibl 1746 ond nid oedd i ymyrryd â'r orgraff dim ond nodi cam-gysodiadau'n unig. Ond y camsyniad oedd mai Beibl 1746 fyddai Beibl newydd y Gymdeithas a bu yntau'n gweithio'n ddygn ar y fersiwn hwn cyn clywed gan y Feibl Gymdeithas am y camgymeriad. Sail y camgymeriad oedd i bwyllgor y Gymdeithas er Taenu Gwybodaeth Gristnogol feddwl am argraffiad 1746 oedd yn cynnwys y Beibl a'r Llyfr Gweddi Gyffredin ond nid oedd yn eu bwriad i atgynhyrchu orgraff yr argraffiad hwnnw.[201] Daeth y Testament Newydd allan ym Medi 1806 a'r Beibl cyflawn ym Medi 1807 ond roedd wythfed bennod o lyfr y Barnwyr wedi'i hepgor ynghyd â man frychau eraill.[202] Erbyn 1810,[203] roedd Beibl y Gymdeithas er Taenu Gwybodaeth Gristnogol wedi ymddangos a gwaith golygyddol olaf Charles oedd paratoi Beibl 1814 i Gymdeithas y Beiblau, Beibl ym marn y Parchg Walter Davies (Gwallter Mechain) na allai 'give offence to the most rigid advocates of the old orthography'.[204] Doedd ryfedd yn y byd iddo dderbyn y ganmoliaeth hon ac yntau wedi cael profiad deng mlynedd o ganolbwyntio manwl a thrylwyr. Bellach roedd gan yr Ysgolion Sul yng Nghymru Feibl yn eu meddiant ac i Charles y Beibl oedd y llusern i oleuo llwybr ei gyd Gymry a rhan o'i hynodrwydd yw 'ei fod wrth geisio gwasanaethu Cymru wedi gwasanaethu'r byd cyfan trwy Gymdeithas y Beiblau'.[205]

Rheolau i Ffurfiaw a Threfnu yr Ysgolion Sabbothawl (Bala 1813)

Gellir dweud fod diwedd y ddeunawfed ganrif a dechrau'r bedwaredd ganrif ar bymtheg yn gyfnod ag obsesiwn i lunio rheolau. Yn fuan ar ôl i Raikes agor ei ysgolion wynebwyd ef â thoreth o gwestiynau ynglŷn â rheolau a'r unig reol ar y cychwyn oedd, 'with regard to the rules I adopted, I only require that they come to school as clean as possible'.[206] Ond gyda'r blynyddoedd a'r ysgolion yn cynyddu bu'n rhaid llunio rheolau newydd yn ôl y galw.

Yn 1813 y cyhoeddodd ei gyfrol gryno o reolau yn canolbwyntio ar y dulliau gorau i ffurfio a threfnu'r Ysgolion Sul a diddorol yw sylwi fod yr ysgolion wedi bodoli am rai blynyddoedd cyn iddo fynd ati i gyhoeddi'r gyfrol. Roedd cyfrolau tebyg wedi'u cyhoeddi yn Lloegr yn gynnar yn hanes y mudiad gan fod cryn bwyslais yn cael ei roi ar drefniadaeth fel y dywed yn ei ragymadrodd i'w gyfrol fod y 'Saeson yn fwy rheolaidd yn agos ym mhob peth na nyni'.[207] Mae'n amlwg ei fod ar y dechrau yn chwilio am rinweddau gwahanol megis duwioldeb, difrifolwch a diwydrwydd ac ar ôl iddo sefydlu'r rhain gwelodd mai'r dasg nesaf oedd trefn a strwythur. Creu'r brwdfrydedd oedd y cam cyntaf cyn mynd ati i ffrwyno a threfnu. Ni ellir dweud ei fod wedi anwybyddu rheolaeth a threfn yn gyfan gwbl yn ystod y blynyddoedd cynnar gan y credai fod duwioldeb a threfn yn mynd law yn llaw.

Gan fod yr Ysgolion Sul, erbyn 1813 wedi cynyddu'n gyflym rhoddodd ganllawiau manwl ar y lleoedd i'w cynnal, ac ar y dosbarthiadau gan fanylu ar gofnodi enw'r plentyn, oedran, enwau'r rhieni a'i gyfeiriad. Rhydd gofnod trylwyr dan y pennawd, 'am waith yr ysgolion' gyda'r pwyslais ar gynnydd, ymddygiad a darllen a deall. Iddo ef roedd ymddygiad da 'yn hardd a hyfryd' ynddo'i hunan yn ogystal â bod o fudd i gymdeithas. Yn yr adran olaf mae'n mynd rhagddo i drafod buddioldeb gwobrwyo a hynny am 'ymddygiad dyfal a rheolaidd a moesau da' ac nid 'rhagoroldeb ar eraill yn dysgu'. Dengys hyn ei agwedd a'i gymeriad gan y gallai pob plentyn anelu at ymddygiad da ac felly byddai gobaith i bob plentyn gael ei wobrwyo a dengys hyn y pwyslais ar werth yr unigolyn. Mae'n bendant iawn ynglŷn â chosbi, 'y mae llawer ffordd o geryddu plentyn heblaw i guro'.[208]

Mae'r gyfrol yn diweddu gyda phwyslais ar fynychu addoliad, 'o leiaf bob Sabboth', yr athrawon a'r plant fel ei gilydd ynghyd â'r alwad ar i'r

117

athrawon ymweld â phlant claf a thrafod addysg ac athrawiaeth yr Efengyl gyda'r diben pennaf sef, 'iechydwriaeth eu heneidiau'.

O'u cymharu â *Rheolau*, negyddol a didostur oedd rheolau Ysgolion Sul Lloegr.[209] Sonnir am ddirwyo athrawon, am absenoldeb a diarddel plant, a gwaith yr athrawon yn ystod addoliad oedd plismona a disgyblu'r plant. Nid gorchmynion oeraidd oedd ganddo ond cymhellion cynnes un oedd â chariad at blant ac am weld y mudiad yn datblygu. Mae ei arddull agos atoch yn britho'r gyfrol, 'dylid annog', 'y mae yn ddymunol', 'dylid peidio blino y plentyn', 'y mae'n dra addas' a 'dylid ymdrechu'. Addysgwr sy'n siarad, un â pharch at blant a chrefyddwyr oedd am eu gweld yn prifio yn y ffydd.

Gwasg yr Arglwydd

Gofid mawr iddo, ac yntau'n drefnydd mor gydwybodol, oedd arafwch, esgeulustra a chostau uchel y gweisg. Rhwng 1798 ac 1802, ei flynyddoedd mwyaf cynhyrchiol, defnyddiodd wasg William Collister Jones yng Nghaer.[210] Lleolwyd y wasg ym mynwent St Peter's, Caer ar y cychwyn ond symudwyd i argraffdy 3, Bridge Street Row neu 'yn mhen uchaf Heol y Bont' Caer fel y cyfeirir ati.[211] Nid oedd y wasg hon fel niferoedd o'r gweisg yn rhyngu bodd. Drud oedd y cynnyrch a'r galw am arian yn digwydd yn union ar ôl y cyhoeddi. Rhwystr arall a wynebai gwasg W. C. Jones oedd diffyg aelod o'r staff i oruchwylio'r proflenni Cymraeg ond trwy gefnogaeth Thomas Jones, Dinbych, apwyntiwyd John Humphreys i'r swydd.[212] Un dewis a wynebai Charles a hynny oedd sefydlu ei wasg ei hun a dyna wnaethpwyd mewn partneriaeth â Thomas Jones, Dinbych, yng ngwanwyn 1803 er mai Mrs Charles (Sally) oedd y partner cyfreithiol.[213] Penodwyd Robert Saunderson a fu'n brentis am saith mlynedd yng ngwasg W. C. Jones yng Nghaer i oruchwylio'r wasg newydd yn y Bala a'i ddymuniad oedd ei galw'n 'Wasg yr Arglwydd'.[214] Roedd Saunderson eisoes wedi argraffu llyfrau iddo tra roedd yn gweithio yng ngwasg W. Collister Jones[215] a phan fu farw daeth Robert Saunderson, oedd yn briod â nith iddo, yn berchen y wasg a bu yno hyd ei farwolaeth yn Rhagfyr 1863.[216] Byr fu cysylltiad Thomas Jones â'r wasg gan iddo gefnu arni ym Medi 1804.[217] Er i rai gredu ar y cychwyn mai cangen o wasg Collister Jones, Caer oedd y wasg yn y Bala, mae'n weddol sicr mai'r 'Jones + Co' a welid ar rai cyfrolau oedd Thomas Jones a'r Co oedd Sally, priod Charles, ac iddo yntau fel clerigwr dorri pob cysylltiad â'r ochr weinyddol a ymylai ar weithgaredd fydol.[218] Cyhoeddodd Gwasg y Bala, 'bymtheg a deugain o argraphiadau, yn cynnwys traethodau, mân lyfrau, yr ABC......a'u bod ynghyd yn fwy nag ugain ar bymtheg o filoedd....a hyn oll....heblaw y Geiriadur Ysgrythyrol, yn bedwar llyfr wyth plyg a dau lyfr o honno wedi ei argraffu ddwywaith'.[219] Dengys yr ymdrech i sefydlu'r Wasg yn y Bala ddiwydrwydd Charles i hyrwyddo'r gwaith o gael llenyddiaeth deilwng; yr orau, o fewn cyrraedd y werin Gymraeg. Myn ei gofiannydd nad oedd yn barod i fentro ar ei liwt ei hun i feysydd newydd ond yr hyn a'i nodweddai oedd ei barodrwydd, 'to observe the sod upturned by another, had a genius for correctly estimating the prospects of the soil, and as great a genius for taking pains to make it yield its utmost'.[220] Gwelodd ei gyfle a chyflogodd Saunderson, ac er na allai siarad Cymraeg rhoddodd bob cymorth iddo ddefnyddio ei lyfrgell bersonol i'w gynorthwyo i feistroli'r iaith.

Casgliadau

Sicrhawyd amrediad cyflawn o adnoddau dysgu ar gyfer y genedl a'r cyfan wedi sylfaenu ar waddol ddiwinyddol. Cyhoeddodd ei gatecismau amrywiol a'i ddefnyddiau pedagogaidd ar athrawiaeth y Beibl. Trwy gymorth y *Drysorfa Ysprydol* a'r *Drysorfa* llwyddodd i ehangu gorwelion ei ddarllenwyr trwy gynnwys storïau, pytiau difyr a darnau o farddoniaeth. Rhoddodd i'r oedolion, yn y *Geiriadur*, gyfrol o ddiwinyddiaeth i'w cynorthwyo i ddeall a dehongli'r Beibl, 'yr hwn yw y gannwyll oleuaf a ymddangosodd erioed yng Nghymru i egluro ardderchowgrwydd a chysondeb athrawiaethau yr efengyl'.[221]

Prawf fod Efengyliaeth yn treiddio i fyd y tlodion oedd y galw cynyddol am Feiblau a hynny am bris isel. Llafuriodd yn ddiarbed i ymateb i'r galw ac aeth ati i wneud ceisiadau, argyhoeddi cyfeillion, golygu a chywiro'r testun a dosbarthu'r Beiblau. Ei nod oedd adeiladu gwareiddiad yng Nghymru wedi'i wreiddio yn y Beibl a fyddai'n llyfr agored i'r werin Gymraeg. Nid digon iddo oedd gosod y sylfeini, sef dysgu'r disgyblion i ddarllen y Beibl, rhaid oedd rhoi canllawiau i drafod ei gynnwys yn ddeallus a gwnaeth hynny yn ei amrywiaeth o gatecismau a'r *Geiriadur* a llwyddodd trwy wasanaethu ei wlad i wasanaethu'r byd trwy Gymdeithas y Beiblau.

5: Blynyddoedd y gwreiddio a'r lledaenu

'A thrwyddi hi y mae efe, wedi marw, yn llefaru eto'. Heb 11: 4.

T. Jones.[1]

Yn dilyn marwolaeth Thomas Charles carlamu ymlaen fu hanes yr Ysgolion Sul a hynny'n bennaf o barch i'w goffadwriaeth. Yn 1818 yn Sir Fflint 2,914 a fynychai'r ysgolion ond erbyn 1834 cynyddodd y nifer i 10,323 a'r un oedd yr hanes yn Sir Gaernarfon, 2,074 o ddisgyblion yn 1818 ac 16,067 yn 1834.[2] Yn ei chyfrol, *Nationality in the Sunday School Movement,* myn D. M. Griffith fod yr Ysgol Sul yng Nghymru wedi datblygu 'in almost complete independence of the English movement'.[3] Sail ei honiadau yw fod Cymru wedi cefnu ar y rheolau a'r gofynion cymdeithasol, 'at the end of a few years, however, the social aims have become of little account'.[4] Mae'n anodd derbyn yr honiadau hyn gan fod y llawlyfrau a baratowyd gan y cyfundebau yn benodol ar gyfer yr Ysgolion Sul, dro ar ôl tro yn pwysleisio'r grasusau cymdeithasol.

Cyn mynd ati i bwyso a mesur mae'n werth sylwi fod Charles yn amrywio'i bwyslais pan oedd yn ysgrifennu at ei gyfeillion yn Lloegr a phan oedd yn cyfathrebu â'i gyd-wladwyr.[5] Yn ei gyhoeddiadau Cymreig mae'n pwysleisio'r crefyddol a'r ysbrydol a daw hynny'n amlwg fel y gwelir ar ddudalennau'r *Drysorfa:*

> ...fy anwylaf blant, meddyliwch fod gennych eneidiau anfarwol ac y byddwch yn bod byth mewn byd arall wedi darfod o'r byd hwn... gwnewch y Bibl y cyfaill penaf eich bywyd, a byddwch ddiolchgar iawn i'ch athrawon am eich hyfforddi i'w ddarllen ac i ddeall a'i iawn ddefnyddio.[6]

Mae'n mynd ati, hefyd, i ganmol ac annog yr athrawon a'u hatgoffa o'u cyfrifoldeb 'i addysgu ieuenctid Cymru yn y pethau pwysfawr ac angenrheidiol iddynt eu gwybod er iechydwriaeth eu heneidiau.'[7]

Dengys yn glir mai pwrpas yr Ysgolion yw dangos i'r plant eu cyflwr 'euog a llygredig' a'u dwyn 'at Grist am iechydwriaeth' ac os na fyddant wedi llwyddo i wneud roedd yr holl waith yn ofer.[8]

Erfyn a diolch am gymorth mae yn ei lythyrau i'w ffrindiau yn Lloegr. Meddai yn ei lythyr, Ionawr 1800:

> I know several districts without a Bible in all the families who live in them, and there was not an individual that could read among them till our Schools were introduced. Now being taught to read, like hungry persons, they are ready to famish for want of Bibles.[9]

Yn ei adroddiadau i Gymdeithas yr Ysgolion Sul pwysleisiai'r newidiadau syfrdanol yn ymddygiad moesol y plant a bod tystiolaeth nad oedd neb wedi sefyll ei brawf gerbron llysoedd Meirionydd, Caernarfon a Môn yn tystio i'r ffaith honno.[10] Yn ei apêl at ei gydwladwyr neges gynnes a phersonol a geir ganddo ond yn ei lythyrau at ei gyfeillion yn Lloegr, ffeithiau oeraidd, gŵr busnes yn diolch am eu haelioni ddaw i'r amlwg.

Blwyddyn cyn ei farw, cyhoeddodd y *Rheolau* (1813)[11] sy'n manylu ar nodweddion ymddygiad y plant, 'dysgu ymddygiadau i'r plant a ddylai fod yn achos nid bychan gan bob Ysgol Sabbothawl – y mae yn hardd ac yn hyfryd ynddo ei hun, ac o fuddioldeb mawr i gymdeithas yn gyffredinol'.[12] Pwysleisir 'yr hardd a'r prydferth' yn holl ymarweddiad plentyn:

> Dylai y merched gael eu cyfarwyddo i ostwng, a'r bechgyn i blygu wrth ddyfod i'r Ysgol a myned ohoni..... Dysgent y bechgyn i dynu eu hetiau, a'r merched i ostwng i bawb o'i gwell.....Dysgent hefyd i sefyll ar eu traed yn syth, a cherdded yn uniawn, a'u holl ystumiau corphorol yn addas ac yn hardd.....[13]

Nid oes unrhyw gyfeiriad at gosb i droseddwyr oherwydd rhaid oedd ymgyrraedd at greu ethos o gariad ac ymddiriedaeth a thrwy hynny barchu'r unigolyn. Gellir edrych ar y rheolau hyn fel enghraifft o waseidd-dra ond a chymryd y wedd gadarnhaol canllawiau oeddynt i ddyrchafu'r disgyblion a chreu trefn a harmoni o fewn muriau'r Ysgol Sul a thu hwnt yn y gymuned. Mae'n rhaid cofio hefyd fod hyn yn cyd-fynd ag agweddau cynnar y Methodistiaid at y *status quo*.

Mor wahanol oedd agwedd negyddol rheolau Ysgol Sul dros y ffin yn yr Octagon, Caer:

> If a scholar be convicted of cursing, swearing, lying, quarrelling, calling nicknames or of behaving improperly in any way which may

not be here specified, he or she shall be admonished for the first, punished for the second, and excluded for the third offence.[14]

Yn ôl rheolau Ysgol Sul Warrington, roedd y pwyslais ar ddisgyblaeth lem a gwahardd y drwgweithredwyr, '.....frequent neglect of attendance, or irregular and disorderly behaviour either in going to or retiring from school, if not reformed by admonition and reproof shall exclude any child from this charity'.[15] Mae'r sawr negyddol sy'n gwneud y plentyn yn ymwybodol o'i safle yn y gymdeithas yn amlwg yn y rheolau hyn. Cystwywr heb ei ail oedd Robert Raikes a cheir enghreifftiau lu ohono'n rhoi blas y gansen i sawl un ac unwaith rhoddodd gosb eithafol i blentyn trwy roi ei law ar stof boeth. Droeon eraill pan fyddai plant yn camymddwyn byddai'n mynd â hwy at eu rhieni i'w cosbi'n gorfforol a'u dychwelyd wedyn i'r Ysgol Sul gan rwbio'u llygaid a mannau eraill![16]

Ond yn rheolau Charles pwysleisid y cadarnhaol a'r dyrchafol yn hytrach na'r negyddol a'r gorfodol. Tasg yr athro oedd gweld y gorau a chynnal y gorau yn hytrach na phlygu i reol a chadw o fewn terfynau côd ymddygiad. Iddo ef canllaw oedd holl ymdrechion yr Ysgolion Sul i godi statws y disgyblion yn ogystal â pharatoi ar gyfer y byd arall. Gwireddwyd ei freuddwyd a'i weledigaeth yn y blynyddoedd wedi ei farwolaeth. Cyn gynhared ag 1817 roedd Ysgolion Sul Eifionydd i ystyried, 'fod pob plentyn sydd bob Sabboth dan eich gofal yn cynnwys enaid mor werthfawr a'r un a roddodd y Creawdwr ynoch chwithau. Ni all tlodi, anwybodaeth, na drygioni, wahanu y cwlwm sydd yn ei gysylltu ag anfarwoldeb.'[17] Nid digon oedd dysgu'r plant i ddarllen, hyd yn oed i ddarllen y Beibl na 'chwaith i ddysgu moesoldeb eithr canllawiau oeddynt i achub enaid yr unigolyn, gyda'r pwyslais ar yr unigolyn.

Pwysleisiodd yn ei *Reolau* y pwysigrwydd o bresenoldeb mewn addoliad cyhoeddus gan roi sylw penodol i'r plant:
Y mae o'r canlyniadau mwyaf i edrych fod y plant yn rheolaidd ac yn ddyfal yn yr addoliad cyhoeddus. Dylai pob plentyn fod unwaith o leiaf bob Sabboth yn yr addoliad cyhoeddus – bydd hyn o fudd mawr i'r athrawon a'r plant.....A dylai yr athrawon hefyd fod â'r plant dan eu gofal yn yr addoliad.....[18]

Er fod hyn yn digwydd yn Ysgolion Sul Lloegr mae'n werth sylwi ar y gwahaniaethau a fodolai yno fel y gwelir yng Nghaer:
That the teachers shall sit with the children whilst in Chapel on Sunday mornings to keep them in order and to report such as misbehave so that they

be punished. Such teachers as neglect to conform to this rule shall be subject to a penalty of 3d for each such neglect.[19]

Dengys hyn yn glir mai gwarchodwyr disgyblaeth a threfn oedd yr athrawon a'r pwyslais ar weddeidd-dra a'r athrawon eu hunain dan reolaeth lem. Prin fod Charles yn crybwyll ymddygiad o gamymddwyn a dirwyo athrawon.

Daliai Ysgolion Sul Cymru at yr egwyddor o edrych ar foesoldeb a'r sgiliau cymdeithasol o fewn fframwaith Feiblaidd. Oddi mewn i'r fframwaith hon y dylid dysgu egwyddorion moesau da gyda'r bwriad o lenwi'r holl fyd 'with the knowledge of the glory of God'.[20] Ond fel roedd y blynyddoedd yn mynd rhagddynt roedd galw am ailgydio ac ail-orseddu moesoldeb ym mywydau'r plant fel y gwnaed yn Lloegr. Yn ôl *Rheolau Cyffredinol y Methodistiaid Calfinaidd,* (1836) pwysleisid y dylid, tra'n dysgu crefydd i'r plant, ddysgu moesoldeb iddynt hefyd; sut i ymddwyn ymhob achlysur, 'i ofni Duw ac anrhydeddu'r brenin' (nid y Brenin Mawr y tro hwn!).[21] Roedd Thomas Charles eisoes wedi dangos nad oedd yn ei fwriad i'r Ysgolion Sul anwybyddu awdurdod y brenin; ar dudalennau'r *Drysorfa* mae'n dyfynnu'r Brenin Siôr III pan ddywed y gobeithiai weld y dydd na byddai *un plentyn tlawd* heb fedru darllen ei Feibl.[22] Pwysleisiai fod pob ysgol i 'ddysgu ymddygiadau i'r plant'[23] a hynny'n ei dro yn waredigaeth gymdeithasol i'r dosbarth hwn canys fe'u dyrchafwyd i dir oedd tu hwnt i'w gobeithion a'u breuddwydion. Un agwedd o'r wobr i'r bywyd tragwyddol oedd eu hymddygiad a'u hufudd-dod i'r drefn gymdeithasol yn ystod eu bywyd daearol. Mae'n werth nodi hefyd nad 'nythle' i greu anghydfod a chwyldro cymdeithasol oedd yr Ysgolion Sul gan gofio fod y mudiad Methodistaidd o'i ddechreuadau dan amheuaeth yr awdurdodau ac edrychid arno fel math o adfywiad o'r hen Biwritaniaeth wleidyddol a ddymchwelodd y frenhiniaeth yn nyddiau Cromwell. Gwyddai Charles, hefyd, o brofiadau chwerw personol ei orffennol nad oedd yn barod i greu unrhyw ddrwgdeimlad a fyddai'n llesteirio gwaith yr ysgolion. Nid rhyfedd i Derec Llwyd Morgan gyfeirio ato fel 'tad boneddigeiddrwydd y werin Gristnogol Gymraeg'.[24]

Yn ystod y blynyddoedd dyfnhâi'r berthynas rhwng yr athro a'r plentyn a gwelir hyn yn amlwg ym mhregeth ymarferol Peter Griffiths (1816) wedi ei sylfaenu ar 1 Tim 4: 11, lle pwysleisir cyfrifoldeb yr athrawon drwyddi draw. Rhennir y bregeth dan dri phen; pwysigrwydd y gwaith gan ganolbwyntio ar ddarllen, deall a chanfod perthynas y gair â'u bywydau, y dull o addysgu, mewn ysbryd gweddi yn ewyllysgar, diwyd a pharhaus a'r anogaeth i weithredu yn tarddu o esiampl Crist.[25] Pwysleisir egwyddorion aruchel Beiblaidd yn *Rheolau a Threfniadau Swydd Fflint* megis 'amynedd, addfwynder, tiriondeb ac ysbryd cariad' egwyddorion fyddai'n gwbl groes i gyneddfau cynhenid y plant [26] gan ochelyd 'bod yn sarrug a digllon gyda'r plant; ond bod yn sobr ac eto yn siriol'.[27] Dyrchafwyd yr athrawon, hefyd, i lwyfan llawer uwch, 'Ystyriwch fod plant Dosbarth pob Athraw wedi eu rhoddi dan ei ofal ef yn neillduol, ac wrth ystyried gwerth eu heneidiau, dylai fod yn dra gofalus am danynt, a dangos hyny trwy ymddiddan yn aml â hwynt am bethau'r Bibl; yn enwedig am gyflwr dyn wrth natur; ac am drefn yr iechydwriaeth drwy Grist; am waith yr Ysbryd Glân ar eneidiau dynion &c. Cyfrifwch yr Ysgol fel rhan o addoliad yr Arglwydd.'

Nid digon oedd arwain y plant, rhaid oedd i 'bethau'r Bibl' fod yn rhan greiddiol o ymwybyddiaeth athro a'r galw arno i weddïo drostynt.[28] Dwy flynedd ar bymtheg yn ddiweddarach yn *Rheolau cyffredinol i Ysgol Sabbothol y Methodistiaid Calfinaidd yn Sir Gwynedd* mae'r un pwyslais crefyddol i'w weld ond bellach mae'r pwyslais yn amlycach o lawer:
Dylent gofio hefyd yn ddibaid mai pechaduriaid ydynt, a bod eu holl natur hwy wedi ei llygru, a'i gwenwyno, a'i hanurddo trwy y cwymp; fel y gallant fod yn llawn tosturi, tiriondeb, a ffyddlondeb, i geisio eu dychwelyd a'u hachub.[29]

Mae Rheolau Dosbarth Maentwrog a'r Cylch yn glir iawn ar ddyfodol plant da a phlant drwg:

> Gellir eu rhoddi ar ddeall fod byd arall ar ol hwn, ac na fydd eu heneidiau meirw fel eu cyrph; ac y bydd iddynt gael eu dwyn i'r nefoedd, i gyflwr o dragwyddoldeb hyfrydwch, os bydd iddynt fyw yn dduwiol yn y byd hwn; ond os byddant byw a marw yn blant drwg, y bwrir hwynt i uffern, i gyflwr o dragwyddol boen a thrueni.[30]

Fel y cynyddai'r Ysgolion Sul a dod yn fwy trefnus a democrataidd llywodraethai'r 'pwyllgor' er nad oedd hyn yn digwydd ymhob ardal. Cynhelid ysgolion bychain gan unigolion ond mewn Ysgolion Sul â niferoedd ar y llyfrau byddai trefn haearnaidd yn teyrnasu. Ar y dechrau byddai Charles ei hun yn ymweld â'r ysgolion nid yn unig fel gohebydd Cymdeithas yr Ysgolion Sul yng Nghymru ond hefyd fel hyfforddwr athrawon a phregethwr teithiol. Pobl wedi'u dewis ganddo ef ei hun oedd yr athrawon a'i stamp ef oedd arnynt. Roedd hefyd yn ddyn o ddoethineb a phwyll a chan fod ganddo gryn brofiad o ddysgu a hyfforddi roedd yr athrawon yn fwy na pharod i dderbyn ei gyngor a phlygu i'w amcanion. Nid oedd yno neb i feirniadu a chywiro ond yn hytrach i gynnal a meithrin y gorau, ac yn ei eiriau ef ei hun, 'the poor people are very ignorant, but we do not tell them so, yet we endeavour to convince them of it'.[31]

Fel y tyfai ysgolion Raikes yn Lloegr anogwyd yr offeiriaid i ymweld â'r ysgolion i wrando ar y plant ond o dipyn i beth trosglwyddwyd y gwaith hwn i bobl oedd yn barod i danysgrifio a hybu'r ysgolion yn ariannol, fel gwobr am eu haelioni. Cynyddodd eu dyletswyddau o wrando ac arolygu'r athrawon, i wneud yn siŵr fod y tasgau'n cael eu cyflawni, a chadw llygaid manwl ar y 'llyfrau'. Yn Lloegr amrywiai teitl eu swyddogaethau o ardal i ardal – yn Leeds 'Inquisitors' oeddynt;[32] mewn mannau eraill 'Visitors' neu 'Inspectors'. Penderfynodd Pwyllgor Caerefrog y dylai'r Ymwelwyr ddosbarthu'r Testament, Y Llyfr Gweddi a thraethodau crefyddol a gyhoeddwyd gan yr SPCK ac yn eu cyfarfod yn Nhachwedd 1786 penderfynwyd eu bod i rannu 'a sum not exceeding 2/6d per quarter for each school among such children as attend most regularly'.[33] Ar y cychwyn dynion oedd y mwyafrif o'r ymwelwyr ond yn negawdau cynnar y bedwaredd ganrif ar bymtheg penodwyd merched i archwilio'r gwaith. Ym Manceinion yn 1797 awgrymwyd y dylid apwyntio gwragedd i wahanol ardaloedd a hwythau i gymell eu ffrindiau benywaidd i wrando ar y plant yn cael eu cateceisio 'but this touch of feudalism was too much for the democratic spirit of the lady vsitors' a buan iawn y diddymwyd y cais'.[34] Rhwng 1831 a 1870 newidiodd rôl yr ymwelydd o arolygu'n unig i swydd ymgynghorwr. Bellach roeddynt yn nes at yr athrawon, yn cynghori yn hytrach nag arolygu'n oeraidd er eu bod i archwilio'r cofrestri a chadw cofnod manwl o ymddygiad y plant a'r athrawon. Adroddasant hefyd ar weithgareddau megis hyfforddiant mewn swydd, trefn y llyfrgelloedd ac mewn rhai ardaloedd ymgynghori â'r rhieni.[35] Arolygwyr ardal oedd y mwyafrif o'r rhain yn Lloegr ond yng Nghymru rhoddwyd pwyslais ar ymweld â'r rhieni ac ymweld 'â'r plant pan gaethiwer hwy gan afiechyd'.[36]

Ychwanegwyd at gyfrifoldebau'r ymwelwyr yng Nghymru trwy eu hannog i gadw llygaid ar angen y teuluoedd, 'bydd hyn nid yn unig yn eu gwneyd yn ymwelwyr derbyniol, ond hefyd fe egyr calonau y rhai a gynnorthwyont, i dderbyn addysg a chyngor' a phendraw hyn oedd rhoi cymorth ariannol i helpu teuluoedd mewn angen.[37] Penderfynwyd ar Gyfeisteddwyr oedd i 'gynnwys dau ŵr dewisedig gan Gyfarfod Misol pob Sir.'[38] Nod y cyfeisteddwyr oedd pwysleisio awdurdod ac unffurfiaeth, 'gan ymgyrhaedd at yr amser dymunol pan y byddon oll yn rhodio wrth yr un rheol, ac yn synied yr un peth yn y rhan bwysfawr hon o waith yr Arglwydd'.[39] Roeddent i droedio'n ofalus yn 'ddoeth, tirion a phwyllog tu ag at Ysgolion, neu bersonau' gan gadw golwg 'ar y pethau mwyaf pwysig, y sylweddol a hanfodol i lwyddiant yr Ysgolion'.[40] Roedd y Beibl i gael 'ei ystyried a'i gredu; a bod mawr bwys achub eneidiau yn cael ei gadw y'ngolwg yr Athrawon yn eu holl weithrediadau'.[41] Mae adroddiadau o rai o'r ymweliadau hyn yn mynd yn ôl i 1827 lle y cofnodwyd yn fanwl ddwy elfen benodol o'u gwaith sef manylu ar drefniadaeth dosbarth a'r dulliau dysgu.[42] Gyda'r blynyddoedd rhoddwyd mwy o bwyslais ar eu hymdrechion i hyfforddi a chefnogi gan ymweld â chylch neu undeb o ysgolion bob tri mis a'u bod i drafod y rhagoriaethau a'r diffygion, 'yn syml nid yn arglwyddaidd' gyda'r athrawon yn dilyn eu hymweliad ar y diwrnod.[43]

Rhoddwyd lle blaenllaw i weithgarwch yr Ysgolion Sul unwaith y flwyddyn, bob Rhagfyr, trwy gynnal Cyfarfod Blynyddol y Cyfeisteddwyr a bod y 'Cyfarfod ....[i] gael ei ddefnyddio i areithio yn achos yr Ysgolion Sabbothol'.[44] Mewn gair rhoddwyd urddas a sylfaen aruchel ar holl ymdrechion yr Ysgol Sul, 'gweinidogaeth yr Efengyl sydd i fod yn mlaenaf, a'r Ysgol Sabbothol fel llaw-forwyn iddi'.[45]

Gweinyddu

Gyda'r blynyddoedd rhoddid pwyslais ar wahanol arweinwyr yng nghyfundrefn yr ysgolion a'r ddwy swydd allweddol oedd swydd yr Arolygwr a'r Ysgrifennydd ac o dipyn i beth daeth swydd yr ymwelydd a'r trysorydd yn fwy amlwg.

Yr unig swydd y cyfeiria Charles ati, heblaw swyddi'r athrawon, yn *Rheolau* 1813[46] oedd cyfrifoldeb yr Arolygwr a'i ddyletswyddau oedd dechrau a diweddu'r ysgol, cadw cofrestr fanwl o bresenoldeb a chanddo ef oedd yr hawl i symud plentyn o'r naill ddosbarth i'r llall. Erbyn 1819 yn ôl *Rheolau* Fflint[47] dewiswyd arolygwr bob mis ond yn amlach na pheidio byddai'n aros yn ei swydd am flwyddyn a mwy. Nodir gan Robert Thomas (Iorthyn Gwynedd) gymwysterau arolygwr dan bum pennawd; dylai fod yn ŵr synhwyrol a phrofiadol, yn grefyddol a ffyddlon, addfwyn a gwrol, effro a llafurus ac yn byw bywyd rhinweddol a'i ymddiddanion yn sanctaidd.[48] Yn ychwanegol at gyfrifoldebau'r Arolygwr ychwanegwyd y dasg o hysbysu'r ysgol o gyfarfodydd athrawon oedd i'w cynnal yn gyson a darllen rheolau'r ysgol ar goedd bob deufis.[49] Y gweinyddu trylwyr, y dyfalbarhad a'r egwyddorion aruchel a'r ymroddiad llwyr roddodd sylfaen gadarn i fudiad yr Ysgol Sul a phriodolir hyn i'w llwyddiant drwy'r wlad.

Dirprwy i'r Arolygwr oedd yr Ysgrifennydd a'i dasg bennaf oedd cadw cofrestr fanwl o'r athrawon a'r disgyblion a chadw cyfrif o'r penodau a ddarllenwyd o'r Beibl a'r catecismau. Fel arfer swydd ar gyfer dynion ieuainc oedd hon ond dros y blynyddoedd penodwyd merched ieuainc i lenwi'r swydd. Dylai'r Ysgrifennydd yn ôl yr *Hyfforddiadau*, 'drwy ei fanylwch diwyro a'i ddyfalwch diflino geisio cryfâu dwylo a dwyn ymlaen amcanion yr arolygwr'[50] ac yn ôl Robert Thomas i fod 'yn hyddysg mewn ysgrifenyddiaeth a rhifyddiaeth'.[51] Mae *Rheolau* Môn yn mynd ati gyda manylder i gofnodi sut y dylid cadw cofrestr presenoldeb trwy ddynodi gyda chroesau:

ergyd o'r dde i'r aswy i ddynodi presenoldeb yn y bore'n unig ergyd o'r aswy i'r dde i ddynodi presenoldeb yn y prynhawn yn unig a chroes i ddynodi presenoldeb yn y ddau gyfarfod.[52]

Swydd fugeiliol oedd swydd yr 'ymofynwr' neu'r 'ymwelydd' fel y'i gelwid ymhellach ymlaen. Ef oedd yn gyfrifol i nodi absenoldebau ac i fynd i chwilio am y colledig a chymell disgyblion newydd.[53] Ond erbyn 1828 roedd teitl y swydd wedi newid i 'ymwelydd' gyda'r bwriad o gysylltu â'r rhieni, ymweld â phlant oedd yn wael, pwyso a mesur cyflwr yr aelwydydd a chyfrannu'n ariannol yn ôl y galw.[54] Yn *Rheolau* Llanrwst (1825) cyfeirir am y tro cyntaf at swydd y cyfrifydd a'i gyfrifoldeb am yr 'arian a dderbynir ac a dreulir yn amgylchiadau'r Ysgol'[55] ac erbyn ail hanner y ganrif daeth y swydd hon yn bwysig ymhlith swyddogion yr Ysgol Sul.[56]

Athrawon

Fel y crybwyllwyd eisoes, gwelodd Thomas Charles a Griffith Jones o'i flaen fod llwyddiant yr ysgolion yn eu hathrawon. Cyhoeddodd y ddau reolau i gyfarwyddo'r ysgolion ynglŷn â dewis athrawon. Meddai Charles, 'dylid cymeryd gofal manwl wrth osod Athrawon.....dylai y rhai sydd yn ymroddi yn ewyllysgar i'r gwasanaeth hwn, olygu eu hunain yn rhwym, trwy hyny, i fod yn ddiwyd ac yn fanwl wrth y gwaith.....'[57] Pwysleisiodd Griffith Jones yn ei *Reolau,* fod ei athrawon i fod yn aelodau o Eglwys Loegr ac yn ffyddlon i'r Brenin a'r Llywodraeth.[58] Yn y cyd-destun hwn roedd rôl yr athro yn greiddiol nid yn unig yn ei ymddygiad personol,[59] ond i roi esiampl dda ymhob agwedd o fywyd.[60] Yn dilyn marwolaeth Charles, rhoddwyd statws aruchel i'r athrawon o fewn cyfundrefn yr Ysgol Sul – pobl oeddynt wedi'u dewis yn ddemocrataidd 'gan swyddogion yr ysgol mewn Cyfarfod Athrawon'.[61]

Cyn dechrau ar y gwaith roeddynt i ddarllen ac ystyried y rheolau'n ofalus[62] ac yna eu galw'n ôl gerbron y Cyfarfod Athrawon, 'ac ymddyddaner â hwynt am natur a phwys y swydd, ac am eu hymroddiad i'r gwaith, a rhodder hysbysrwydd o foddlonrwydd y cyfarfod iddynt, a rhodder cynghorion a gocheliadau addas a phriodol iddynt, ac yna rhodder eu henwau yn rhestr yr athrawon'.[63]

Yng Nghynghoriad Ysgolion Sabbothawl, Eifionydd (1818) ceir rhestr o gymwysterau athrawon. Roeddynt i fod yn hyddysg eu hunain, 'yn yr hyn a gymero arno ei ddysgu i eraill, pa un ai llythyrennu, sillebu neu ddarllen' ac roeddynt i feddu gradd o ddawn addysgu'.[64] Diddorol yw sylwi os oedd prinder athrawon, 'gellir gwneyd y diffyg i fynu, mewn rhan, o blith yr ysgolheigion eu hunain; gwneler detholiad o'r rhai fyddo wedi dysgu orau.....Gosoder y rhai hyn i addysgu y dosparthiadau iselaf, dan gyfarwyddyd a sylw gwyliadwrus yr arolygwr neu'r athrawon.'[65] Gellir gweld yma olion y dull 'pupil-teacher' a ddaeth mor boblogaidd yn yr ysgolion dyddiol yn ail hanner y bedwaredd ganrif ar bymtheg. Nid oedd ball chwaith ar ddyfeisgarwch athrawon yn chwilio am ddulliau newydd a gwahanol i oleuo'r plant. Ceir enghraiftt o Robert Anwyl, athro Ysgol Sul Croesor, yn dysgu'r wyddor i'r plant trwy gymharu'r llythrennau â phethau bob dydd o fewn profiad plentyn. 'A' fel dau gorn aradr; 'B' fel haearn taro tân, 'D' aerwy; 'E' fel darn o lidiart ar ei ochr; 'I' fel polyn ar ei ben.[66] Dull gwreiddiol Lewis Wiliam, Llanfachreth, o gadw trefn ar y plant oedd 'chwareu soldiers bach' fel y dysgodd ef ei hun fel aelod o'r Militia. Ar ddiwedd cyfarfod o'r Ysgol Sul byddai'n gweiddi, Stand at ease ac Attention pan fyddai'r plant i gyd yn sefyll yn ddistaw ar gyfer y weddi. Ar ddiwedd y cyfarfod Quick march a'r plant wedyn yn ymadael yn drefnus.[67] Nodwedd arall amlwg ymhlith yr athrawon oedd eu sêl cenhadol fel y gwelwyd yn Nyffryn Ogwen pan rannwyd y gymdogaeth yn ddwsin o ddosbarthiadau a phennu athrawon i fugeilio a chwilio am y colledig. Bu hyn yn sbardun i ddenu disgyblion newydd a byddai rhai yn mynychu'r Ysgol Sul ymhell cyn amser dechrau rhag ofn i'r ymwelwyr ddod heibio i chwilio amdanynt.[68]

Rhybuddid athrawon rhag digalondid a siomedigaethau mewn ffordd ddramatig ac effeithiol iawn, 'pan fyddwch yn rhoddi lle i ocheneidiau ....mîl o delynau sydd yn cyd-daro yn y nef, gan dorf o eneidiau gogoneddus a dderbyniasant wirioneddol argraff gyntaf mewn Ysgol Sabbothol. Pe gallech wrando eu cydgordiad a syllu ar eu harddwch......Digalondid o flaen y fath olwg ddiflana a bywiol obaith a lanwa ei le.'[69] Yma eto, mae'r pwyslais ar bwysigrwydd y swydd ac ymarweddiad yr athrawon, sef hunan ddisgyblaeth, moesoldeb, rhinweddau Cristnogol, diwydrwydd a'r modd i wahaniaethu rhwng 'ffolineb difeddwl mebyd' ac 'ysgelerder anfoesoldeb'.[70]

Disgyblion

Yn dilyn Cymdeithasfa Llanrwst (1827 ac 1829) mae'r pwyslais yn glir a chroyw sef y neges driphlyg o gael plant i ddarllen y Beibl, i weld mawredd llyfr Duw a thrwyddo i ddeall meddwl Duw a thrwy hynny achub enaid yr unigolyn.[71] O arwain y plant i'r ddealltwriaeth hon bryd hynny byddai pob meddwl annheilwng yn diflannu a phob ystyriaeth fyddai'n groes i ddaliadau'r Beibl yn creu ofn a byddai parch at y Beibl yn nod amgen eu bywydau. Ond nid digon oedd symbylu eraill; roedd yn rheidrwydd ar yr athrawon i drwytho eu hunain yn y Beibl, 'ac y dyle[nt] weled mawredd pethau Duw ein hunain, cyn y gallwn eu dangos i eraill'.[72] Roedd yr holl wybodaeth angenrheidiol ar gyfer y byd hwn yn y Beibl ac felly roedd yn ofynnol i'r athrawon 'lafurio am wybodaeth brofiadol o'r pethau canlynol:

1. Bod gorchymynion Duw yn rheol i ni
2. Addewidion Duw yn gymorth i ni
3. Ysbryd Duw yn arweinydd i ni
4. Cariad Crist yn ein cymell
5. Gogoniant Duw yn ddyben genym[73]

Rhoddwyd pwys mawr ar ddeall a thanlinellir hyn gan Charles yn ei *'Reolau'* (1813).[74] Adleisir hyn yn ddiweddarach yn y Rheolau a luniwyd gan y gwahanol Gyfundebau, nad oedd yr un disgybl i symud i ddosbarth uwch heb iddo'n gyntaf feistroli'r tasgau gyda manylder.[75] Aeth *Hyfforddiadau* (1828) gam ymhellach trwy bwysleisio lle'r meddwl yn y broses addysgol canys nid digon oedd dysgu'r geiriau rhaid oedd eu dysgu yng nghyd-destun syniadau.[76] Yr un oedd neges *Adroddiad Ysgolion Sabbothol y Methodistiaid yng Ngogledd Cymru* (1829) sef mai'r pwrpas yw 'eu cael i'w deall mewn llwybr ymarferol, â'r pethau perthynol i'w hachos tragwyddol, eu colledigaeth, eu hangen am Geidwad'.[77] Mae'n amlwg fod y dull o gwestiynu a thrafod wedi dwyn ffrwyth ar ei ganfed gan i J.C. Symons, un o gomisiynwyr Adroddiad Addysg 1847 dynnu sylw a chanmol y dull o gwestiynu yn Ysgol Sul y Methodistiaid Calfinaidd, Aberystwyth. Byddai pob aelod yn darllen adnod yn ei dro ac yna'n holi'r dosbarth ar ei chynnwys, dull oedd yn llafurus ac yn rhwym o dorri ar rediad y darn, ond credai Symons fod y dull hwn yn 'life blood of the system'.[78]

Holwyddoreg

Cyn gynhared ag 1811 cyhoeddodd John Parry (1775 – 1846) cyn iddo gael ei ordeinio'n weinidog a chyn iddo sefydlu argraffdy yng Nghaer, gatecism ar gyfer plant ac oedolion y Methodistiaid Calfinaidd dan y teitl *Rhodd Mam*.[79] Hwn oedd y mwyaf poblogaidd o ddigon o holl gatecismau y bedwaredd ganrif ar bymtheg heblaw yr *Hyfforddwr* a'i nodwedd amlycaf oedd ei ffurf gryno a'i uniongyrchedd e.e.

Dosbarth 1
G. Pwy a'ch gwnaed chwi?
A. Duw. Job 33: 4,   Ps 119: 73 [80]
G. Pa sawl Duw sydd?
A. Un. Deut 6: 4, 1 Tim 2: 5 [81]

Fel roedd yr adrannau neu'r penodau'n datblygu dyfnhâi'r cwestiynau a'r atebion e.e.

G. Pa sawl math o blant sydd?
A. Dau fath. Mat 12: 30 [82]
G. Pwy sydd yn anufudd i'w tad a'u mam?
A. Plant drwg. Diar 30: 17 [83]

a chwestiwn o'r seithfed dosbarth,

G. Beth ydyw edifeirwch?
A. Cyfnewidiad y meddwl. Esay 55: 7 [84]

Mae'n bur debyg fod swyn y teitl *Rhodd Mam i'w phlentyn* wedi dylanwadu'n fawr ar y gwerthiant; cafwyd dau argraffiad ar bymtheg ohono yn Gymraeg a deuddeg argraffiad o'r fersiwn Saesneg *Mother's Gift*. Yn 1838 cyhoeddodd yr awdur ail gatecism ar gyfer y bobl ieuainc sef *Rhodd Tad i'w blant*[85] gyda'r pwrpas o'i ddefnyddio ar ôl meistroli *Rhodd Mam* a chyn mynd ati i ddysgu'r *Hyfforddwr* a nod John Parry oedd paratoi'r cyfrolau 'heb attebion meithion na gofynion dyfnion a dyrys'.[86]

Mae'n amlwg fod dylanwad Ysgolion Sul y Methodistiaid yn drwm ar enwadau Ymneilltuol eraill gan iddynt ddilyn yr un drefn, cyhoeddi yr un math o lyfrau a chadw'n glos at yr un math o ddysgu. Ymhlith y Bedyddwyr anogai Titus Lewis (1773 – 1811) gydweithio rhwng enwadau i gasglu plant ynghyd i'r Ysgolion Sul.[87] Lluniodd yntau holwyddoreg ar gyfer y Bedyddwyr Neillduol cyn gynhared ag 1804[88] er bod Abel Morgan wedi cyhoeddi ei holwyddoreg ef yn 1759.[89] Bu'r enwad yn darparu llenyddiaeth benodol ar gyfer yr Ysgolion Sul megis *Holiadlith Ysgrythurol,* William Owen ac yn Ebrill 1843 sefydlwyd Cymdeithas y Llyfrynnau i ddarparu llenyddiaeth bwrpasol ar gyfer gwaith yr ysgol ond byr fu ei llwyddiant.[90] Yn 1827, dan olygyddiaeth John Pritchard, Llangollen, cyhoeddwyd cylchgrawn *Yr Athraw i Blentyn* ar gyfer plant yr enwad a bu'n eithriadol o boblogaidd.[91] Nid ar bapur yn unig y llafuriai John Pritchard ond bu'n gyfrifol am ail gynnau'r fflam yn Ysgolion Sul Sir Ddinbych trwy rannu'r sir yn adrannau a cheir darlun cynhwysfawr o gyfarfod blynyddol cyntaf cylch Llangollen (1828). Daeth cynrychiolaeth o wyth ysgol ynghyd gyda'r athrawon yn cynnal cwrdd gweddi am saith y bore; trafodaethau ar ansawdd yr ysgolion a ffyrdd o'u gwella am ddeg o'r gloch; am ddau y pnawn holi'r plant lleiaf ar gynnwys pennod gyntaf holwyddoreg Thomas Morris ac am chwech yr hwyr holi'r plant hynaf ar gynnwys holwyddoreg Titus Lewis.[92] Dysgu mecanyddol gyda phwyslais ar lafur cof oedd prif nodweddion y gwaith ar lawr y dosbarth ac o dro i dro beirniadwyd dysgu'r holwyddoreg a phynciau ar draul astudio'r Beibl ei hun. Yn raddol torrwyd ar undonedd y dysgu mecanyddol pan gyflwynwyd cerddoriaeth yn rhan o gwricwlwm yr ysgolion.[93]

Cydiodd y syniad o Ysgol Sul yn nychymyg yr Annibynwyr gyntaf yng Ngogledd Cymru lle'r oedd dylanwad Thomas Charles a'r Methodistiaid ar ei gryfaf. Tybir, hefyd, y bu dylanwad y Dr Edward Williams a'i Ysgolion Sul yn foddion i ddenu'r Annibynwyr i gofleidio'r cydsyniad o hyfforddi'r plant ar y Sul ond mae'n rhaid cofio mai trwy gyfrwng y Saesneg y cynhelid ei ysgolion ef, ond buan iawn yr edwinodd y rhain pan gynyddodd grym ysgolion Charles. Lledodd y syniad i Siroedd Aberteifi a Chaerfyrddin ac yno y bu'r asio'n cyd-fynd â'r hen draddodiad o gateceisio ymhlith yr Ymneilltuwyr.

Daeth *Y Cyfarwydd* (Gwilym Hiraethog) yn boblogaidd ymhlith yr Annibynwyr.[94] Mae'n cynnwys dwy bennod ar hugain, Y Deg Gorchymyn, Y Mesurau a'r arian Ysgrythyrol ac Amserau a Thymhorau Iddewig. Yn y penodau cyntaf manylir ar Dduw, Crist, ei eiriolaeth, ei frenhiniaeth a'r deyrnas, Yr Ysbryd Glân a'r Eglwys, y ddau Sacrament a'r gwahanol ddyletswyddau a chynhwysir yr emyn 'Dyma gariad fel y moroedd'.[95] Fel y gellir disgwyl mae sawr Annibyniaeth yn drwm ar adran 'yr Eglwys', e.e. yn y cwestiwn sy'n ymdrin â dewis a gosod swyddi o fewn yr eglwys pwysleisir yn yr ateb mai gan yr eglwys yn unig y mae'r hawl i ddewis.[96]

Nid digon oedd cael gwybodaeth hanesyddol ac esboniadol ar y Beibl roedd rhaid hefyd wrth wybodaeth ysbrydol,[97] y nod amgen oedd fod 'enaid i bara byth mewn dyn; amcenwch at achub enaid y creadur'.[98] Eithr mae rhai adroddiadau yn mynd ymhellach, 'Gellir eu rhoddi ar ddeall fod byd arall ar ol hwn... ac y bydd iddynt gael eu dwyn i'r nefoedd, ... os bydd iddynt fyw yn dduwiol yn y byd hwn; ond os byddant byw a marw yn blant drwg, y bwrir hwynt i uffern, i gyflwr o dragwyddol boen a thrueni.'[99] Edrychid ar yr Ysgol Sul fel llawforwyn i weinidogaeth yr Efengyl a dylid annog y plant i fynychu lle o addoliad, 'dylid dangos i'r plant fawredd y weinidogaeth... llestri pridd ydynt hwy, y weinidogaeth yw'r trysor'.[100] Rhoddwyd pwyslais ar yr athrawon i weddïo dros y plant wrth eu henwau[101] ac i ddysgu parchu ei gilydd ac i gydymdrechu er lles yr ysgol.[102]

Pwysleisir hefyd reolau ymddygiad cyffredinol:

❖ Na chyfodwch oddiwrth y bwrdd nes i bawb orphen bwyta, oddieithr fod rhyw achos o bwys anghyffredin.

❖ Gochelwch bigo eich dannedd, na'ch trwyn, na chrafu eich pen wrth y bwrdd.

❖ Na thaflwch ddim o dan y bwrdd; ac na churwch esgyrn wrth y bwrdd, ond glanhewch hwy â'ch cyllell, oddieithr eu bod yn rhy fychain; ac os felly, nac ymaflwch ynddynt a chorph eich llaw, ond â'ch bys a'ch bawd.

❖ Er dim na chodwch fflem i'ch genau wrth y bwrdd, a'i llyncu, yr hyn sydd dra ffiaidd.

❖ Na phoerwch allan ddim a fyddo yn anghymwys i'w lyncu, megis cerig eirin &c; ond symudwch hwy â'ch llaw aswy i ochr eich plât.

❖ Na roddwch eich llaw yn eich llogell, nac wrth un man anamlwg o'r corph, pan ewch i gwmpeini.

❖ Gochelwch ddwbio eich dwylaw na'r llian a fo ar y bwrdd a brasder.[103]

Gellir, ar sail yr enghreifftiau hyn, gytuno i raddau ag E. P. Thompson[104] pan ddywed mai 'achubiaeth foesol' oedd swm a sylwedd yr addysg a gyfrennid yn yr Ysgolion Sul. Moesoldeb, moesgarwch a dysgu bod yn aelod gwar o gymdeithas a welir ymhob un o'r rheolau hyn. Pwysleisiodd Charles o'r cychwyn fod 'dysgu ymddygiadau' yn 'hardd ac yn hyfryd ynddo ei hun ac o fuddioldeb mawr i gymdeithas yn gyffredinol'. Nid gormodiaeth yw dweud yr edrychai ef ac arweinwyr yr Ysgolion Sul a'i dilynodd ar y plentyn/oedolyn cyflawn yn chwarae ei ran yn y gymdeithas drwyddi draw a rhoddwyd pwyslais ar holl ymarweddiad yr unigolyn yn y broses o achub enaid. Os na fyddai'r Ysgolion Sul wedi dysgu'r arferion hyn yna byddai gagendor llawer mwy wedi agor rhwng y bonheddig ar y naill law a'r tlodion ar y llaw arall. Ond sylw un ochrog yw hwn gan fod yr Ysgol Sul wedi cyfrannu llawer mwy trwy addysgu a chreu hinsawdd grefyddol.

Enghraifft arall o drefn yr Ysgolion Sul oedd y rheolau a roddid i'r rhieni wrth dderbyn eu plant i'r ysgol; rheolau oedd i gael eu gosod mewn lle amlwg yn eu tai. Cynhwysai'r rheolau fanylion ar drefniadaeth, sef amseroedd ac oriau'r ysgol, pwyslais ar y gofynion cymdeithasol megis glanweithdra ac ymddygiad ond yr hyn sy'n arwyddocaol yw'r berthynas rhwng y rhieni a'r Ysgolion Sul. Pwysleisiwyd cydweithio rhwng yr aelwyd a'r ysgol a rhoddwyd cyfle i'r rhieni unwaith neu ddwywaith y flwyddyn i drafod cynnydd eu plant gyda'r athrawon. Cydnabu hyn rôl amlwg y rhieni yn natblygiad eu plant.[105]

Trefn

Manylir ar drefn cyfarfod yr ysgolion gyda phwyslais ar amseru prydlon. Awgrymir dwy awr yn y bore – 'o naw tan ddeg – sillebu; darllen hyd un ar ddeg'[106] hyn yn cynnwys dysgu'r wyddor, y catecism a'r emynau. Yn yr awr olaf byddai'r chweched dosbarth sef y plant hynaf yn darllen yr Hen Destament. Yn y prynhawn, gwrandawyd ar y chweched dosbarth yn darllen y Testament Newydd, ac adrodd y catecism. Cyfyngid y dysgu i dair agwedd bendant, darllen, sillafu a dysgu ar y cof.[107] Roedd bri mawr ar yr elfen olaf; bron na ellid dweud ei fod yn obsesiwn faint o adnodau a phenodau oedd yn cael eu hadrodd a'u hail-adrodd a chedwid cyfrif manwl o'r 'llafur cof' hwn. Cawn Margaret Jones o'r Ganllwyd yn dysgu'r Testament Newydd (ond tair pennod) i gyd ar ei chof yn ogystal â 32 pennod o'r Hen Destament a'u hadrodd air am air.[108] Perygl y math yma o ddysgu oedd arwain at ddysgu mecanyddol heb ddeall a dirnad, ond pwysleisir, 'ar ol i blentyn fyned unwaith trwy y catechism, byddai yn burion ceisio ganddo, wrth fyned drosto yr eilwaith, roddi atteb i bob gofyniad yn ei eiriau ei hun; yr hyn a ellir wneyd drwy amrywio y gofyniad'.[109] 'Ymdrechwch i gwrteithio y dëall yn fwy na llwytho y cof" oedd byrdwn yr *Hyfforddiadau,* sef arwain yr unigolyn i amgyffred pwysigrwydd a phwrpas achubiaeth.[110] Anogwyd yr athrawon, hefyd, i drafod y Beibl gyda'r dosbarth yn syth ar ôl ei ddarllen a dewis geiriau o'r darlleniad i'w sillafu sef geiriau o fewn cyd-destun eu hastudiaeth.[111] Wrth edrych yn ôl heddiw, tueddir i feirniadu'r dulliau mecanyddol hyn ond nid oes amheuaeth nad oedd y dull hwn wedi cyfoethogi geirfa a chystrawennau'r Beibl. Iaith goeth, yn llawn priod-ddulliau oedd iaith y Beibl a daeth hon yn ei thro yn iaith rymus, gwerin lafar.

Dull trafodaeth neu seminar oedd dull y dosbarth oedolion lle rhoddwyd cyfle iddynt ddarllen a deall y Beibl, beirniadu'r esboniadaeth a mynegi eu hargyhoeddiadau personol a hynny o fewn rheswm. Y perygl oedd mynd i ddadlau, 'a checru uwch ben y Beibl' a bod hynny yn ei dro yn arwain at agweddau anystyriol.[112] Y nod oedd dysgu gwrando ar gyfraniadau eraill a phwyso a mesur yn ofalus ac ymateb yn ddifalais. Llwyddodd y pwyslais llafar i ddwyn ffrwyth ym mywydau aelodau hŷn yr Ysgol Sul gan fod ganddynt gynsail gadarn o athrawiaeth y Beibl a dealltwriaeth o'r Catecismau a hyn yn ei dro yn eu harwain at amgyffrediad o'u hachubiaeth. Er fod dysgu adnodau yn arfogi'r plant a'r oedolion i ddeall a dehongli'r Ysgrythurau roedd perygl fel yr awgryma R. T. Jenkins i drin pob adnod fel uned feddyliol, a'r perygl hwnnw'n dyfnhau mewn cyfnod pan bwysleisid ysbrydoliaeth lythrennol y Beibl, fod pob adnod yn gydradd a'r hyn a wneid oedd taflu adnodau at ei gilydd.[113] Eithr â ymlaen i ddweud fod cynnwys yr adnodau yn dod yn rhan o eirfa pob dydd plant ac oedolion yr Ysgol Sul a'u bod yn fwy parod ac eiddgar i wrando a cheisio dehongli yr hyn oedd yn cael ei bregethu o'r pulpudau.[114]

Rhoddwyd pwyslais ar gadw cofnod manwl o ymdrechion a chynnydd y plant cyn eu symud o'r naill ddosbarth i'r llall er mwyn sicrhau eu bod wedi meistroli'r tasgau neu byddai hyn 'yn tueddu i'w gwneyd yn ddarllenwyr bongleraidd trwy eu hoes, ac yn eu rhoddi dan anfantais i gynnyddu'.[115] Canolbwyntiwyd ar chwe dosbarth, yn unol â gofynion Thomas Charles, heb fod uwchlaw pump neu chwech o aelodau ym mhob dosbarth.

Yn y dosbarth cyntaf rhoddwyd pwyslais ar ddysgu llythrennau'r wyddor ynghyd â geiriau o ddwy neu dair llythyren. Manylwyd yn yr ail ddosbarth ar ddysgu geiriau o dair neu bedair llythyren, ac yn y trydydd dosbarth darllen gwersi o eiriau un a dwy sillaf. Erbyn cyrraedd y pedwerydd dosbarth disgwylid i'r plant feistroli geiriau o dair neu ychwaneg o sillafau. Byddai'r pumed dosbarth yn dechrau darllen y Testament Newydd a'r chweched yn darllen y Beibl. Nid oedd yr un disgybl i'w symud i ddosbarth uwch heb yn gyntaf feistroli gofynion ei ddosbarth. Cedwid plentyn mewn dosbarth hyd nes y byddai wedi cwblhau gofynion y dosbarth hwnnw.[116]

Mae'n rhaid dod i'r afael â'r cwestiwn pa mor llwyddiannus fu'r Ysgol Sul yn ei hymdrechion i wella'r sgiliau darllen a chreu darllenwyr. Bu cofnodi manwl a thrylwyr o'r adnodau, penodau o'r Beibl, yr *Hyfforddwr* a chatecismau eraill a feistrolwyd gan y disgyblion. Ond prin fod yr ystadegau manwl hyn yn dadansoddi'r dulliau dysgu darllen. Rhoddir digonedd o enghreifftiau i gadarnhau gwerthoedd ysbrydol a chymdeithasol yr ysgolion ond tawedog iawn ydynt ar yr union ddulliau a ddefnyddiwyd ar lawr y dosbarth. Rhoddir lle amlwg i ddysgu ar y cof gan y croniclir gyda manylder a hynny'n cael ei gyhoeddi'n flynyddol gydag ystadegau niferoedd y disgyblion a'r athrawon.[117] Yn Lloegr, fel yng Nghymru roedd hyn yn beth arferol. Ceir enghraifft yn Undeb Ysgolion Sul, Sunderland, o fachgen naw oed yn rhaffu bron i wyth gant o adnodau ar ei gof, yn ogystal â Chatecism yr Eglwys o flaen cynulleidfa, a phlant yr un Undeb wedi dysgu 1015 o benodau cyflawn, 22,190 o adnodau, 9906 cwestiwn ac ateb, 6076 o wersi sillafu a 3502 o emynau a hynny i gyd mewn blwyddyn.[118] O gwmpas yr un flwyddyn roedd saith Ysgol Sul yn Sir Fynwy wedi dysgu 1557 o benodau a 23,366 o adnodau ychwanegol a hynny mewn tri mis.[119] Gellir crynhoi'r feddylfryd hon yng ngeiriau Hannah More, 'to make them read the same parts so often, that the most important texts shall adhere to their memories'.[120]

Gan fod plant ac oedolion yn aelodau o'r Ysgolion Sul mae'n rhaid ceisio dehongli pa mor barod oeddynt i ddysgu darllen. Gwyddys fod plant bach yn dysgu'n sydyn a gwelir heddiw blant yn dysgu caneuon a darnau o farddoniaeth a hynny cyn meistroli'r grefft o ddarllen. Yn y dosbarthiadau cyntaf y gair llafar oedd yn bwysig a gellir dychmygu mewn ystafelloedd bychain y swn diddiwedd a fodolai, lle roedd sawl dosbarth o blant yn adrodd y wyddor, yn sillafu ar goedd a darllen paragraffau. Rhoddwyd y pwyslais ar y dull mecanyddol o gyfieithu'r symbolau printiedig i roi 'swn' y llythyren neu'r gair ac nad oedd ymgais i greu naws na chynhesrwydd at ddarllen. Mewn ateb i gwestiwn a ofynnwyd ynglyn â gwella meddyliau'r plant rhoddwyd yr ateb fod yr athrawon yn holi'r plant am ystyr pob gair a ddarllenwyd a'r feddylfryd oedd chwilio am ystyr i bopeth.[121] Golygai hyn nad oedd plentyn yn cael cyfle i ystyried ystyr brawddeg, paragraff na stori gyflawn a thrwy hynny'n cael mwynhad o'r darllen. Doedd dim rhyfedd i arolygwyr gydnabod nad oedd plant yn deall nac yn gwybod beth oedd cynnwys nac arwyddocâd stori.[122] Prin oedd y cyfle i ddarllen distaw gan fod y pwyslais ar y gair llafar a dyma'r unig ffordd i wneud yn siŵr fod y plant wedi dysgu'r llythyren neu'r gair yn gywir.

O safbwynt yr oedolion rhydd Robert Roberts, y 'Sgolor Mawr', ddarlun cynhwysfawr, gogleisiol o'r oedolion a fynychai'r Ysgol Sul ar aelwyd ei rieni yn Llanddewi, Sir Ddinbych. Roedd rai ohonynt yn ceisio darllen a'r llyfr a'i ben i lawr a Robert Hughes oedd wedi bod yn aelod ffyddlon o'r Ysgol Sul o'i chychwyn heb feistroli'r 'a, b, c' hyd yn oed.[123] Rhydd enghreifftiau eraill o wŷr oedd yn rhagori yn eu gorchwylion beunyddiol, megis David Jones, cawr o ddyn, a allai blygu pedol heb drafferth yn y byd ond pan oedd yn darllen roedd ei 'face is twisted with mental pain and perplexity in his endeavours to distinguish between those vexatious u's and n's'.[124]

Un gwahaniaeth mawr rhwng yr ysgolion yng Nghymru a Lloegr oedd presenoldeb oedolion a phlant a cheir enghreifftiau o'r plant yn hyfforddi eu rhieni ar yr aelwydydd yn ystod yr wythnos. Yn y cyd-destun hwn daeth canmoliaeth annisgwyl i waith yr Ysgol Sul yng Nghymru gan y *Select Committee on Railway Labour* yn 1846 trwy gymharu gweithwyr ar y gwahanol adrannau o'r rheilffordd trwy Brydain. Ar reilffordd Lancaster/ Carlisle roedd deuparth o'r 1,600 o weithwyr yn anllythrennog. Ar y lein o Gaer i Fangor mae'r ystadegau yn dangos cryn wahaniaeth: yng Nghaer roedd 107 o'r 220 o weithwyr yn anllythrennog, Abergele 158 o gyfanswm o 550, Conwy 39 o 750, a Bangor 118 o 1,043 a rhydd yr awdur y clod i gyd i waith yr Ysgolion Sul yng Nghymru.[125]

Gwobrwyo a Chosbi

Y cam cyntaf i hyrwyddo ymddygiad da oedd creu awyrgylch ac ethos ysbrydol ac un ffordd o gyrraedd at hyn oedd cadw'r bechgyn a'r merched ar wahân yn y dosbarthiadau ac ar ddiwedd yr ysgol, gollwng y merched yn gyntaf, ac yna'r bechgyn, pob dosbarth ar wahân gan ddechrau gyda'r rhai iau, 'fel y cadwer trefn a gweddeidd-dra, ac y lluddier trwst a therfysg'.[126] Mewn cymdeithas dreisgar ac anfoesol y syndod oedd gwahardd cosbi'n gyfan gwbl gan roi'r pwyslais ar y cadarnhaol a'r dyrchafol trwy wobrwyo a chanmol arfer dda er bod enghraifft yma a thraw o blant yn cael eu diarddel o'r Ysgol Sul am gamymddwyn.[127] Yn Ysgol Sul, Carneddi, Bethesda, defnyddid y wialen fedw gan amryw o'r hen athrawon ond er gwaetha'r ceryddu ymddengys fod y plant yn eiddgar i ddod y Sul dilynol.[128] Canmolwyd ffyddlondeb a chysondeb ynghyd ag ymddygiad da fel sail i wobrwyo gan wneud hynny'n gyhoeddus yng ngŵydd yr holl ysgol; i'r rhai oedd yn 'ail

orau' rhannwyd y gwobrwyon yn y gwahanol ddosbarthiadau.[129] Rhoddwyd y gwobrwyon am ymdrechion yn ogystal â chynnydd plant a amrywiai o 'lyfrau bach crefyddol' i 'draethodau addas i blant' a thrwy gyflwyno llyfrau'n wobrau dysgodd y disgyblion barchu a thrysori llyfrau. Dull arall o annog ymddygiad da oedd cyfrannu tocynnau (hyd at ddeuddeg) a roddai hawl i'r plentyn eu cyfnewid am draethodyn gwerth ceiniog, neu byddai'r hawl ganddo i'w cadw ac ychwanegu atynt i brynu llyfr.[130] Neges William Roberts, Clynnog, wrth drafod gwobrwyo o fewn cyswllt yr Ysgol Sul oedd gwneud i'r plant ymdrechu i ymddwyn er mwyn y boddhad a'r pleser:
Ond dangoswch chwi iddynt mai un o'r gwobrwyon gorau am ei hiawn ymddygiad yw pleser o'i wneuthur.[131]

Eithr y rheol aur oedd bod 'rhinwedd yn cael ei ganmol a'r bai ei gondemnio' ac na ddylid rhoi ffafriaeth i un ar draul y llall.[132]

Penllanw'r gwobrwyo ar sail ymddygiad da a ffyddlondeb tymor hir fyddai anrhegu'r plentyn ar ei ymadawiad â Beibl neu Destament.[133] Rhybuddir o'r perygl, yn enwedig mewn ysgol fawr, o ddosbarthu gwobrwyon a allai fod yn gostus ar draul defnyddio'r arian i gynorthwyo plant claf a thlawd.[134] Rhaid oedd dangos i'r plant fod ymddygiad da o fewn cyrraedd pob unigolyn a gallai pob un dderbyn gwobr a daeth hyn yn gynsail i egluro'r wobr fawr oedd yn eu disgwyl tu hwnt i'r bedd.

Y Llyfrgell

Roedd sefydlu llyfrgelloedd yn yr Ysgolion Sul yn dangos yn glir y pwyslais Protestannaidd ar y gair printiedig a rhoddwyd bri ar eu cynnal yn yr ysgolion a hynny er mwyn annog y plant i ymestyn eu darllen a hefyd i ddefnyddio'r llyfrgell ar ôl iddynt ymadael â'r Ysgol Sul. Yn ôl y rheolau hawliau ymwelwyr, athrawon ac ysgolheigion y sefydliad oedd yn dod flaenaf a dim ond ysgolheigion oedd wedi presenoli ei hunain am chwe mis, neu a wobrwywyd am eu ffyddlondeb neu ymddygiad da oedd â hawl i freintiau'r llyfrgell.[135] Rhoddid hawliau hefyd i gyn-ddisgyblion 'oedd wedi gadael yr ysgol yn anrhydeddus' i ddefnyddio breintiau'r llyfrgell. Dylid hefyd arolygu pob llyfr i sicrhau ei fod yn addas a chadw cofrestr fanwl o'r llyfrau a'u rhif nodi gan gadw cyfri manwl o'r benthyciadau. Pythefnos oedd cyfnod y benthyciad; rhaid wedyn oedd ail gofnodi ac os oeddynt wedi colli llyfr collwyd y breintiau.[136] I wella eu dealltwriaeth cwestiynwyd y plant ar neges y pregethau a hefyd ar gynnwys y llyfrau a ddarllenwyd.[137] Dengys hyn pa mor bwysig oedd trefn ymhob agwedd o fywyd yr Ysgol Sul.

Ystadegau

Roedd Oes Victoria yn enwog am gofnodi ffeithiau ac ystadegau manwl a gwireddir hyn yng nghofnodion manwl a thrylwyr yn yr Ysgolion Sul. Cadwodd Griffith Jones a Madam Bevan grynodeb trylwyr o'r ysgolion cylchynol a niferoedd y disgyblion rhwng 1737 a 1777 a mabwysiadodd Thomas Charles yr un cynllun o gofnodi manwl. Ar ôl ei farwolaeth ymddangosai rheolau a llawlyfrau gan y gwahanol gyfundebau a nodweddid y rhain gan drylwyredd manwl fel y dengys y tabl hwn yn *Rheolau Perthynol i'r Ysgolion Sabbothol Sir Drefaldwyn* (1826). Rhain oedd y manylion y disgwylid i ysgrifenyddion yr Ysgolion Sul ofalu amdanynt:[138]

Mis.	**Enw yr Ysgol.**
	Athrawon.
	Ysgolheigion.
	Llythyrenau.
	Sillebu a Darllen.
	Testamentau.
	Beiblau.
	Rhif yn dysgu'r Gair.
	Pennodau.
	Adnodau.
	Rhif yn dysgu'r Hyfforddwr.
	Pennodau a adroddwyd yn gyhoeddus.
	Rhif a'i dysgodd i gyd.
	Rhif yn dysgu'r Arweinydd.
	Pennodau a adroddwyd yn gyhoeddus.
	Rhif a'i dysgodd i gyd.
	Rhif yn dysgu'r Rhodd Mam.
	Pennodau a adroddwyd yn gyhoeddus.
	Rhif a'i dysgodd i gyd.
	Cyfarfodydd Athrawon.
	Testynau a adroddwyd.
	Rhif a Tasgau a adroddwyd.

Cedwid cofrestri manwl o bresenoldeb y disgyblion a'r athrawon o Sul i Sul ynghyd â nifer o benodau ac adnodau o'r Beibl a feistrolwyd ynghyd â phenodau o lyfrau eraill megis yr *Hyfforddwr* a *Rhodd Mam*. Ymddengys yr ystadegau hyn, nid yn unig ar gofrestri'r Ysgolion Sul ond hefyd ar dudalennau'r cylchgronau crefyddol. Yn Ysgol Sul Carneddi, Bethesda, gyda 705 o ddisgyblion ar y llyfrau yn 1842, cofnodwyd bod 5,682 o benodau newydd wedi eu dysgu, ail adroddwyd 3,647 ohonynt a galwyd i gof 19,891 o adnodau newydd. Mae'n amlwg, hefyd, fod gofyn i'r disgyblion ddwyn i gof destunau pregethau a rhannau o'r *Gyffes Ffydd*.[139] Yn 1843 yng nghyfarfod blynyddol Ysgolion Sul, Risca, Sir Fynwy, gyda phump ar hugain o ysgolion a 3,304 o ddisgyblion mae'r llafur cof fel â ganlyn: Penodau 26,243, adnodau 396,397, adnodau ychwanegol 255,649, *Hyfforddwr* 229, *Rhodd Mam* 1,112, Pynciau 393.[140]

Mae Comisiynwyr Adroddiad Addysg (1847) yn dilyn yr un patrwm gan gofnodi niferoedd yr ysgolion, y disgyblion, yn ferched a bechgyn ar wahân a chofnodi iaith yr ysgol ynghyd â manylion am lafur cof o'r Ysgrythurau, Y Catecismau a'r Emynau. Beth bynnag yw ein barn am y trylwyredd hwn mae'n rhoi darlun cynhwysfawr i ni o ddylanwad yr Ysgolion Sul yng Nghymru. Anfonai Thomas Charles gyfrif manwl o rif y disgyblion a'u llafur i Gymdeithas yr Ysgolion Sul yn Llundain a hynny er mwyn dangos pa mor llwyddiannus oeddynt.

Y Diwygiadau crefyddol

Bendithiwyd gwaith yr Ysgolion Sul gan gynyrfiadau'r diwygiadau crefyddol fel y tystiodd Charles mewn llythyr yn dilyn cyfarfodydd Cymdeithasfa Aberystwyth (1804–5) pan gofnododd fod oddeutu ugain mil yn bresennol ac yn eu plith cannoedd o blant o wyth oed i fyny.[141] Ffynhonnell yr adfywiad hwn oedd ymdrechion yr Ysgol Sul a gyfarfyddai yn Nhrefechan ar gyrion y dref. Clerigwr, y Parchg William Williams, St Gennys, Cernyw, pan oedd ar daith yn yr ardal a gasglodd ynghyd griw o oedolion a phlant i gychwyn Ysgol Sul a chan fod ei amser yn brin gofynnodd i ddau ŵr ifanc, 17 oed, i ymgymryd â'r gwaith.[142] Rhydd Charles bwyslais ar bresenoldeb y plant yn y cyfarfodydd hyn ac nid oedd amheuaeth yn ei farn ef mai'r ysgol, dan ddylanwad y gwŷr ieuanc, oedd tarddiad yr adfywiad yn y dref.

Diwygiad arall â grymusterau pellgyrhaeddol oedd Diwygiad Beddgelert (1817–1822) a ysgubodd trwy Ogledd Orllewin Cymru gan gyrraedd siroedd Dinbych, Fflint a Threfaldwyn.[143] Gellir priodoli'r tarddiad hwn eto i ddylanwad plant a hynny yng Nghapel y Nant, ym mhenrhyn Llŷn. Penderfynodd bachgen ifanc, cloff dreulio'r oriau rhwng oedfaon yn llofft y capel ac ni wyddai neb ble'r oedd yn ystod y cyfnod hwn nes i ferch ieuanc ei weld a dymuno'i ddilyn i'r llofft. Bu'r ddau'n gweddïo'n ddwys ar i Dduw fendithio a diwygio'r achos yn y Nant. Yn ddiarwybod i'r plant, gweddïai'r oedolion hefyd am fendith ar bregethiad y gair ac yn gynnar yn Ionawr 1817 atebwyd eu gweddïau.[144] Plant yr Ysgol Sul oeddynt wedi eu hyfforddi yn *Yr Hyfforddwr* (1807) ac felly eisoes wedi eu trwytho yn athrawiaeth y Gair.[145] Cyn i'r newydd am ddigwyddiadau'r Nant gyrraedd Beddgelert, trwy'r Cyfarfod Misol, roedd dosbarth o enethod ieuanc ynghyd â'u hathrawes wedi eu dwysbigo tra'n darllen penodau olaf o efengyl Ioan.[146] Yn ystod Awst 1817 dan ddylanwad pregethwr lleyg, Richard Williams, Brynengan, agorwyd y llifddorau ac roedd hyd yn oed y pregethwr ei hun wedi ei synnu gan ei neges.[147] Trwy gyfrwng cyfarfodydd y plant a'r ieuenctid lledaenodd y diwygiad hwn i Ddolwyddelan ac un o'r plant bryd hynny oedd y Parchg David Jones, Treborth (1805 – 68). Yn bedair ar ddeg oed, ac yntau eisoes yn fachgen crefyddol a chywir, dan ddylanwad y diwygiad dyfnhaodd ei brofiad a chynyddodd ei sêl.[148] Fel yr oedd llanw mawr y diwygiad hwn yn cilio 'daeth ton fawr arall yn ôl ac a orchuddiodd holl wlad Môn'.[149] 1821 – 2 oedd y flwyddyn pan siglwyd yr Ynys 'gan un o'r prif ddiwygiadau os nad y prif un a gafwyd.....'[150] Aberffraw a Bethel ddaeth dan y dylanwad grymusaf ac yn dilyn pregethu ysbrydoledig y Parchg Moses Jones, Pencaenewydd, Eifionydd, lledaenodd y diwygiad i Amlwch a'r cyffiniau a theimlwyd 'nerthoedd y byd a ddaw' y flwyddyn honno.[151] Yng ngwres y cynyrfiadau cynyddodd Ysgol Sul Bethel o bedwar ugain i ddau gant.[152] O astudio'r diwygiadau hyn ni ellir anwybyddu'r ffaith fod plant ac ieuenctid yr Ysgolion Sul yn allweddol yn y datblygiadau fel y digwyddodd, hefyd, yng nghyfarfodydd Seiat y Plant rhwng 1819 ac 1820 yn ardal Bethesda Arfon.[153] Digwyddodd yr un peth yn yr ardal ddeng mlynedd yn ddiweddarach pan ddechreuodd dau fachgen pymtheg oed weddïo mewn stabl nid nepell o gapel Carneddi ym Methesda. Gydag amser aeth y stabl yn rhy gyfyng a bu'n rhaid i'r bechgyn gynnal eu cyfarfodydd yn y capel a bu hyn yn hwb i ddenu'r oedolion a'r plant at ei gilydd.[154]

Yng nghyfnod Charles bu mynd anghyffredin ar y Testamentau a bu awydd yr ieuenctid i ddarllen yr Ysgrythurau yn eithriadol gryf nes eu bod yn treulio 'nosweithiau cyfain i'w darllen'.[155] Priodola Henry Hughes ddiwygiad 1806 i'r holwyddori effeithiol oedd yn digwydd yn yr Ysgolion Sul[156] a rhydd glod hefyd i Gymanfaoedd neu Sasiynau'r Plant a flagurodd yn 1808. Ar y Llungwyn y flwyddyn honno y cynhaliwyd y Gymanfa gyntaf ym Mlaenannerch, Sir Aberteifi a phenderfynodd Ebenezer Morris mai 'Cymanfa y Plant' fyddai'r enw swyddogol arnynt.[157] Yn dilyn y cymanfaoedd hyn barn Thomas Richards, Abergwaun, oedd, 'fod ein Duw yn myned i ymweled â'n hanwylaf blant a'i ras; mae amryw ohonynt yn troi eu hwynebau tua Sion.....'[158] Ymhlith yr Annibynwyr y bu'r diwygiad hwn fwyaf tanbaid a than weinidogaeth y Dr George Lewis, yn Llanuwchllyn, y profwyd grymusterau'r cynyrfiadau.[159]

Nodwedd amlwg o'r diwygiadau yma yng Nghymru a gweddill y deyrnas fel y gwelir maes o law oedd presenoldeb oedolion a phlant fel ei gilydd. Cyfeiria John Roberts, Llangwm, at Gymanfa Ysgolion Sul Methodistiaid cylch Caernarfon ar y Sul, 19 Tachwedd 1808, yn dilyn yr holwyddori, 'yr oedd llawer o'r bobl heb fyned o'r capel pan oedd odfa chwech o'r gloch yn dechreu, er fod y moddion wedi dechreu am un o'r gloch, a bu llawer ohonynt yno hyd un-ar-ddeg ar ol yr odfa'.[160] Ddeng mlynedd wedi i dân Diwygiad Beddgelert ddiffodd ond eto'r aelwyd yn gynnes gan ei effeithiau ar 14 Hydref 1831, dydd o ddiolchgarwch am y Cynhaeaf a dydd Jiwbili yr Ysgolion Sabbothol yng nghylch Llanystumdwy cyneuodd adfywiad arall yn Llŷn ac Eifionydd.[161] Yn y diwygiad hwn plant ac ieuenctid oedd yn flaenllaw ac yn ôl y *Drysorfa* dechreuodd geneth ieuanc ofidio ei bod wedi diystyru gair Duw a bu hyn yn ei dro yn foddion i gynhyrfu pobl eraill, a'r un fu'r hanes ym Mhont y Cim dan ddylanwad bachgen afreolus ac yn Edern daeth bachgen pymtheg oed dan deimladau angerddol ar ôl gwrando pregeth.[162]

Nid ffenomenon Gymreig, yn unig oedd hon gan y tystia John Wesley i ddigwyddiad ymysg plant rhwng deuddeg ac un ar bymtheg oed yn Lowestoft ac i'w bywydau ddod yn rym dylanwadol ymhlith eu rhieni[163] a cheir cofnod ganddo o ddigwyddiadau cyffelyb rhwng 1770 a 1773.[164] Ym Mehefin 1784, pan oedd ar ymweliad â Stockton upon Tees, daeth criw o blant rhwng chwech a phedair ar ddeg ato, 'earnestly desirous to save their souls', ac meddai, 'Is not this a new thing in the earth? God begins his work in children. Thus, it has been also in Cornwall, Manchester and Epworth'.[165] Yn yr Alban yn 1742 ym mhentref Kirkintilloch, wyth milltir i'r Gogledd ddwyrain o Glasgow ceir cyfeiriadau at blant yn ymgynnull mewn tŷ gwair i weddïo.[166] O gwmpas yr un cyfnod yn yr *Highlands and Islands* daeth bechgyn a genethod rhwng naw a phymtheg oed at ei gilydd ar y Suliau a nosweithiau Llun i weddïo ar aelwyd yn yr ardal a'r mwyafrif ohonynt yn anllythrennog.[167] Mae'n werth cofnodi nodweddion y diwygiadau hyn oedd yn gyffredin yma yng Nghymru a'r gwledydd eraill, sef bod criw bach, heb eu cymell, yn gyfrinachol yn cyfarfod i weddïo fel arfer mewn lleoedd annisgwyl, tŷ gwair, stabl, llofft capel a hyd yn oed mewn cae agored.[168] Cyfeirir at y ddau ryw gyda'r arddeliad dwfn am achubiaeth bersonol fel y gwelwyd yn ysgol John Wesley a'r dyhead am ledaeniad y gwaith ymhlith eraill a dim ond ieuenctid fyddai'n barod i weddïo a chadw at ddisgyblaeth lem a gâi ymuno.[169]

Prif effeithiau'r diwygiadau oedd yr awydd i godi capeli newydd gyda chynnydd amlwg ymysg y Bedyddwyr[170] a chynydd yn nifer yr aelodau fel yn achos y Methodistiaid yn Amlwch gan ddenu cant saith deg o'r newydd o fewn blwyddyn.[171] Yr un oedd hanes yr Ysgolion Sul; cynyddodd Ysgol Sul Bethel, Môn o bedwar ugain i ddau gant.[172] Dengys ystadegau Ysgolion Sul Môn fel roedd niferoedd yr Ysgolion Sul, yr athrawon a'r ysgolheigion wedi cynyddu o 84 o ysgolion, 1673 o athrawon a 9143 o ysgolheigion yn 1821[173] i 90 o ysgolion, 1992 o athrawon a 10,654 o ysgolheigion erbyn 1823 gan gofio mai poblogaeth Môn yn 1821 oedd 45,063 sy'n dangos fod bron i chwarter yr ynyswyr yn mynychu Ysgolion Sul y Methodistiaid Calfinaidd. Ond erbyn 1828 a'r diwygiad wedi hen ddarfod o'r tir lleihaodd niferoedd yr athrawon i 1876 a'r ysgolheigion i 8,986[174] er fod y boblogaeth wedi cynyddu dros dair mil rhwng 1821 ac 1831.

Yng nghanol berw'r diwygiad hwn mae'n werth rhoi sylw i ddyfodiad y geri marwol, y colera i Gymru. O'r India y daeth a chyrraedd Sunderland yn 1830[175] a daeth i Gymru, ac i dref y Fflint ym Mai 1832.[176] Buan iawn y lledaenodd tua'r gorllewin, Dinbych, Mehefin 1832 gyda 34 o farwolaethau o fewn mis a chyrraedd Caernarfon ddiwedd Awst 1832.[177] Lledaenodd i Fôn ac i Biwmares, a pherswadiwyd y Parchg Robert Humphreys, gweinidog gyda'r Wesleaid, i beidio â rhoi ei droed yno am fod y geri wedi cyrraedd o'i flaen, gwrthododd y cyngor a bu farw ar ddydd olaf Awst.[178] Effaith hyn oedd cynnal cyfarfodydd gweddi a niferoedd yn troi o'r newydd at grefydd a bu hyn eto yn hwb i chwyddo aelodau'r Ysgolion Sul. Yn ystod Gorffennaf 1832 chwyddodd aelodau Ysgol Sul Capel Mawr Dinbych i 710 'yr hyn oedd yn rhai cannoedd yn chwaneg nag arferol'.[179] Yng ngeiriau Robert Ellis, Ysgoldy, 'bu ymweliad y pregethwr arswydus [y geri] hwn yn foddion i brysuro yr adfywiad crefyddol rhagddo.....trwy ddifrifoli meddyliau dynion a'u deffroi i ystyriaeth o'u perthynas â byd arall'.[180]

Y Mudiad Dirwest

Rhoddodd y Ddeddf Gwrw (1830) dragwyddol heol i bob trethdalwr a dalai ddwy gini'r flwyddyn i wneud cais am drwydded i agor tŷ cwrw. Arweiniodd hyn at y demtasiwn i or-yfed a chreu pryder cymdeithasol i'r 'cyflogwyr, y gwragedd, y difrifolaf o'r gweithwyr a'r parchus o bob gradd'.[181] Yn 1834 cwynai'r Parchg James Williams, Llanfairynghornwy, Môn, fod meddwdod wedi cynyddu'n ddirfawr er pasio'r ddeddf a hyd yn oed ar Sul y Pasg llenwid y dafarn o fore gwyn tan nos gan weision fferm yn gor-yfed.[182] Ar derfyn ffair a marchnad byddai'r llymeitwyr i'w gweld mewn cyflwr sigledig, rhai wedi yfed drwy'r dydd ac yn eu plith byddai llawer o grefyddwyr. Ar ddiwedd oedfa byddai'r pregethwr a'i ddiaconiaid yn mynychu tafarnau ac roedd gan bob enwad ei dafarn ardrethol ei hun. Darperid dogn Sabothol o'r ddiod feddwol i'r pregethwr yn y tŷ capel yr hyn a elwid yn 'gwrw'r achos'. Lletyai pregethwyr teithiol mewn tafarnau ac yno hefyd y cynhelid prydau bwyd yn dilyn cyfarfodydd pregethu. Chwaraeodd y dafarn ran amlwg yn nhwf Ymneilltuaeth. Bu tafarn y *Virgin* (yr *Albion* erbyn heddiw) ym Mangor yn lloches i'r Methodistiaid Calfinaidd ac yno y cynhaliwyd y seiat gyntaf rhwng 1802 – 3 a blwyddyn yn ddiweddarach croesawyd y Wesleaid yno a rhoddwyd hawl i bregethu o ffenestr llofft y dafarn.[183] Cynhaliwyd sawl Ysgol Sul ym mharlyrau'r tafarndai fel yr un yng ngwesty'r *Cambria* ar lan y Fenai, ym Mhorthaethwy[184] ac ym mharlwr tŷ tafarn o'r enw Penybanc y cynhelid Ysgol Sul Llanegryn, tua'r flwyddyn 1805.[185] Dyma'r adeg y gwelwyd ymdrechion o blith yr Efengylwyr ac eraill i wrthsefyll y llanw cynyddol hwn trwy ymdrechion y Mudiad Dirwest oedd â'i wreiddiau yn yr Unol Daleithiau ynghanol yr 1820'au. Cymdeithasau i bwysleisio cymedroldeb oedd y rhain ar y dechrau ac ym Manceinion, yn Hydref 1831 y ffurfiwyd y Gymdeithas Gymedroldeb Gymraeg gyntaf.[186] Sefydlwyd un arall yng nghapel Pall Mall, Lerpwl yn ystod Chwefror 1832.[187] Fis yn ddiweddarach sefydlwyd y gymdeithas gyntaf yng Nghymru, yn Nhreffynnon,[188] ac erbyn Hydref 1835 sefydlwyd pump ar hugain o gymdeithasau ledled Cymru – tair yn y Gogledd, Wrecsam, Rhiwabon a Dinbych a'r gweddill yn y canolbarth a'r De.[189]

Yn 1834 trodd y llanw a'r nod bellach oedd hybu'r egwyddor o lwyrymwrthodiad a ffurfiwyd Cymdeithas Ddirwestol gyntaf Cymru gan y Parchg Evan Davies (Eta Delta) yn Llanfechell, Môn, 4 Tachwedd 1835[190] lle'r ardystiodd dros ugain o'r ardal ac yn eu plith mab y Parchg John Elias.[191] Nod Eta Delta oedd i'r ddau ardystiad, y cymedrolwyr a'r llwyrymwrthodwyr barhau ond dioddefodd lawer oherwydd 'dynion eithafol' y ddau fudiad.[192] Yng nghyfarfod blynyddol yr Ysgolion Sul yn Llangristiolus, Môn, ar Awst 23 penderfynwyd fod pob athro i ymaelodi â Chymdeithas Cymedrolder.[193] O edrych ar y Mudiad hwn, a'r trai a'r llanw yn ei hanes, un peth oedd yn amlwg oedd bod Ymneilltuaeth wedi 'tynnu llwyrymwrthod i mewn i'w chyfundrefn foesegol'.[194] Datblygodd yn fudiad grymus ac effeithiol a dyfeisiodd bob math o gyfryngau i hybu'r gwaith gan barhau drwy hanner cyntaf yr ugeinfed ganrif.

O'r Mudiad Dirwestol esblygodd amrywiol ffurfiau ar ddirwestaeth megis Urdd Annibynnol y Rechabiaid, a sefydlwyd yng Nghymru am y tro cyntaf yn 1841 a Chlwb Washington neu'r Clwb Du fel y'i gelwid ymhlith chwarelwyr Sir Gaernarfon.[195] Eithr y mudiad y bu ei ddylanwad gryfaf yn ddiau oedd y *Band of Hope* (Gobeithlu) sefydliad a'i amcan pennaf oedd ennill y plant a dysgu iddynt egwyddorion dirwest gyda'r nod o'u paratoi ar gyfer cenedl o ddirwestwyr a dengys hyn y cysylltiad agos a fodolai rhwng moeseg a'r efengyl.[196]

Sylfaenydd Mudiad Dirwest yr ifanc yn Lloegr oedd y Parchg Jabez Tunnicliff, Leeds, gweinidog gyda'r Bedyddwyr. Pan welodd feddwyn yn marw a hwnnw'n tystio iddo ddechrau yfed pan gynigiodd ei athro Ysgol Sul lasiad o gwrw iddo, rhybuddiodd yr ieuenctid am berygl y glasiad cyntaf. Yn Awst 1847, gwahoddodd Anne Jane Carlile i annerch criw o ferched Ysgolion Sul Leeds ac meddai, 'It is in the young people that I have placed my chief hope for the furtherance of the cause so dear to my heart and I think we ought to call this juvenile meeting *Band of Hope*.'[197] Yn ôl fersiynau eraill Tunnicliff ei hun lefarodd y geiriau ond pwy bynnag sy'n haeddu'r clod daeth y *Band of Hope* yn enw cyfarwydd a phoblogaidd. I Tunnicliff ymgyrch y *Band of Hope* oedd nod ei fywyd ac ar 16 Medi 1847 gyda phwyllgor o wragedd ffurfiwyd y gobeithlu i bob plentyn dan un ar bymtheg oed oedd i ardystio nad oeddynt am ymgymryd â 'intoxicating liquors as a beverage'.[198] Cychwynnodd niferoedd o'r gobeithluoedd hyn o fewn yr Ysgolion Sul ac ym marn y Parchg Thomas Lefi roedd y gobeithluoedd wedi cychwyn yn Ne Cymru, cyn iddynt ddechrau lledaenu yn Lloegr a hynny drwy ymdrechion y Parch Ebenezer Richard, Tregaron.[199] Cynhaliwyd y Gobeithlu cyntaf ym Môn, yng nghapel Saesneg y Wesleaid, Amlwch yn nechrau 1861[200] a cheir hanes plant Brynsiencyn yn 60'au'r ganrif yn gorymdeithio drwy'r pentref gan gario baneri â'r geiriau 'Band of Hope Brynsiencyn' arnynt ac yn canu 'Am yr Ysgol Rad Sabbothol' ac 'Efengyl yr Oen, amdani bydd sôn'[201] ac mewn Cyfarfod Chwarter penderfynwyd fod holl eglwysi Annibynnol y Sir i ffurfio *Band of Hope*.[202]

Y *Band of Hope* oedd yn gyfrifol am chwyddo'r niferoedd mewn sawl Ysgol Sul ac yn offeryn i ddenu plant. Credai'r Parchg John Williams, gweinidog gyda'r Bedyddwyr ym Mhontypwl, bod rhwystro meddwdod yn dechrau trwy ddylanwadu ar y plant, 'You are cultivating virgin soil comparatively free of weeds and rubbish, which generally yields a hundred fold in return for your labours.'[203]

Erbyn ail hanner y bedwaredd ganrif ar bymtheg llwyddodd y Mudiad i dreiddio'n ddyfnach i weithgareddau'r Ysgolion Sul[204] trwy fudiadau fel y gobeithlu, Temlyddiaeth Dda a Byddin y Ruban Glas.[205] Yn anuniongyrchol daeth llawer o fanteision cymdeithasol yn ei sgil, cyhoeddwyd emynau dirwestol a ffurfiwyd corau, chwech ohonynt ym Methesda, Arfon yn unig.[206] Trefnwyd gorymdeithiau lliwgar, cyfarfodydd llenyddol, a chynhaliwyd priodasau ac angladdau dirwestol a'r hyn oedd yn nodwedd amlwg o'r gweithgareddau oedd eu bod yn croesi ffiniau crefyddol a chofleidio cymdeithas gyfan yn blant ac oedolion fel ei gilydd a thrwy hynny yn creu cyswllt clos rhwng crefydd a bywyd. Ond ym marn D. D. Williams gwendid y cyfarfodydd Dirwest oedd eu bod yn gyfarfodydd 'i gael hwyl.....i glywed straeon doniol a chael cymorth i chwerthin o'r dechrau i'r diwedd'.[207] I'r plant, mae'n bur debyg fod hyn yn bleser pur ac yn foddion i'w denu i'r cyfarfodydd.

Yr Ysgol Sul a'r cymdeithasau addysgol gwirfoddol

Yn gynnar yn nechreuadau'r bedwaredd ganrif ar bymtheg blagurodd dau fudiad addysgol, gwirfoddol a roddodd statws i addysg ym Mhrydain a bu'r ddau fudiad yn foddion i ddeffro'r wladwriaeth i ymateb a gwnaed hynny yn 1833 trwy roi cymorth ariannol i godi ysgolion.

Araf iawn fu ymateb y Cymry i waith y ddwy gymdeithas, y *British and Foreign School Society* a sefydlwyd gan Joseph Lancaster, Crynwr (1778 – 1838), yn 1808 a'r *National Schools Society* a sefydlwyd gan Andrew Bell, clerigwr (1753 – 1832), yn 1811.[208] Roedd pwyslais y Gymdeithas Genedlaethol ar gyflwyno egwyddorion yr Eglwys Sefydledig tra roedd addysg y Gymdeithas Frutanaidd yn anenwadol. Cyfundrefn fonitoraidd a ddefnyddiwyd yn ysgolion y ddwy gymdeithas, sef dysgu'r plant hynaf a hwythau'n eu tro yn cyfrannu addysg i'r plant lleiaf. Diwydianwyr cefnog trefi mawr Lloegr oedd prif gefnogwyr y Gymdeithas Frutanaidd tra dibynnai'r Gymdeithas Genedlaethol ar gefnogaeth tir feddianwyr Anglicanaidd gyda'r canlyniad eu bod yn bell ar y blaen yn sefydlu ysgolion ledled y wlad. Er fod y Llywodraeth o 1833 ymlaen wedi cyfrannu swm o £20,000 yn flynyddol, roedd yn ôl pob golwg, dros gyfnod o bum mlynedd, £70,000 wedi mynd i goffrau'r Gymdeithas Genedlaethol.[209] O ganlyniad i'r gefnogaeth ariannol a rhwydwaith y plwyfi a'r esgobaethau gwelwyd y Gymdeithas Genedlaethol yn mynd rhagddi'n fwy grymus a chyflym.

O'r ddwy gymdeithas y Gymdeithas Genedlaethol oedd y gyntaf i weithredu yng Nghymru pan agorodd ysgol ym Mhenley, Sir Fflint, yn 1811[210] ond yn ystod tri degau'r ganrif y dechreuodd o ddifri ar ei gwaith. Bu esgobaeth

Bangor yn ffodus yn ei harweinwyr, yr Esgob H. W. Majendie, (1745 – 1830)[211] a'r Deon J. H. Cotton, (1780 – 1862).[212] Ym mis Awst 1814 mynegodd yr Esgob gryn bryder yn ei siars fod y 'Dissenting Schools, both on Sunday and weekdays had greatly multiplied'[213] sef cyfeiriad pendant at yr Ysgolion Sul gan nad oedd ysgolion Brutanaidd yn bodoli'r pryd hwnnw. Yn ei anerchiad mae hefyd yn tynnu sylw at fudiad newydd yr Eglwys Sefydledig i addysgu plant sef y Gymdeithas Genedlaethol.

Agorwyd yr ysgol Genedlaethol gyntaf ym Môn ym mhlwyf Llandyfrydog pan oedd Cotton yn ficer yno yn 1815.[214] Mynychai 55 o ddisgyblion yr ysgol hon yn 1817 ond ymhen y flwyddyn disgynnodd y niferoedd i lai na hanner.[215] Yn ôl Adroddiadau Gofwy roedd gan yr Ymneilltuwyr Ysgol Sul yn yr ardal a gellir tybio fod plant yr eglwys wedi cefnu ar yr ysgol ac wedi mynychu'r Ysgol Sul oedd yn cyfarfod am ychydig oriau ar y Sul yn hytrach na phresenoli eu hunain mewn ysgol ddyddiol.[216] Sbardunodd y digwyddiad hwn eglwyswyr amlwg Môn i gyfarfod i drafod rhinweddau ysgolion y Dr. Bell ac yn Nhachwedd 1815 sefydlwyd ysgol ym Miwmares ac un arall yng Nghaergybi yr un flwyddyn.

Ar y cychwyn cymhelliad crefyddol i achub eneidiau ysgogodd y Deon Cotton ond gyda'r blynyddoedd rhoddwyd mwy o bwyslais ar egwyddorion Anglicanaidd, sef dysgu'r plant yn egwyddorion yr Eglwys Sefydledig a'u gwarchod rhag dylanwadau crefyddol yr Anghydffurfwyr.[217] Buddsoddodd yr Eglwys Sefydledig ei holl adnoddau addysgol yn yr ysgolion Cenedlaethol a dyna i raddau pam fod niferoedd yr Ysgolion Sul yn isel.

Tra carlamai'r Ysgolion Cenedlaethol ymlaen darlun pur wahanol a geir o'r Ysgolion Brutanaidd. Yn ôl Adroddiad Addysg 1847, pump o ysgolion Brutanaidd oedd ym Môn y flwyddyn honno[218] a dim ond £61 o grantiau'r Llywodraeth a dderbyniwyd i godi ysgolion yn Sir Gaernarfon cyn 1839.[219] Mae sawl rheswm am amharodrwydd yr Anghydffurfwyr i dderbyn y nawdd ariannol ac i ymateb yn fwy cadarnhaol. Ymhlith y rhesymau roedd diffyg cefnogaeth tir feddianwyr cyfoethog, tipyn llai o aelodau mewn lleoedd o awdurdod a dylanwad yn Llundain, ychydig o brofiad o ddelio efo'r Llywodraeth ac i raddau helaeth ychydig allai gyfathrebu yn yr iaith Saesneg.[220] Eithr mae un ffenomen arall yn amlygu'i hun yn enwedig ymhlith y Methodistiaid Calfinaidd yn y Gogledd sef safiad unbenaethol John Elias, a'i wrthwynebiad i ymyrraeth o du'r Wladwriaeth a gwrthwynebai'n chwyrn gysylltiadau ei enwad â 'phethau'r byd'.[221] Cadarnheir hyn yn adroddiad R. R. W. Lingen, yn Adroddiad Addysg 1847 pan ddywed fod yr Anghydffurfwyr yn amharod i dderbyn dylanwadau allanol a'u bod yn ymgadw rhag creu unrhyw gysylltiadau, 'with classes either superior to or different to themselves'.[222] Amlygir hyn yn y berthynas oeraidd a fodolai rhwng yr Anghydffurfwyr â'r Gymdeithas Frutanaidd. Rhoddodd yr Anghydffurfwyr eu holl egni a'u cefnogaeth i fudiad Yr Ysgolion Sul a ddatblygodd yn rym annatod o fywyd y capeli oedd, hefyd, yn cyd-fynd â'u daliadau diwylliannol. Fel mae un o arolygwyr yr ysgolion Brutanaidd yn Ne Cymru yn pwysleisio nid difaterwch oedd yn gyfrifol am y pellhau oddi wrth y Gymdeithas Frutanaidd ond fel y dengys yr ystadegau'n glir, 8.7% oedd yn mynychu'r ysgolion dyddiol a 21.7% yn aelodau o'r Ysgolion Sul.[223]

Yng nghanol y dadleuon hyn mae'r Ysgol Sul o ail chwarter y bedwaredd ganrif ar bymtheg ymlaen yn dal ei thir fel mudiad gwirfoddol, llewyrchus oedd yn cyfrannu addysg ddigonol a hynny trwy gyfrwng y Gymraeg. Gellid dadlau fod yr Ysgolion Sul i raddau helaeth yn gwneud y gwaith oedd yr ysgolion Brutanaidd yn ei gyflawni a cheir cofnod manwl yn y *Manual*[224] o gwricwlwm yr ysgolion dyddiol oedd mor debyg i weithgareddau'r Ysgolion Sul ond y prif wahaniaeth oedd bod hyn yn digwydd oddi mewn i hinsawdd gartrefol, ysbrydol a hynny yn iaith y bobl.

Casgliadau

Bu dylanwad Thomas Charles ar yr Ysgol Sul yn hanner cyntaf y bedwaredd ganrif ar bymtheg yn bellgyrhaeddol gan fod pob mudiad arall i hyrwyddo addysg cyn hyn wedi dirwyn i ben gyda marwolaeth naill ai yr unigolyn neu'r mudiad. Priodolir hyn, nid yn unig i'w bersonoliaeth gynnes ond i'r pwyslais a roddodd ar yr elfennau ysbrydol a dyrchafol a chynhwyswyd y moesau a'r cwrteisi oddi mewn i fframwaith ddiwinyddol. Bu ei *Reolau* (1813) yn sail i lawlyfrau a rheolau'r blynyddoedd dilynol ond rhoddwyd mwy o le i drefn a strwythur dan arweiniad arolygwr, ysgrifennydd ac ymwelydd. Yn yr ysgolion rhoddwyd bri ar ymweld â rhieni yn ogystal â chreu cronfa ariannol i helpu teuluoedd mewn angen.

Atgyfnerthwyd gwaith yr Ysgolion Sul gan y diwygiadau crefyddol lle roedd cyfraniad y plant yn ffactor bwysig fel y gwelwyd yn nechreuadau Diwygiad Beddgelert ond mae'n rhaid cofio mai plant wedi'u trwytho yn y Beibl a'r catecismau oeddynt. Diwygiadau lleol oedd y mwyafrif o'r rhain yn tanio ardaloedd penodol a'u dylanwad ar oedolion a phlant fel ei gilydd a hwythau'n eu tro yn cynyddu niferoedd yr ysgolion.

Mudiad arall fu'n gymorth i'r Ysgolion Sul oedd y Mudiad Dirwest â'i bwyslais ar ymgyrchoedd, gorymdeithiau a brwdfrydedd newydd ac o'r mudiad hwn y tyfodd y *Band of Hope* a'i genadwri uniongyrchol i'r plant a'r ieuenctid.

Ymylol iawn fu dylanwad y ddwy gymdeithas addysgol, y Genedlaethol a'r Frutanaidd, ar Gymru. Safodd yr Ysgol Sul yn gadarn i ddysgu trwy gyfrwng y Gymraeg ac fel y dengys Adroddiad Addysg 1847 llwyddodd i ddenu mwy o ddisgyblion na'r ddwy Gymdeithas wirfoddol gyda'i gilydd.

Erbyn diwedd cyfnod yr astudiaeth hon roedd Cymru anghydffurfiol wedi dod i oed. Esgorodd ar ddiwylliant o egni a hyder newydd fel y gwelwyd yn agwedd gwŷr fel John Elias a David Rees a fynnai na ddylai'r wladwriaeth ymyrryd ym myd addysg ac mai'r egwyddor wirfoddol ddylai fod yn nod amgen. Magwyd nerth dihysbydd, ymwrolwyd i waith a defnyddiwyd pob dyfais i greu o'r newydd a heriodd yr Ysgol Sul y mudiadau addysgol a dylanwadodd yn helaeth ar gymdeithas.

6: Cynnyrch Llenyddol a Defosiynol

'Ni bu'r un sefydliad mor ddylanwadol â'r ysgolion hyn i ddod â'r gair printiedig i'r dosbarth gweithiol.'   *M. Hughes* [1]

'Y peth cyntaf a dery'r sawl a ddarlleno lenyddiaeth Gymraeg y bedwaredd ganrif ar bymtheg yw fod cymaint ohoni.'   *R. T. Jones* [2]

Prin y byddai plentyn o'r dosbarth gweithiol wedi gweld y gair printiedig ynghanol y ddeunawfed ganrif ond ymhen can mlynedd roedd ei fyd wedi ei wyrdroi gyda llyfrau darllen, cylchgronau, pamffledi a thraethodau dirifedi. Bu datblygiad yr Ysgolion Sul yn llawforwyn i ddatblygiad y wasg ac ni fu unrhyw sefydliad arall yn fwy allweddol a chyfrannol i ledaenu'r gair printiedig i'r werin gan gofio mai deunyddiau Cristnogol oedd llenyddiaeth plant o'r cychwyn. Efelychiadol oedd y cynnyrch ar y dechrau, y traethodau crefyddol wedi'u cyfieithu o'r Saesneg, yr emynwyr, ar y cychwyn yn cyfieithu ac addasu o gasgliadau Saesneg, yr esboniadau hwythau'n gyfieithiadau a'r cyfnodolion i raddau helaeth yn dilyn y trywydd Seisnig.

Y bedwaredd ganrif ar bymtheg, heb os, oedd oes aur cyhoeddi yng Nghymru. Gellir priodoli hyn i'r newidiadau cymdeithasol a ysgydwodd y genedl i'w gwreiddiau. Daeth Cymru dan ddylanwad Efengyliaeth, tyfodd y boblogaeth a thrawsnewidiwyd economi'r wlad o ganlyniad i'r Chwyldro Diwydiannol. Creodd yr elfennau hyn Gymru radicalaidd a ddaeth gydag amser yn rhan o ymwybyddiaeth gwleidyddol a chymdeithasol y genedl. Gellir ystyried datblygiad y wasg gyfnodol fel ymateb uniongyrchol i'r grymusterau hyn ond nodau Efengyliaeth oedd wrth wraidd y cyfan gan mai addysgu a goleuo'r bobl oedd y nod. Yr hyn a nodweddai'r wasg gyfnodol ar y dechrau oedd mai pobl o'r un haen gymdeithasol oedd y golygyddion, y cyfranwyr a'r darllenwyr ac fel y dywedod un o ohebwyr *Yr Eurgrawn Wesleyaidd*, 'pan edrychwn ar lenyddiaeth Gymraeg, gellir ei galw yn llenyddiaeth y gweithwyr'. [3]

Y Cyfnodolion
Cyfrwng mwyaf effeithiol Efengyliaeth y cyfnod oedd y cylchgrawn a ddaeth yn ei dro yn gynhaliaeth bwysig i gyfrannu i ddeiliaid yr Ysgolion Sul ddiwylliant eang a safonau uchel y mudiad.

Yn Lloegr, ymddangosodd y cylchgrawn cyntaf ar gyfer plant, *Youth's Magazine and Evangelical Miscellany,* yn 1805 a olygwyd gan William Lloyd, 18 oed, ac erbyn 1848 roedd un a deugain o gylchgronau eraill ar y farchnad a'r rhain ar gyfer plant yn bennaf.[4] Ymddangosodd dwsin o gylchgronau penodol ar gyfer athrawon yr Ysgol Sul yn ystod yr un cyfnod; felly yn Lloegr cyhoeddwyd 54 o gylchgronau i gyd ar gyfer plant ac athrawon yr Ysgolion Sul.[5] Yng Nghymru rhwng c.1820 ac 1851 cyhoeddwyd naw ar hugain o gyfnodolion Cymraeg yn benodol ar gyfer yr Ysgolion Sul.[6] Perthynai'r rhain i'r gwahanol enwadau crefyddol ac yn aml cynnyrch lleol ar gyfer ardaloedd daearyddol pendant oeddynt fel *Trysor i'r Ieuangc* i Ysgolion Sul Sir Gaernarfon, *Trysor i Blentyn* i Ysgolion Sul Wesleaidd Sir Drefaldwyn a'r *Morgrugyn* wedi'i gyfyngu i gylch Abertawe. Gan y byddai cryn grwydro ar y wlad gan bregethwyr teithiol byddai gwybodaeth am y cyfnodolion yn cyrraedd i'r mannau mwyaf anghysbell. Mae'n amlwg, hefyd, fod cyfnodolion Saesneg wedi cyrraedd cefn gwlad. Meddai'r Parchg William Jones, gweinidog gyda'r Annibynwyr a golygydd *Trysorfa yr Ieuenctid* 'Yr wyf wedi derbyn er's amrai flyneddau gyhoeddiad bychan Seisnig cyffelyb i'r Drysorfa fechan hon....... Wrth ddarllen hwnw byddwn yn teimlo awydd hefyd am fod y cyffelyb bethau yn nwylaw ieuenctid Cymru yn eu hiaith eu hunain.'[7] Dengys y golygydd yr awydd am ddeunyddiau Cymraeg ar gyfer yr ieuenctid gan gofio erbyn cyhoeddi'r cylchgrawn byrhoedlog hwn yn (1833/4) pa mor Seisnig oedd awyrgylch yr addysg ddyddiol i blant Cymru. I raddau gellir dweud fod y cwmpasu lleol hwn wedi bod yn dranc i sawl cyfnodolyn gan mai cyfyng oedd y cylchrediad. Mae'n rhaid cofio hefyd fod dwy egwyddor arall yn milwrio'n erbyn y cyfnodolyn, sef y tollau uchel ar bapur[8] a'r gost o bostio a'r hyn fyddai'n digwydd yn amlach na pheidio oedd gorfodi'r argraffwyr a'r golygyddion i fynd o gwmpas y wlad i gasglu'r ôl-ddyledion.[9] Mae'n werth nodi un datblygiad fu'n hwb i gynnydd y cyfnodolyn, sef datblygiad y ffyrdd. Myn R. Maldwyn Thomas fod y ffyrdd bychain, gwledig wedi hybu cylchrediad y cylchgronau yn fwy na'r newyddiaduron gan mai cyfnodolion misol oedd y rhain yn bennaf a byddai digon o amser, rhwng rhifynnau, i gyrraedd yr ardaloedd anhygyrch.[10]

Byrhoedlog fu llawer o'r cynnyrch cylchgronnol ar gyfer yr Ysgolion Sul yn enwedig y rhai cynharaf gyda 14 ohonynt yn para am flwyddyn neu lai, 5 am ddwy flynedd, 2 am dair blynedd, 2 am bedair blynedd a 6 am bum mlynedd a throsodd.[11] Ymhlith y rhain ymddangosodd dau gyfnodolyn 'rhithiol' sef *Yr Addysgydd* ac ym marn Huw Walters, un o brif haneswyr y Wasg Gymraeg,[12] ffrwyth dychymyg oedd y cylchgrawn er i Ifano Jones[13] gofnodi mai Esther Williams argraffodd y cyhoeddiad hwn dros y Parch Lewis Edwards. Cyfnodolyn arall a fu ymhlith yr 'ysbrydion' am gyfnod byr oedd *Y Morgrugyn* ond daeth un rhifyn prawf i'r fei yng ngwanwyn 1998 mewn cyfrol yn perthyn i gasgliad John Humphreys Davies, o'r Cwrt Mawr.[14] Gellir beio'r sefyllfa gymdeithasol am y byrhoedledd hwn, sef cyflogau isel y werin bobl a chrynhoir hyn ar flaenddalen *Y Wawrddydd* (Tach.1850), 'Drwg genym ddeall fod cyn lleied o ymdrech yn cael ei wneud er dwyn plant i dreulio eu dimeiau am lyfrau a phethau da eraill yn hytrach nag am bethau diwerth a diles iddynt,'[15] a cheir cyhoeddiad ar glawr ôl *Trysorfa yr Ieuenctid,* Medi 1833: 'Mae Golygwyr y *Drysorfa* yn bwriadu ymweld â rhai o ardaloedd Môn a mannau eraill ar ôl y Cynhauaf, ac yn gobeithio y bydd i'r Dosparthwyr wneyd eu gorau i gasglu yr arian, fel y caffo yr Argraffwr dâl am ei waith.'[16] Roedd cynnwys rhai o'r cyfnodolion, hefyd, ben ac ysgwydd uwchlaw'r darllenwyr fel y cofnoda cyhoeddwyr yr *Esboniwr* ei fod wedi marw am ei fod 'yn rhy ddysgedig'.[17]

Nodweddion

Cyhoeddiadau enwadol yr eglwysi a'u gweinidogion oeddynt bob un a dyna'r patrwm am weddill y ganrif hyd ymddangosiad *Cymru'r Plant* yn Ionawr 1892.[18] Deilliodd cynnwys y cyfnodolion o'r feddylfryd Galfinaidd lle pwysleisid arglwyddiaeth Duw dros holl gyneddfau a gweithgarwch dyn a'r Duw hwn oedd awdur a chynhaliwr y cread. O ddadansoddi'r rhyngweithiad hwn gwelir yn glir arwyddocâd amrywiaeth y plethu a'r saernïo oedd yn digwydd ar y tudalennau. Dyna paham, yn enwedig ymhlith y cyfnodolion cynnar, y rhoddid cryn bwyslais ar y crefyddol a'r Beiblaidd ond erbyn ail hanner y ganrif nodweddid hwy â chynnwys mwy seciwlar. Mae John Williams, golygydd *Trysor i Blentyn,* yn mynegi'n glir a chroyw mai'r 'Beibl gaiff fod yn sail ac yn ffynhonnell ein holl addysgiadau i chwi'.[19] Yr un yw neges yr *Athraw i Blentyn* yn ôl rhifyn Rhagfyr 1835, 'un o ddybenion yr *Athraw i Blentyn* ydyw taenu gwybodaeth ysgrythyrol[20] a chawn benawdau megis, 'Crist yn obaith i'r Cristion mewn adfyd',[21] 'Cariad Crist',[22] 'Mwyniant Crefydd Crist'[23] a 'Bodolaeth Duw'.[24]

Sylwer ar y dechrau na pharatowyd cyfnodolyn penodol ar gyfer plant ar y dechrau; yn hytrach cylchgrawn i'r teulu ydoedd lle gwelid y plentyn fel rhan o'r teulu ac nid yn unigolyn â'i anghenion a'i ddyheadau ei hunan. Yn rhifyn Hydref 1841 o *Tywysydd yr Ieuainc* crynhoir nod y cylchgrawn, sef yn 'Dywysydd i'r ieuainc ac yn Ddyddanydd i hen bobl'[25] ac yng ngweddill y misolyn rhoir 'dysgeidiaeth deuluaidd i fod yn gymorth i'r mamau i egwyddori eu rhai bychain'[26] ac â'r erthygl ymlaen i ddangos fel y medr y fam (nid y tad sylwer) gyfrannu addysg i'w phlant. Anrhydeddu'r fam mae'r cyfnodolion gan roi lle amlwg iddi ym magwraeth ei phlant a chynhaliaeth ei theulu. Ceir darluniau dwys ac ingol o blentyn ar ei wely angau yn gweddïo dros ei fam[27] a'r plentyn pump oed yn ei hannog i ddod i'r Ysgol Sul er mwyn iddo dderbyn ei wobr, sef copi o'r *Seren Foreu* ond mae'r tad wedi rhedeg i ymguddio! Y fam yw'r arwres a'r tad yn cael ei ddarlunio fel person gwan, diymadferth ac ofnus.[28] Yn *Y Gwir Fedyddiwr* clodforir y fam mewn cyfres o chwech o englynion gan Ieuan Lleurwg.[29]

Ym mhlethiad y teulu, gan ddilyn chwaeth yr oes, yr elfen waelodol oedd ufudd-dod y plentyn i'w rieni. Cwestiwn rhethregol golygydd *Athraw i Blentyn* ar drothwy'r Calan yw, 'A ydych wedi cynyddu mewn gwybodaeth fuddiol? Yn fwy ufudd i'ch rhieni?'[30] a diwedd y flwyddyn rhydd erthygl dan y pennawd 'Ufudd-dod i rieni' sy'n pwysleisio fod cyfraith Duw yn galw ar y plant i ufuddhau a bod anufudd-dod yn arwain i ddistryw.[31] Yn *Pethau Newydd a Hen* croniclir pregeth ar destun o Effesiaid, 'Y plant ufuddhewch i'ch rhieni' a'r neges yn syml oedd mai plant drwg oedd plant anufudd, 'ac os felly y parhânt, at y drwg i uffern y bydd raid iddynt fyned'.[32]

Mae a wnelo'r cyfnodolion cynnar, hefyd, â byw bob dydd, nid deunydd oriau hamdden mohonynt. Y mae pob tudalen yn goferu â chanllawiau penodol ar gyfer byw y bywyd mae Duw'n ei chwennych i'w ddilynwyr a dyma paham y pwysleisir diwydrwydd trwy fod yn aelod selog yn yr Ysgol Sul a cheisio cyfrannu i ledaenu cylchrediad y cyfnodolion ymysg eu cymheiriaid.[33] Elfen o'r diwydrwydd hwn oedd ymdrechion yr Ysgol Sul i addysgu plant a'u harwain i'r gwirionedd a dyna pam eu bod yn llawn o erthyglau ar gymwysterau athrawon yr ysgolion. Meddai golygydd, *Tywysydd yr Ieuainc* (1844) 'Byddai genym filoedd o ddynion gwir ddysgedig yn mhlith gweithwyr ein gwlad, pe gwnelent y defnydd goreu o'u hamser.'[34]

Mae'r pwyslais Calfinaidd ar y Duw sofran a'r greadigaeth i gyd dan ei reolaeth yn amlygu ei hun ar dudalennau'r cyfnodolion. Rhoddant le amlwg i wahanol greaduriaid a cheir yn *Cydymaith yr Ieuenctid* ddisgrifiad byw, manwl a gwyddonol o'r Sibrwdydd (Humming Bird) a grëwyd 'drwy allu a doethineb y Creawdwr'.[35] A chyffelybir y ddafad i berson sy'n mynd ar goll 'ac felly mae'r Beibl yn dweud amdanon ni' meddai golygydd yr *Athraw*.[36] Yr un pwyslais a geir yn y pytiau yn *Seren Foreu* sy'n cymharu bywyd y glöyn byw a oedd ar un adeg yn lindys llwydaidd ond sydd bellach yn oedolyn 'Ysbrydol....a bywiog yn yr awyr fry' ac ni all yr awdur orffen heb daro nodyn personol i ddyrchafu'r darllenydd, 'felly, nid yw yr olwg lwydaidd ac egwan sydd arnoch chwithau, yn un prawf na welir chwi fel yr angel dysclaer etto ddydd a ddaw, os ydych yn blentyn duwiol'.[37] Yr un yw neges *Trysor i Blentyn,* 'mae bys Duw i'w weld ym mhob peth, hyd yn oed yn y drychbryfaid gwaelaf, ac y mae creaduriaid distadlaf yn dweyd yn eu hiaith, mae Duw mawr mewn bod'.[38] Gweld ôl y Creawdwr yn holl wead y Cread mae awduron y cyfnodolion a rhoi cysur a gobaith dan amodau anodd a thrallodus.

Elfen arall yn y cyfnodolion yw'r pwyslais a roddir ar ddewrder ac arwriaeth plentyn yn wyneb angau. Ymddangosodd yr elfen hon i ddechrau yn y llyfr cyntaf a ysgrifennwyd ar gyfer plant yn y Gymraeg, *Anrheg i Blentyn* gan Thomas Jones (1816).[39] Cyfrol oedd hon wedi'i llunio ar waith James Janeway, *A Token for Children* (1671)[40] a gynhwysai dair ar ddeg o straeon am blant bychain ar eu gwely angau. Agorodd y gyfrol hon ddrysau newydd i blant oedd wedi eu meithrin ar gatecismau yn unig; pwysleisiwyd yr elfen storïol gyda'r nod o achub enaid, fel y cyfeiria un sylwebydd, 'children were given Janeway to improve their souls as much as their reading'.[41]

Gellir cadarnhau'r feddylfryd hon yng ngwaith Thomas Jones a hefyd yn y cyfnodolion gan fod delio â marwolaeth yn rhan allweddol o addysg Efengylaidd y cyfnod gan fod amser yn brin, a thragwyddoldeb yn galw tu hwnt i'r bedd, rhaid felly oedd arwain y plant i ystyried yn ddwys eu tynged.[42] Ni ellid osgoi, yn y cyfnod hwnnw, farwolaethau disyfyd plant bach a gorfodwyd rhieni i chwilio am gysur, esboniad a gobaith dan amgylchiadau brawychus ac argyfyngus. Myn R. Tudur Jones mai un ffordd o wneud hyn oedd trwy goffau marwolaethau plant bach ar dudalennau'r cylchgronau.[43] Â yn ei flaen i ddweud fod rhieni trwy roi mynegiant llenyddol i'r tristwch yn ei gyfyngu a'i osod oddi mewn i batrwm ystyrlon lle gellid edrych ar farwolaeth fel gweithred arwrol, fawreddog.[44] Rhydd *Pethau Newydd a Hen* gofnodion manwl o farwolaethau Mary Andrews yn 15 oed,[45] Susan Howells yn 19 oed [46] a John yn 10 oed.[47] Un peth sy'n amlwg iawn yn y storïau hyn yw rhwyddineb y mynegiant sy'n darlunio marwolaeth fel un o ddigwyddiadau mwyaf cyffredin bywyd a hynny'n cael ei ddarlunio'n ffurfiol ac oeraidd. Elfen arall arwyddocaol yw'r modd mae'r plentyn, yn ymresymu ac yn trafod angau yn gwbl agored. Fel yn hanes Jane Evans, 5 oed, a ymhyfrydai ar ei gwely angau ei bod wedi cadw'n ffyddlon i'r Ysgol Sul, yr oedfaon pregethu a'r seiat ac wedi cerdded dwy neu dair milltir i'r cyfarfodydd gweddi gyda'r nos.[48] Efallai, mai'r dull llenyddol o gofnodi sy'n gwneud i'r digwyddiadau hyn ymylu ar ormodiaith i'r darllenydd yn ein cyfnod ni. Byddai'r beiddgar yn barod i ddweud fod marwolaethau plant bach wedi caledu rhieni a'u gorfodi i'w drafod mewn dull oeraidd a digynnwrf.

Rhoddir yn y cyfnodolion grynodebau o fywyd a chyfraniadau enwogion ac arloeswyr ond prin iawn yw'r cyfeiriadau at wŷr enwog yn hanes Cymru. Er enghraifft, rhoddir cofnod o waith arloesol Robert Raikes a'i Ysgolion Sul yn Lloegr mewn sawl cyfnodolyn ond prin iawn yw'r sôn am Griffith Jones a Thomas Charles a'r hyn sy'n amlwg iawn yw'r diffyg ymwybyddiaeth o orffennol y genedl. Er fod *Cydymaith yr Ieuengctid* a argraffwyd gan John Jones yn Llanrwst yn cynnwys englyn gan un o emynwyr amlycaf Cymru, Robert ap Gwilym Ddu,[49] mae rhan helaeth o'r cyfnodolyn yn ymdrin â phynciau megis, Dull y Laplaniaid o gladdu,[50] Policarp,[51] Chwedl Rwsiaidd[52] a hanes Thomas Pett y Cybydd.[53] Roedd yr erthyglau hyn ar gael yn y traethodau crefyddol Saesneg ac felly wedi eu cyfieithu'n barod ac ambell dro cydnabyddir hyn ar ddiwedd erthygl. Mae'n werth nodi eu bod yn rhoi lle amlwg i bobl gyffredin a'u hunig gymhwyster oedd eu hymarweddiad crefyddol.[54] Gellir dadlau fod hyn yn ei dro yn codi ymwybyddiaeth a dangos eu bod yn perthyn i fudiad enfawr o bobl a phlant o gyffelyb anian. Esgorodd hyn ar hyder a blaengaredd a'u codi uwchlaw eu sefyllfaoedd bob dydd a'u gwneud yn llais yn erbyn drygau ac anghyfiawnderau eu hoes. Roedd hyn yn wir hefyd am y sylw a gâi unigolion wrth anfon eu cwestiynau ar wahanol rannau o'r Beibl lle rhoddid sylw ac atebion cynhwysfawr iddynt.[55] Ceir yr un pwyslais wrth gofnodi marwolaethau pobl gyffredin – rhoddir pedair tudalen i Mrs Martha Bowen o Lys-y-fran, Sir Benfro[56] a phenillion i goffau Ebenezer Morris, Sir Aberteifi.[57] Dyrchafu'r cyffredin a chanmol doniau'r unigolion a wneir ar y tudalennau a hynny yn ei dro yn cadw'r fflam ynghyn a dangos yr un pryd eu bod yn rhan o fintai gref, ffyddloniaid yr Ysgol Sul.

Fel y gwelwyd yn Lloegr cyhoeddid dau fath o gylchgrawn, un a anelai at y plant a'r llall yn benodol ar gyfer yr athrawon. O ddadansoddi'r cynnyrch yng Nghymru, deunydd i'r teulu cyfan a geid er fod ambell gyfnodolyn fel *Yr Esboniwr* wedi'i baratoi ar gyfer yr athro. Bu'n rhaid disgwyl tan 1862 cyn y gwelwyd cylchgrawn amrywiol, plentyn-ganolog, pan ymddangosodd *Trysorfa y Plant* dan olygiaeth Thomas Levi. Mae'n amlwg fod gofyn am gylchgrawn o'r fath gan i'r cylchrediad chwyddo o flwyddyn i flwyddyn, o 11,000 yn 1862 i 40,000 yn 1881.[58]

Y Traethodau Crefyddol

Ni ellir anwybyddu cyfraniad sylweddol y traethodau crefyddol fel cyfrwng darllen i ddeiliaid yr Ysgol Sul ac ym marn Thomas Levi (1882) roedd cyhoeddi'r traethodau hyn yn un o'r pethau mwyaf nerthol yn y byd 'i ledaenu gwirionedd pur yr Efengyl trwy y wasg, ymysg gwahanol genhedloedd y ddaear'.[59] Nid gormodiaith mo'r geiriau pan sylweddolir bod 80 miliwn ohonynt yn cael eu cynhyrchu'n flynyddol erbyn 1882.[60] Bodolai traethodau crefyddol o ddechrau'r Diwygiad Protestannaidd ymlaen drwy'r ddeunawfed ganrif gydag ymdrechion y Gymdeithas er Taenu Gwybodaeth Gristnogol (SPCK). Cyn gynhared â'r flwyddyn 1701, yn dilyn cyfarfod o'r Gymdeithas honno, gofynnwyd i'r Dr Josiah Woodward gyfansoddi traethawd penodol ar gyfer milwyr.[61] Penderfynwyd cyhoeddi pum mil o'r *The Souldier's Monitor,* cyhoeddiad 72 o dudalennau[62] a dilynwyd hwn gan deitlau eraill, *The Young man's Monitor, Kind Caution to Swearers,* a *Dissuasive from Drunkeness.*[63]

Mewn cyfarfod o'r Gymdeithas, 16 Gorffennaf 1701, datgelwyd fod un grŵp wedi rhannu, 'above thirty thousand printed Papers throughout all the publick Houses in and about Westminster, and that all these Papers had been well received in all these Houses, tho' between six and seaven [*sic*] thousand in number, except in about twenty of them'.[64] Daliai'r Gymdeithas ar bob cyfle i ddosbarthu'r traethodau, a hynny hyd yn oed mewn angladdau, pan ddosbarthwyd pregeth angladdol Iarll Rochester a fu farw yn 1680, a'r traethodyn yn dal i gael ei ailgyhoeddi a'i rannu yn 1798.[65] Yn dilyn llwyddiant y traethodau penderfynodd y Gymdeithas ofyn i bobl o wahanol gefndiroedd a galwedigaethau ysgrifennu'n benodol ar gyfer milwyr, llongwyr, gweision, carcharorion a ffermwyr.[66]

Cyhoeddodd Mrs Sarah Trimmer yn 1787, *Servants' Friend: 'An Exemplary Tale Desgined to Enforce the Religious Instructions Given at Sunday and Other Charity Schools,'* llyfryn o 113 o dudalennau ond prin fod cyfrol drwchus fel hon wedi cyrraedd y gweision a'u tebyg. Byrhoedlog fu ei *Family Magazine* ond doedd dim dwywaith na ddylanwadodd y cylchgrawn hwn ar Hannah More gan fod Mrs Jones, sy'n ymddangos yn nau gyhoeddiad More sef *The Cottage Cook* a *The Sunday School,* yn gymeriad o'r un tueddiadau â Mrs Andrews yng ngwaith Trimmer.[67]

Fel roedd yr Ysgolion Sul yn cynyddu daeth Lloegr dan ddylanwad y Chwyldro Ffrengig a mawr fu'r disgwyl am y dydd y byddai'r Saeson fel y Ffrancwyr yn datod y llyffetheiriau a gweithredu'n uniongyrchol. Yn dilyn y cyhoeddiad *Reflections on the Revolution in France,* Edmund Burke a ddisgrifiodd y gyflafan yn Ffrainc gan ragweld digwyddiadau cyffelyb yn Lloegr, cawn Tom Paine yn ymateb i'r gyfrol yn ei *The Rights of Man* ym Mawrth 1791. Am dri swllt, yr un pris â chyfrol Burke, credai'r Torïaid ei bod ymhell o gyrraedd y tlodion ac felly nad oedd ganddynt mo'r modd na'r hawl i'w darllen. Ymhen ychydig wythnosau, gyda chymorth y *London Constitutional Society* roedd 50,000 wedi eu dosbarthu ymhlith y 'lower orders' gan grefu ar Paine i gyhoeddi ei gyfrol yn rhatach.[68] Pan gyhoeddwyd yr ail ran, yng ngwanwyn 1792, am bris o chwecheiniog a'r rhan gyntaf wedi ei ail gyhoeddi'n rhatach, ymhen mis roedd 32,000 o gopïau wedi'u gwerthu eithr yr hyn a gynhyrfodd Pitt a'i Lywodraeth oedd cynnwys chwyldroadol y pamffledi.[69] Dangosodd hyn yn glir yr awch am ddeunyddiau darllen ymysg haenau isaf cymdeithas. Ar gais Esgob Llundain dechreuodd Hannah More (1745 – 1833)[70] ysgrifennu traethodau ar gyfer yr haen isaf o gymdeithas a hynny er mwyn gwrthsefyll llanw y llenyddiaeth radicalaidd a fodolai bryd hynny. Gan fod ganddi brofiad uniongyrchol o ddysgu yn ei Hysgolion Sul yng Ngwlad yr Haf, ei huchelgais oedd cyhoeddi *chapbooks* fyddai'n pwysleisio'r moesol yn hytrach na'r politicaidd a dyrchafu dyletswyddau a chyfrifoldebau yn hytrach na hawliau ac iawnderau.

Mae'r mwyafrif o'i thraethodau yn straeon neu'n faledi o gynllun syml, iaith fywiog a'r neges foesol yn amlwg yng ngweithredoedd a digwyddiadau'r cymeriadau. O safbwynt saernïaeth mae pob stori'n dilyn yr un patrwm gyda chymeriad canolog, fel arfer o gefndir tlawd, yn wynebu argyfwng yn ei fywyd. Mae'r cymeriad naill ai'n ymateb yn gadarnhaol i'w brofiadau helbulus ac o wneud hynny'n cael cymorth fel yn hanes Betty Brown, neu mae'n wynebu marwolaeth gan edifarhau am ei fywyd afradlon.[71] Mae'r neges foesol wedi'i nyddu'n gelfydd i fywyd beunyddiol pobl gyffredin – pobl y byddai'r darllenwyr yn gallu uniaethu â hwy yn nhroeon bywyd bob dydd.

Themâu eraill a nodweddai'r traethodau oedd diffyg diwydrwydd, loetran wrth fynd ar negeseuon a'r camddefnydd o amser hamdden gyda phwyslais arbennig ar ddrygau'r ffeiriau a gamblo. Roedd meddwdod, yn arbennig yfed *gin*, yn chwarae rhan allweddol yn nirywiad iechyd, darbodaeth a duwioldeb.[72] Canolwyd y drwg weithredu yn ninas Llundain lle wynebodd llawer iawn o gymeriadau allweddol y traethodau eu tranc. Dinas beryglus oedd hi ac ni wyddai llawer o'r rhai oedd a'u bryd ar y bywyd dinesig am y 'temptations they are under from bad women, wicked company, and a great number of alehouses'.[73] Dyna oedd tynged 'Sinful Sally' yn y ddinas fawr ac yn ei horiau olaf, a hithau heb yr un geiniog mae'n galw ar Dduw i drugarhau wrthi.[74]

Tra condemnir yr elfennau negyddol rhoddir pwyslais hefyd ar yr agweddau cadarnhaol megis gonestrwydd, duwioldeb, cymedroldeb, gostyngeiddrwydd, a diwydrwydd, ac mae'r rhagoriaethau hyn i'w canfod oddi mewn i fywyd teuluaidd lle rhoddwyd pwyslais ar berthynas rhieni â'i gilydd a'u perthynas â'r plant. Nodweddion amlycaf y traethodau oedd bod yr iaith, yr arddull a'r stori o fewn profiadau'r darllenwyr lle pwysleisiwyd yr elfennau teuluaidd yn hytrach na'r cymdeithasol gan fod bywyd cymdeithasol yn esgor ar weithredoedd anfoesol a di-fudd. Deilliai'r nodweddion crefyddol o ddibyniaeth aelodau'r teulu ar ei gilydd a'u hymwybyddiaeth fod Duw yn amlwg yn y tymhorol yn ogystal a'r tragwyddol.[75]

Cyn gynhared ag 1802 ymosodwyd ar y *genre* hwn gan William Shaw trwy fynnu 'that these cheap little tracts intoxicated ignorant men with hatred and madness of war more effectively than the Gin-Shop' a bod ei 'bloody piety' yn cael ei annog gan y Llywodraeth i hyrwyddo ysbryd rhyfelgar ymhlith y bobl.[76] Daeth beirniadaeth, hefyd, ond nid mor chwyrn ag eiddo Shaw, o du Cymdeithas y Traethodau Crefyddol[77] a gychwynnwyd yn 1799. Ymhyfrydai'r Gymdeithas yn amrediad eang traethodau More ond roedd un gwendid amlwg, roeddynt yn brin o'r egwyddorion Efengylaidd.[78] Ym marn Susan Pedersen, methiant fu ei hymdrechion, hefyd, i ddiwygio llenyddiaeth boblogaidd y cyfnod ac yn ei barn hi y Penny Magazines a fu'n gyfrifol am y trawsnewid yn nulliau darllen pobl.[79]

Cymdeithas y Traethodau Crefyddol

Y Parch George Burder (1752 – 1832) gweinidog gyda'r Annibynwyr, oedd sylfaenydd y gymdeithas hon. Yn gynnar yn y flwyddyn 1781, cyfansoddodd y traethodyn cyntaf, *The Good Old Way*[80] ac yn ôl pob hanes anfonodd gopi i bob tŷ yn Lancaster, eithr dychwelwyd un neu ddau o gopïau gyda sylwadau anweddus arnynt.[81] Ni bu hyn yn rhwystr i Burder ymaflyd o ddifri yn y gwaith. Yn dilyn oedfa bregethu Cymdeithas Genhadol Llundain (LMS) ym Mai 1799 perswadiodd griw o weinidogion a lleygwyr i ymgynnull yn nhŷ coffi St Paul's am 7 o'r gloch y bore dilynol ac erbyn deg o'r gloch ar y 10 Mai penderfynwyd ffurfio cymdeithas, *The Religious Tract Society*. Syml iawn oedd y rheolau, sef tal aelodaeth o hanner gini'r flwyddyn, y cyfarfod blynyddol i'w gynnal ar fore Iau yn ystod yr wythnos genhadol a thalu am y traethodau wrth eu derbyn.[82]

O safbwynt y cynnwys roeddynt i 'gynrychioli'r gwirionedd' ac nad oedd arlliw o liw enwadol arnynt. Dylai'r iaith fod o fewn cyrraedd y darllenydd gyda phwyslais ymhob traethodyn ar 'some account of the way of a sinner's salvation – he must be born again of the spirit, and justified by faith in the obedience of Jesus unto death' ac os nad oedd hyn yn cael ei bwysleisio a'i hyrwyddo roedd traethodyn yn ddiwerth.[83] Paratowyd y traethodyn cyntaf gan David Bogue (1750 – 1825) a gynhwysai reolau'r gymdeithas gyda'r pwyslais ar wirioneddau'r Efengyl, 'so that, if a person were to see but one, and never had an opportunity of seeing another book, he might plainly perceive his path to salvation'.[84] Tra gwahanol oedd y pwyslais hwn i'w gymharu â thraethodau storïol, moesol Hannah More. Gwyddys i Thomas Charles fod yn *Country Member* o'r gymdeithas hon ac yn un o'r cyfarfodydd yn Rhagfyr 1802 apeliodd am Feiblau i Gymru ac ymateb calonogol Ysgrifennydd y Gymdeithas y Parch Joseph Hughes, Battersea oedd, 'Surely a society might be formed for the purpose, and if for Wales, why not also for the Empire and the world.'[85] Yn y pwyllgor hwn y plannwyd hedyn Cymdeithas y Beiblau.

Hirymarhous fu'r Cymry ar y dechrau gan mai dim ond pump o draethodau a gyfieithwyd erbyn 1806, 'the Welsh community have been in favour of *hearing* rather than of *reading*'.[86] Mewn cyfarfod o glerigwyr a lleygwyr esgobaeth Bangor, Rhagfyr 1804, penderfynwyd ffurfio *The Bangor Tract Society* i gyhoeddi traethodau ar bynciau crefyddol yn Gymraeg gan nodi y byddai angen cefnogaeth ariannol enfawr i sylweddoli'r freuddwyd.[87] Ardal arall fu'n weithgar yn cyhoeddi a hybu'r traethodau yn Gymraeg oedd Aberystwyth a'r gymdogaeth ac argraffwyd y cynnyrch gan J. Cox dros y Gymdeithas.[88]

Nodweddion

Amrywiai'r traethodau o ran maint a nifer y tudalennau, gyda'r rhai lleiaf yn mesur 7cm × 10cm a'r rhai mwyafrif yn 11cm × 17cm ac amrywiai nifer y tudalennau o 4 i 48 a thros y blynyddoedd ymddangosodd mwy a mwy o engrafiadau ynddynt. Prisiwyd y traethodau a gyhoeddwyd gan y Gymdeithas yn Llundain ac Aberystwyth fel a ganlyn: 1 tudalen, 6c am 100; 4 tudalen, 1s 6d am 100; 8 tudalen, 2s 4d am 100. Nid oes ddyddiad nac enw awdur ar y mwyafrif o draethodau'r cyfnod hwn, er bod rhai o draethodau Cymdeithas Aberystwyth wedi eu dyddio rhwng 1827 a Gorffennaf 1829. O safbwynt iaith a chystrawen ni ellir gwahaniaethu rhwng y traethodau ar gyfer yr oedolion a'r plant. Cymerer enghraifft o *Annerch Byr i Blant yr Ysgolion Sul ac eraill ynghylch Dydd Gwener Groglith* a ysgrifennwyd ar ffurf holwyddoreg, 'Gormod o Antinomiaeth benrydd, a rhy fach o wir grefydd sy'n ein gwlad ni. Rhaid i'r gwaed gwerthfawr a ffrydiodd ar Galfaria, ar yr wyl ryfeddol hon, gael ei daenellu ar y galon, gan yr Ysbryd Glân, cyn cael lles oddi wrth Loesau'r Iesu.'[89] Roedd gofyn i'r plentyn fod â chryn feistrolaeth ar iaith a diwinyddiaeth i ddeall cynnwys y traethodyn hwn! Ar y llaw arall ceir ambell un, ond prin iawn ydynt, sy'n ymdrechu i gyfathrebu'n uniongyrchol â'r plentyn a hynny trwy ddefnyddio ieithwedd syml, storïol.[90] Unwaith eto yn y traethodau a'r deunyddiau eraill rhyngweithio rhwng aelodau'r teulu cyfan oedd y nod.

Ym mlynyddoedd cynnar y traethodau cyfieithiadau oedd y mwyafrif ohonynt ond yn ystod ail hanner y bedwaredd ganrif ar bymtheg gwelwyd mwy o gynnyrch gwreiddiol. Cafwyd peth amrywiaeth yn y dulliau o gyflwyno; pregeth, deialog, holwyddoreg, traethawd, penillion ond prin oedd y dull storïol fel a gafwyd yng ngwaith Hannah More. Gan fod y Gymdeithas o'r dechrau wedi rhoi'r pwyslais ar yr Efengyl yn ei phurdeb gyda'r pwyslais ar iachawdwriaeth mae'r mwyafrif ohonynt yn rhoi lle canolog i'r Beibl [91] gan fanylu ar gynnwys gwahanol adrannau megis, llyfr y Salmau,[92] ac Efengyl Mathew.[93]

Thema arall ganolog yn y traethodau oedd y pwyslais ar bechod fel y gwelir yn y traethodyn sy'n manylu ar ddamwain a ddigwyddodd ger Abergele, lle mae'n cyffelybu pechod i'r tân ysol a chynyddol sydd yn y diwedd yn difetha'n llwyr.[94] Mae'r paratoad ar gyfer marwolaeth yn gysyniad arall y rhoddwyd cryn sylw iddo,[95] rhai wedi byw bywyd afradlon ac eraill fel Ysgolheiges yr Ysgol Sul yn wynebu angau trwy arsyllu ar lythrennau breision y Beibl, 'Testament Newydd ein harglwydd Iesu Grist'.[96] Themâu eraill a bwysleisir yw cadw'r Saboth, arwyddocâd y Sacramentau, y pwyslais ar ddysgu darllen, a chynhwysir cerddi, er enghraifft, Theomemphus[97] a baledi.[98] Erbyn dechrau ail hanner y ganrif cyhoeddwyd llyfrau bychain 7cm × 10cm fel yr un ar hanes y gwenyn sy'n pwysleisio eu rhinweddau, eu dyfalbarhad, taclusrwydd, diwydrwydd a'u defnyddioldeb i ddynoliaeth.[99]

Defnyddid y traethodau hyn fel gwobrwyon i gydnabod ffyddlondeb a llafur disgyblion yr Ysgol Sul a hefyd fel tasg genhadol i'r plant i'w dosbarthu o dŷ i dŷ.[100] Mae'n werth nodi cynnydd dosbarthiad y traethodau rhwng 1799 ac 1844 gan sylwi ar y niferoedd a ddosbarthwyd a chyfanswm enfawr y derbyniadau oedd bryd hynny yn grocbris.

Tabl 6: 1   Dosbarthiad a derbyniadau y traethodau crefyddol rhwng 1799 a 1844 [101]

Blynyddoedd	Dosbarthiad	Cyfanswm y derbyniadau
1799 – 1804	1,739,638	£3,667 – 7s – 4c
1805 – 1814	16,248,852	£29,829 – 13s – 8g
1815 – 1824	47,949,997	£73,866 – 14s – 10c
1825 – 1834	107,844,977	£252,311 – 1s – 2g
1835 - 1844	167,613,831	£592,911 – 12s – 1g

Nod amgen y traethodau yw eu bod o ran cynnwys yn cyffwrdd â holl anghenion a phrofiadau bywyd yn ei gyfanrwydd yn y byd hwn a'r byd a ddaw a hyn yn ei dro yn tanlinellu'r diwylliant a'r feddylfryd Efengylaidd.

Esboniadau

Ysgrifennodd Thomas Gee, Dinbych, lythyr at Owen Thomas, Lerpwl, i geisio'i gefnogaeth i gyhoeddi esboniad ar y Testament Newydd, o fil o dudalennau, a fyddai'n gynnyrch cywaith panel o esbonwyr.[102] Ar y pryd ni allai Owen Thomas weld ei ffordd yn glir. Cysylltodd Lewis Edwards ag Owen Thomas i annog arweinwyr y Methodistiaid i baratoi esboniad gwreiddiol yn y Gymraeg.[103] Y ceisiadau hyn yn y pendraw fu'n ysbardun i gyhoeddi *Testament yr Ysgol Sabbothol* a welodd olau ddydd yn 1866.[104]

Cyn hyn bu ymdrechion i gyhoeddi esboniadau a'r esboniad cyntaf yn y Gymraeg oedd *Cyssondeb y Pedair Efengyl,* (1765) a olygwyd gan John Evans.[105] Nod yr awdur oedd cyflwyno'r athrawiaeth Gristnogol yn ei symlrwydd heb godi dadleuon di-alw amdanynt[106] a hynny mewn iaith ddealladwy y byddai'r ieuenctid yn ei deall.[107] Rhoddir enghraifft o adnodau cyntaf Mathew 5:

> A phan welodd Iesu y tyrfâoedd *yn lliosgi ac yn gwasgu arno,* efe a esgynnodd i'r mynydd *nad oedd nepell o Gapernâum:* ac wedi iddo eistedd, ei ddisgyblion a ddaethont ato. Ac efe a agorodd ei enau [a ddechreuodd lefaru] ac a'i dysgodd hwynt, gan ddywedyd, Gwyn eu byd y tlodion yn yr ysbryd, *y rhai sydd o yspryd gostynedig,* ac *yn ymglywed â'i hangenrheidiau ysbrydol:* canys eiddynt hwy [*nid eiddo'r goludog uchel-drem*] yw teyrnas nefoedd *sef breiniau a bendithion eglwys Crist yn y byd hwn ac yn y byd a ddaw.* [108]

Yr hyn a geir yw geiriau'r Beibl gydag ychwanegiadau'r esboniwr wedi'u hitaleiddio. Yn dilyn ceir *Nodau* sy'n esbonio a dehongli'r testun, 'Mae pob rhinwedd neu ras yn dwyn dyn yn ei flaen ryw ychydig, tu ag at ei wynfyd. Eithr rhaid iddo gysylltu y rhai hyn i gyd, megis yn un trwsiad cyfan, cyn y dygant ef o fewn cyrraedd i'w wynfyd; a gwaith crefydd yw ei gyfarwyddo ef yn y ffordd i'r diben hynny.'[109] Ymhen tair blynedd ar ôl cyhoeddi'r gyfrol hon daeth rhan gyntaf, *Y Bibl Sanctaidd: sef yr Hen Destament a'r Newydd, gyd a Nodau a Sylwiadau ar bob Pennod,* neu'r *Beibl Mawr* ar y farchnad dan olygiaeth Peter Williams (1723 – 1796). Ymddangosodd y rhan gyntaf yn Ionawr 1768 a'r bymthegfed adran, sef yr olaf ym Mai 1770. Cyhoeddwyd 8,600 o gopïau a'r pris oedd gini am y cyfrolau cyflawn, pymtheg ohonynt, neu swllt am bob cyfrol.[110] Rhannwyd yr esboniad hwn i dair adran. Yn y 'Cynhwysiad' ceid ychydig o wybodaeth am awduriaeth, dyddiad ysgrifennu a chrynodeb o'r cynnwys, yna crynodeb byr o gynnwys pob adran ymhob pennod ac ar ddiwedd pob pennod esboniad neu 'Sylwiadau' byr sy'n crynhoi prif nodweddion y bennod. Gwelir gogwydd yr esboniwr pan fo'n trafod y 'bugail' yn Salm 23:

> Y mae'r gair Bugael, yn cynnwys ynddo, gynhaliaeth diogelwch, iechyd, bywyd, cyfarwyddyd yn llwybr cyfiawnder, cerydd, cyffir, sicr ddihangfa trwy angau a bywyd tragwyddol yn y nefoedd. Dedwydd yw y rhai a roddant ofal eu cyrph a'u heneidiau i'r Bugail Da, Iesu Grist.

Prin y gellir ei ystyried fel 'esboniad' yn ystyr modern y gair ond yr hyn a geir yma yw canllawiau syml i esbonio'r testun oddi mewn i fframwaith ddiwinyddol. Bu'r Beibl Mawr, cyn iddo gychwyn ar ei rawd, dan lach Evan Evans, Ieuan Brydydd Hir, (1731 – 88) a Rhisiart Morys (1703 – 79) o Fôn. Ym marn di-flewyn-ar-dafod y Prydydd Hir nid oedd yr awdur yn gymwys ar gyfer y gwaith[111] a chwyrnai Morys am 'Gymraeg gandryll' yr awdur.[112] Mae'n werth nodi i Peter Williams fenthyca patrwm ei esboniad oddi wrth Jean Frédéric Ostervald (1663 – 1747), gweinidog o Neuchâtel, y Swisdir, er i Gwili amau dyled Peter Williams i'r gŵr hwnnw.[113] Gwyddom i 'Sylwiadau' Peter Williams ar Ioan 1: 1 beri'r fath gyffro diwinyddol gan iddo yn ei sylwadau gofleidio syniadau Sabelaidd. Yn hytrach na mynegi fod tri pherson gwahanol a gogyfuwch yn y Duwdod meiddiodd ddweud mai agwedd olynol ar yr un Duw yw'r Tad, y Mab a'r Ysbryd Glân[114] a phendraw hyn oedd ei gyhuddo o heresi ac fe'i diarddelwyd yn sasiwn Llandeilo yn 1791.[115] Eithr, mae'n werth dangos rhagoriaeth y Beibl Mawr yng ngeiriau John Elias o Fôn pan ddywedodd mai dim ond un esboniad oedd yn ei feddiant a hwnnw oedd Beibl Peter Williams, 'Esboniad byr a da ydyw; a dyn da a defnyddiol yn ei oes fu efe'.[116] Edrychid arno gan laweroedd yng Nghymru 'fel yn meddu ar ysbrydoliaeth ac awdurdod arbennig'.[117] Nid oes amheuaeth mai iddo ef felly 'y perthyn y clod, nid yn unig o argraffu'r Beibl gyntaf yng Nghymru, ond o gyhoeddi'r esboniad cyntaf ar y Beibl yn Gymraeg'.[118]

Teimlai y Dr George Lewis (1763 – 1822) fod yr esboniadau gyda 'nodau cyfeiriol ar ymmyl neu odrau'r ddalen.....a chyhoeddi 'sylwiadau' ar ddiwedd pob pennod'[119] yn annigonol. Er iddo ganmol ymdrechion Peter Williams teimlai fod angen esboniad ar gyfer gwerin diddysg Cymru:

Fy amcan i yw bod o ryw fesur o gynnorthwy i'r cyffredin bobl a'r tlodion, y rhai nad ydynt yn deall dim ond yr hyn a gaffont yn yr iaith Gymraeg.[120]

Yn ei ragarweiniad rhydd Lewis ei ddadleuon dros baratoi ei esboniad a'r egwyddor lywodraethol yw mai Gair Duw yw'r Beibl, '......wedi ei roddi trwy 'ysprydoliaeth Duw' a'r hyn a gawn ynddo yw cofnod o Dduw yn datguddio gwirioneddau newydd amdano'i hun i'w bobl. Yr Ysbryd Glân yw awdur y Beibl a hynny'n cael ei adlewyrchu yn unoliaeth y gwirioneddau a adlewyrchir ar ei dudalennau. Ym marn Lewis gall y Beibl ei hunan fod yn esboniad ar y rhannau tywyll trwy eu cymharu â'r rhannau sy'n ddealladwy.[121] Gellir crynhoi ymresymiad Lewis pan ddywed fod gweddi'n rhan o egwyddor esboniadaeth,[122] ac meddai ymhellach, 'y mae'n ddiamheuol mai'r Ysbryd Glân yw'r Dehonglydd goreu o'i eiriau ei hun'.[123] Mae'n amlwg, yn ôl y rhagymadrodd, fod Lewis yn awyddus iawn i ddarllenwyr yr *Esponiad* bori yn ei gyfrol *Corff o Ddifinyddiaeth Efangylaidd* yn ogystal. Mae wedi hwyluso'r gwaith i'r darllenydd trwy gyfeirio at y gyfrol hon mewn rhannau o'r *Esponiad* a rhoddir rhif y tudalennau.[124] Pwrpas hyn oedd ymhelaethu ar gynnwys ei esboniad a'i ddiben oedd 'bod yn ddefnyddiol i'r mwyaf anwybodus'.[125] Yr hyn a gawn yn ei esboniad yw rhagymadrodd byr i'r llyfr a drafodir ac yna esboniad ar bob adnod fesul pennod. Nid oes 'sylwiadau' gan fod hynny wedi ei wneud 'eisoes, trwy ymdrechiadau y diweddar ymdrechgar a llafurus Peter Williams'.[126] Yn esboniadau Peter Williams a George Lewis, cawn ddau begwn esboniadaeth Feiblaidd, ar y naill law nodiadau esboniadol byr gwaelod y dudalen ac ar y llaw arall esboniad manwl a cheir enghreifftiau o'r ddau fath yn cyd redeg yn yr Ysgolion Sul.[127]

Prin iawn oedd esboniadau gwreiddiol Cymraeg a'r hyn a gaed oedd cyfieithiadau o'r esboniadau Saesneg. Esboniad ysgolheigaidd oedd *Esboniad Clarke* a gyhoeddwyd am y tro cyntaf yn 1759 ond ni chafwyd cyfieithiad Cymraeg ohono hyd 1813 gan John Humphreys. Bu Simon Llwyd o'r Bala, (cyfaill i Thomas Charles) Michael Jones, Llanuwchllyn, a J. Llwyd, Meirion a E. Griffith, Bowyr yn cyfieithu *Esboniad Mathew Henry* a bu hwn yn boblogaidd iawn ymysg athrawon yr Ysgol Sul.[128] Esboniad poblogaidd arall yn yr Ysgolion Sul oedd *Esboniad Scott* a gyfieithwyd gan Thomas Jones, Amlwch yn 1840 a daeth tair cyfrol Owen Jones, (Meudwy Môn) (1806 – 89), Yr Wyddgrug, a gynhwysai 'nodiadau beirniadol ar y rhannau anhawddaf eu deall o ysgrythur sanctaidd yr Hen Destament a'r Newydd' ar y farchnad rhwng 1838 ac 1842 blwyddyn ei ordeinio'n weinidog gyda'r Methodistiaid Calfinaidd. Fel y dywed teitl y nodiadau a geir yn yr esboniad hwn fel yn esboniad James Hughes, Llundain,[129] roeddynt wedi eu cyfieithu o wahanol gyfrolau gan awduron Seisnig. Yn ail hanner y bedwaredd ganrif ar bymtheg y cyhoeddwyd esboniadau ar lyfrau unigol y Beibl.[130]

Tameidiog, os nad briwsionllyd, yw cynnwys y cyfnodolyn *Yr Esboniwr* dan olygyddiaeth Lewis Edwards ac efallai fod hyn yn un rheswm am ei dranc disyfyd ymhen blwyddyn. Yr hyn a geir ynddo yw esboniadau ar wahanol adnodau o'r Beibl heb na strwythur, trefn na thema i'w cysylltu. Ambell dro ceir brawddeg neu ddwy o esboniad, dro arall baragraff byr a gynhwysai eiriau Groeg. Rhoddir esboniad adnod wrth adnod o Salm 118 ond cyfieithiad yw hwn o'r *Scottish Christian Herald*.[131] Mae'n amlwg i Lewis Edwards anelu'n rhy uchel ac ni ellir ond cytuno â'r cyhoeddwyr fod y cyfnodolyn drwyddo draw 'yn rhy ddysgedig'[132] ac efallai fod Edwards wedi colli diddordeb gan fod ganddo'i lygaid ar olygu cylchgrawn mwy sylweddol a ymddangosodd yn 1845, sef y *Traethodydd*.

Yr hyn a nodweddai esboniadaeth gynnar oedd yr ymgais i ieuo rhwng beirniadaeth lenyddol ac esboniadaeth ddiwinyddol fel y gwelwyd yng nghyfraniad Peter Williams a'r Dr George Lewis ond yr hyn a welwyd yn ail hanner y bedwaredd ganrif ar bymtheg oedd ysgaru trafodaeth destunol a thrafodaeth ddiwinyddol ar y Beibl.[133] Nid ffenomenon yn perthyn i Gymru yn unig oedd hon eithr gwelid hyn yn digwydd ar y cyfandir ac yn Lloegr a daeth yn ei dro i ddylanwadu ar Gymru er bod rhai esbonwyr megis Cynddylan Jones, W. O. Evans a J. Morgan Jones yn diwinydda 'o'i hochr hi'.[134] Tasg anodd os nad amhosibl yw pwyso a mesur cyfraniad yr esboniadau i waith yr Ysgolion Sul. Gwyddys fod 'yr hen Bitar' sef Beibl Peter Williams yn gryn ffefryn gyda'r Cymry a maentumir fod hwn yn cael ei ddefnyddio gan werin yr Ysgolion Sabothol.[135] Yn y blynyddoedd dilynol yr hyn a nodweddai esboniadau canol y bedwaredd ganrif ar bymtheg oedd eu diffyg gwreiddioldeb ysgolheigaidd.[136] Dyna pam yr aed ati i baratoi esboniad oedd yn amgenach na 'chawl eildwym' ar gyfer Ysgolion Sul Cymru sef *Testament yr Ysgol Sabbothol* a ymddangosodd yn 1866.

Emynau

Prin fod yr hen Ymneilltuwyr yn hoff o ganu emynau yn eu haddoliad cyhoeddus. Iddynt hwy, darllen ac esbonio'r Gair, gweddïo a phregethu oedd prif egwyddorion eu haddoliad, 'edrychant yn gilwgus, braidd, ar unrhyw ymgais i ddod â chanu emynau i'r addoliad'.[137]

Yn Lloegr, cyhoeddodd Isaac Watts ei *Divine and Moral Songs for Children* yn 1715 a hynny o barch i garedigrwydd Syr Thomas Abney a'i wraig tuag ato yn ystod ei waeledd ddwy flynedd yn gynharach. Cyfrol oedd hon wedi ei hanelu at blant Eglwys Loegr a'r Anghydffurfwyr fel ei gilydd, boed wedi eu bedyddio ai peidio, i ymuno ynghyd i ganu mawl.[138] Bu llwyddiant y gyfrol yn ysgubol; gwerthwyd rhwng 80,000 a 100,000 o gopïau'n flynyddol.[139] Os rhywbeth, bu poblogrwydd Watts yn faen tramgwydd i eraill fentro i'r maes i gynhyrchu cyfrolau tebyg.

Prin iawn, felly, oedd emynau addas ar gyfer plant ond fe geid ambell ymgais fel yr argrafflen, *broadside* o gyfnod Siôr'I oedd yn cynnwys carol ar yr Ymgnawdoliad i'w chanu gan y plant yn ystod cyfarfod pregethu i gasglu arian ar gyfer ysgolion elusennol.[140] Yn ail hanner y ganrif diwallodd Charles Wesley yr angen i ryw raddau pan gyhoeddwyd ei gyfrol *Hymns for Children* yn 1763 ac ail argraffiad gydag ychwanegiad *And others of Riper Years* yn 1767. Nid oedd y cyhoeddiad drwyddo draw yn boblogaidd, ac eithrio'r emyn 'Gentle Jesus, meek and mild,' ac efallai fod John, brawd yr awdur, wedi taro'r hoelen ar ei phen pan ddywedodd:

There are two ways of writing or speaking to children: the one is, to let ourselves down to them; the other, to lift them up to us. Dr Watts has wrote in the former way.....speaking to children as children......The following hymns are written on the other plan, they contain strong and manly sense.....[141]

Gyda dechreuad yr Ysgolion Sul a'u dylanwad ledled y Deyrnas agorwyd y llif ddorau ac erbyn dechrau'r bedwaredd ganrif ar bymtheg daeth bri ar gyhoeddi emynau i blant a hynny o fewn ardaloedd cyfyngedig e.e. *Hymns for the Use of the Sunday Schools in Manchester* (1800) ac ychydig o flynyddoedd yn ddiweddarach *The Nottingham Collection* (1803). Dechreuwyd hefyd gyhoeddi ar gyfer gwahanol oedrannau o fewn yr Ysgolion Sul e.e. *Hymns for Infant Minds* (1810). Hon oedd awr anterth y cyfnodolion crefyddol ac ynddynt ceid emynau, er enghraifft yn y cylchgrawn *The Youth's Magazine* a gyhoeddwyd am y tro cyntaf yn 1805. Bellach roedd adrannau o fewn y cyfnodolion hyn, 'For the Young' yn ymddangos gydag emynau wedi eu hysgrifennu'n benodol ar gyfer plant. Cyhoeddodd Undeb yr Ysgolion Sul emyniadur ac ymddangosodd ail argraffiad yn 1816 a'r trydydd ar gyfer athrawon yn 1821. Dyma fu'r hanes wedyn weddill y ganrif gyda'r traethodau crefyddol yn ymuno i gyhoeddi emynau i'w canu fel rhan o addoliad yr ysgolion.[142]

Araf iawn fu'r ymgyrch i gynhyrchu a chyhoeddi emynau ar gyfer plant yng Nghymru. Pum deg chwech o flynyddoedd ar ôl cyhoeddi emyniadur Watts daeth Dafydd Jones o Gaeo i'r adwy gyda chyfieithiad o'r gyfrol, sef

Caniadau Dwyfol; wedi eu hamcanu, Mewn Iaith Esmwyth, Er Budd a Gwasanaeth i Blant.[143] Rhennir y gyfrol yn bedair adran, (i) Rhagymadrodd at bawb y mae Dugiad Plant i fynnu yn perthyn, (ii) Y Cynhwysiadau, (iii) 28 o Ganiadau Dwyfol i blant a (iv) 7- Rhai Caniadau Moesol. Mae'r gyfrol yn gyfieithiad tynn a chysáct o gyfrol Watts ac mae'n amlwg mae'r hyn a roddodd fod i'r gyfrol oedd llythyr, dyddiedig 20 Mehefin 1761, gan nifer o weinidogion Annibynnol yn deisyf rhodd gan yr SPCK o bum cant o gopïau, sef cant i bob un a arwyddodd y llythyr, o gyfrol Watts 'in the language of the ancient Britons' gan nodi fod ychydig o dlodion Cymru yn gallu darllen a deall Saesneg ac y byddai llyfrau Saesneg yn dderbyniol ganddynt.[144] Holodd Thomas Davies gweinidog Llan-y-bri, am gyfieithiad Cymraeg o gyfrol Watts, ac yn ôl D. E. Jenkins[145] roedd Dafydd Jones o Gaeo wedi rhoi addewid iddo fod cyfieithiad o emynau Watts yn barod ar gyfer y wasg. A gyhoeddwyd y cyfieithiad cyn cyfrol Dafydd Jones? Nid oes tystiolaeth; argraffiad Dafydd Jones yn unig sy'n wybyddus.

Mae'n amlwg nad y SPCK a gyhoeddodd y gyfrol ond yn hytrach Ioan Ross, Heol Awst, Caerfyrddin. Ar ddau fesur y cyfieithwyd yr emynau sef y Mesur Salm a'r Mesur Hir. Rhoddir enghraifft o'r ddau fesur ynghyd â'r gwreiddiol:

Mesur Salm:

Emyn Isaac Watts	Emyn Dafydd Jones
Song 11	Can X1
Heaven and Hell	Nef ac Uffern

1

There is beyond the sky
A heav'n of joy and love;
And holy children, when they die,
Go to that world above.

1

Mae nefoedd o lawenydd mawr
A hedd uwchlaw'r wybrennau;
A phan fo marw duwiol blant
I honno ânt yn ddiau.

2

There is a dreadful hell,
And everlasting pains,
There sinners must with devils dwell
In darknes, fire and chains. [146]

2

Mae uffern lle ofnadwy hyll,
A bythol erchyll boenau,
Drwg ddynion yno a diaflaid cân'
Mewn mwg a thân gyd-ddiodde.[147]

Mesur Hir

I Thou shalt have no more Gods but me.	`I Na foed it dduwiau ond myfi.
II Before no idol bow thy knee.	`II Un eulun nac addola di.
III Take not the name of God in vain.	`III Nac ofer gymmer Enw Duw.
IV Nor dare the sabbath day profane.	`IV Na lygra'r Sabbath sanctaidd yw.
V Give both thy parents honour due.	`V Rho i'th rieni barch a bri.
VI Take heed that thou no murder do.	`VI Na wna lofruddiaeth gochel di.
VII Abstain from words and deeds unclean	VII Cadw rhag aflan air neu waith.
VIII Nor steal, tho' thou art poor and mean.	`VIII Er tlodi na ladratta chwaith.
IX Nor make a wilful lie, nor love it.	`IX Na fydd, na châr fod yn gelwyddog.
X What is thy neighbour's dare not covet.	`X Na chwennych eiddo dy gymydog.

148   149

Yn y Caniadau Moesol, saith ohonynt, mae'r themâu'n berffaith glir a
diamwys, sef ymroi i fyw'n dda, breuder bywyd a'r wobr tu hwnt i'r bedd.
Mynegir hyn yn y gân, 'Y Rhosyn':

> Mor frau ydyw ie'ngctid a thegwch dyn byw,
>> Er iddynt fel rhosyn deccau;
> Ac er ein holl ofal i'w cadw, nid gwiw
>> Eu lladd y mae amser yn glau.

a'r pennill olaf:

> Ni byddaf balch mwyach o'm hie'ngctid na'm pryd,
>> Mewn munud y gwiwa eu gwedd;
> Ond gwneuthur daioni arogli wna hyn,
>> Fel rhosyn pan f'wy yn fy medd[150]

Gwendid Dafydd Jones oedd ei fod wedi cadw'n rhy gaeth at y gwreiddiol.
Petai wedi arall eirio ymgais Watts, yn hytrach na rhoi cyfieithiad air am air
o bob pennill 'buasai ei waith lawer yn felusach, yn fwy poblogaidd, a
defnyddiol'.[151] Eithr, barn Thomas Rees yw 'er yr holl anfanteision y llafuriai
y Cyfieithydd danynt, y mae mewn rhai penillion wedi trechu y Doctor [Watts]
o ddigon, ac mewn amryw eraill yn llawn cystal ag ef '.[152] Rhodder dwy
enghraifft sy'n ymgais i dreiddio i fyd plentyn:

> I'r Arglwydd da offrymmaf glod
>> Fy nhafod yn ddiolchgar
> Am ddysgu'm darllain (lles a bair)
>> Ei sanctaidd air mor gynnar[153]

a phennill olaf ar y testun 'Ufudd dod i rieni' oedd yn rhan hanfodol o gyfnod plentyndod:

> Ond duwiol ostyngedig blant,
> A barchant eu rhieni,
> Cânt ar y ddaear fyw yn hir
> A'u dwyn i dir goleuni.[154]

O edrych ar y ddau bennill yma'n unig, ceir ymgais i gysylltu â'r plentyn gan fod dysgu darllen ac ufudd-dod a pharch i rieni yn nodweddion amlwg o fewn ei brofiad a'r eirfa i raddau o fewn ei gyrraedd. Mae'r odlau cyrch yn y penillion yn cynnal y rhythm a'r ystwyther ac felly'n hawdd i'w cofio.
Ar gais Thomas Charles, troswyd caniadau Watts gan David Thomas (Dafydd Ddu Eryri) ac meddai mewn llythyr at Charles:[155]

> The songs are not translations of the songs of Dr Watts but they contain many of his ideas, as well as the ideas of other authors.

Mae'r awdur yn mynd rhagddo'n hyderus, 'As regards usefulness, I trust the work will be equal of that of Mr D. Jones of Caio – if not better. The Language and rhyme are Superior, beyond doubt.'[156]
Yn 1807, cyhoeddwyd *Mawl o enau Plant Bychain neu Gasgliad Bychain o Hymnau wedi eu cyhoeddi gyda golwg neillduol ar yr Ysgolion Sabbothol, allan o waith Isaac Watts*. gan George Lewis.[157] Yn y gyfrol ceir 38 o emynau i gyd wedi eu cymryd o 'Psalmau a Hymnau y Dr Watts'.[158] Yn ei ragymadrodd dywed yr awdur fod plant yn dangos parodrwydd i ganu a bod emynau yn eu tro yn eu hannog i gael blas ar ddarllen.[159] Mae'n rhaid cofio bod ystod oedran eang yn yr Ysgolion Sul ac emynau ar gyfer oedolion yw'r cyfan o'r rhain. Emynau byrion ydynt gan mwyaf, heb na theitl na thema a thrwyddynt pwysleisir goruchafiaeth a sicrwydd y Cristion:

> Pan glywai'r Iesu'n d'we'yd y bydd
> I mi gael nerth yn ol y dydd,
> Rwy'n llawenâu mewn trallod trist
> A'm pwys ar ras digonol Crist[160]

a phenllanw'r gorfoledd:

> Heb ofni'r fall nag angeu mwy
> Mi dòrwn trwy bob gelyn:
> Adenydd cariad, breichiau ffydd
> A'm dygai'n benrhydd trwyddyn.[161]

Nodwedd ganolog yr emynau yw'r llawenydd[162] a'r sicrwydd fod Iesu'n gweld y 'caethion prudd' yn eu cadwynau ond yn y diwedd dryllir y cadwynau a daw'r carcharorion yn rhydd.[163] Fel y dywed y cyfieithydd yn ei ragair dim ond emynau 'Efangylaidd a sylweddol' a gynhwysir yn y detholiad ac yn ei farn ef yn 'gymmwys i gael eu gosod yn nwylaw Plant'.[164] O safbwynt eu llawenydd a'u sirioldeb, efallai fod hynny'n wir ond o safbwynt eu diwinyddiaeth a'u profiad athrawiaethol maent ymhell o gyrraedd byd a phrofiad plentyn. Ymgais ymestynnol sydd yma i ehangu gorwelion a dyrchafu profiadau gan gofio fod hyn yn digwydd yn dorfol yng nghyd-destun aelodau'r Ysgol Sul.

'Trwy ganiatad y Brodyr yng Ngymdeithasfa, Llanrwst, Rhag 27, 28, 1820' y cyhoeddodd John Hughes, Pont Robert ei *Hymnau i'w canu yn yr Ysgolion Sabbothol yn ddwy ran, Rhan 1 Hymnau Athrawiaethol, Rhan 11, Hymnau Ymarferol* sef casgliad o 24 o emynau i gyd.[165] Mae'r awdur, yn ei ragymadrodd, yn gosod ei amcanion yn glir a chroyw, 'fy amcan yn hyn o gyfansoddiad oedd gosod allan y gwirionedd hwn mewn athrawiaeth, hyfforddiad, rhybudd a deisyfiad......heb arwain plant ac eraill i ganu profiadau na chyrhaeddasant'.[166] Rhoddir rhagymadrodd byr uwchben bob emyn ar destunau fel 'Esiamplau am werth Duwioldeb yn nyddiau Ieuengctid,' 'Am gofio ein Creawdwr yn nyddiau ein Hieuengctid', 'Am gadw'r Sabbath', 'Am farwolaeth naturiol', 'Am yr Atgyfodiad' ac 'Am Ddydd y Farn'. Emynau meithion yw'r mwyafrif ohonynt gyda rhai ohonynt â deuddeg pennill, pedair llinell.[167] Rhoddir pwyslais trwm ar bechod:

> Deffrowch i ystyr oll yn bwysig,
> Eich cyflwr mai colledig yw,
> Mae'n perthynu i'ch alaru,
> Herwydd pechu'n erbyn Duw.[168]

a dydd y farn,

> Ymddangos raid i bawb o bob-man,
> Ger bron brawdle Crist ei hunan;
> A phawb yno a dderbynia
> Yn ol yr hyn a wnaethpwyd yma.[169]

nid oes ond uffern i'r annuwiol,

> Crist a yrr y rhai annuwiol
> Oll i gyd i'r tân tra'gwyddol; [170]

Unwaith eto cyfrol yw hon wedi ei hanelu at ystod eang yr Ysgol Sul 'plant, pobl ieuaingc, ac eraill i wir foliannu yr Arglwydd',[171] ond yma a thraw ceir cyffyrddiadau o fewn profiad plentyn, fel yr emyn cyntaf sy'n datgan fod y greadigaeth gyfan 'yn profi bodolaeth Duw' neu'r enghreifftiau o'r ysgrythur o 'dduwioldeb yn nyddiau Ieuengctid':

> Yn ieuangc, Samuel yn wiw,
> A gafodd flas cymdeithas Duw,
> Ac i'w wasanaeth fe ymroes
> Yn hardd a ffyddlon am ei oes.[172]

Yn 1826, cyhoeddwyd *Canau duwiol mewn iaith rwydd i blant gan I. Watts DD wedi eu Cymreigio at wasanaeth Plant Ysgolion Sabbothol Cymry yn Gyffredinol* gan R. Owen[173] (Eryron Gwyllt Walia). Yn y gyfrol hon mae'r testun yn ystwythach ac yn llai clogyrnaidd na'r eiddo Dafydd Jones. Rhodder yma enghreifftiau o'r ddwy gyfrol:

can xvi R. Owen	can xvi Dafydd Jones
Y cŵn, heb wahardd, cyfarth gânt	Gadewch i gwn i chwyrnu a chnoi,
Fel hyn, e'u gwnaed gan Dduw;	Ac i gyffroi o brysur;
Ac eirth a llewod, ymladd wnânt,	Ymladded eirth a llewod dig
Eu hanian hefyd yw. [174]	Can's dyna'u ffyrnig nattur.[175]

Nid oedd 'uffern' R. Owen mor ddychrynllyd â'r hyn a geid gan Dafydd Jones:

R. Owen	Dafydd Jones
Mae hefyd uffern ddig,	Mae uffern lle ofnadwy hyll,
Lle mae cythreulig lu:	A bythol erchyll boenau,
A phechaduriaid yno drig	Drwg ddynion yno a diaflaid cân
Mewn tân a th'wyllwch du.[176]	Mewn mwg a thân gyd-ddiodde.[177]

Cyfrol amrywiol yw *Anrheg i Blentyn sef Hanes Cywir am Ddychweliad Grasol Bucheddau Duwiol a marwolaethau dedwyddol amryw Blant Ieuaingc* gan Thomas Jones o Ddinbych.[178] Yn dilyn yr hanesion pruddglwyfus a thrymaidd hyn ceir pedwar ar ddeg o 'hymnau i rai ieuaingc' ar yr un thema:

> Tra mae cystudd yn fy mhoeni
> Plygu sydd yn weddus imi[179]

a'r dyhead o gael marw:

Ac wrth wel'd ei ddarostyngiad,
Felly caf fi fawr ddyrchafiad;
Marw gyd â'r Iesu hyfryd,
A byw gyd âg ef mewn gwynfyd[180]

Cyhoeddodd E. Morris ei gyfrol, *Hymnau Newyddion ar Amrywiol Destynau, A fwriadwyd, yn fwyaf neillduol, i Blant yr Ysgol Sabbathol* yn 1828.[181] Hanner cant o emynau byrion, gan mwyaf, oedd y rhain yn ymdrin â themâu Duw megis y Creawdwr a'r Cynhaliwr holl bresennol a bywyd Iesu gan bwysleisio ar ddigonolrwydd ei aberth. Edrychid ar Grist hefyd fel 'Meddyg,' 'Brawd,' 'Priod yr Eglwys,' 'proffwyd' a 'phren afalau'. Ceid emynau hefyd ar lwyddiant yr ysgol ynghyd â dedwydd gyflwr y duwiol yn angau, yn y Farn ac i dragwyddoldeb. Tery'r awdur y nodyn trymaidd hwn trwy'r emynau. Yn emyn wyth mae'n darlunio holl bresenoldeb Duw:

Mae Duw yn llanw uffern ddu
Gyd a'i lid angherddol cry';
Ei bresenoldeb sydd yn awr
Yn cosbi yn y fagddu fawr.[182]

A cheir darlun didostur, llawn anobaith yn ei emyn ar farwolaeth yr Annuwiol:

Mae angau'n frenin tra dychrynllyd
    Yn peri gofid yn y wlad
I'r rhai sy'n cael eu taro ganddo
    Ac heb deimlo cyfiawnhad.

a'r pennill olaf

Ni chant mwyach byth drugaredd
    Ond euogrwydd, cur a phoen
Mewn gwlad drag'wyddol anobeithiol
    Tan ddialeddol lid yr oen.
Pan fyddant yn wynebu afon
    Bydd hon yn greulon iddynt hwy
Heb erioed gael gwella eu clwyfau
    Trwy rinweddau marwol glwy[183]

Yn 1830 cyhoeddodd Peter Jones (Pedr Fardd) *Crynhoad o Hymnau, sef Cydymaith i'r Ysgol Sabbothol yn dair rhan: 1. Hymnau ar Amrywiol Destunau 2. Hymnau ar Bennodau yr Hyfforddwr, sef Catecism y Parch T. Charles. 3. Hymnau Cenadol.*[184] Casgliad sydd yma o 28 emyn yn y rhan gyntaf, 26 yn yr ail ran ac 18 yn y rhan olaf. Nod yr awdur, yn ôl y rhagair, oedd anelu at 'synwyr ac eglurdeb ymadrodd'.[185] Myn fod prinder o emynau addas ar gyfer plant a phwysleisia y dylid canu'r emynau yn gyflawn nid 'yr un odl, neu ddarn pennill, lawer gwaith trosodd'.[186] Cymeradwywyd y gyfrol gan John Elias ar sail 'yr athrawiaeth......iachus, ... y testunau yn amrywiol, y farddoniaeth yn gywir a chyson .... ac y mae melusder hyfryd yn amryw o'r Hymnau...'[187] ac ategwyd hyn gan John Jones Llanllyfni.[188] Yn y gyfrol ceir 72 o emynau i gyd ac awgrymir tonau ar gyfer pob un emyn e.e. yn rhan iii, ceir yr emyn, 'Cyn llunio'r byd/cyn lledu'r nefoedd wen' ar y dôn Saron.[189] Cynhwysir yn y gyfrol emynau o fewn byd a phrofiad plentyn yn enwedig yr emynau cyntaf yn y gyfrol – emynau 1 i 5, 'Anerchiad i'r Ysgol Sabbathol,' 'Galwad ar Ieuenctyd,' 'Crefydd foreuol,' 'Ufudd-dod i rieni a'r Sabboth.'[190] Yn yr ail adran mae emynau ar benawdau fel 'Swper yr Arglwydd,'[191] 'Y Bedydd,'[192] 'Credo'r Apostolion'[193] a 'Gweddi'r Arglwydd.'[194] Yn y drydedd adran ceir emynau yn ymdrin â thestunau megis, 'Cyflawnder Iachawdwriaeth,' 'Darpariaeth Duw ar gyfer trueni dyn', a 'Ffrwyth marwolaeth Crist'.

Cyhoeddwyd *Moliant o enau Plant Bychain*, John Prichard, yn 1840[195] sef casgliad o dri chant a deunaw o emynau gan wahanol awduron, yn eu plith William Williams, Pantycelyn, Edmund Prys, Robert ap Gwilym Ddu ac yn ôl y cyhoeddwyr dywedir eu bod wedi 'lloffa mewn amryw feusydd lle yr roedd tywysenau llawnion, a bod yn llwyddianus i gael lluaws o Emynau o waith yr Awdwyr gorau'.[196] Dosberthir yr emynau o dan benawdau: 'Duw', 'Yr Ysgrythyrau', 'Rhagluniaeth', 'Cwymp a Chodiad Dyn', 'Crist', 'Yr Ysbryd Glân'. Yn yr adran ar yr Ysgol Sabothol ceir 77 o emynau ac yn eu plith mae emynau yn gofyn bendith ar waith yr ysgol:

O Arglwydd Dduw y lluoedd llon,
    Bendithia di yr ysgol hon,
Ac anfon ddoniau d'Ysbryd Glân
    I'n dysgu yn dy gyfraith lân.[197]

ac emyn yn seiliedig ar Salm cxliv. 15

Gwynfyd y plant mae'r Arglwydd Iôr
    Yn Dduw, yn drysor iddynt, -
Gofalu byth mewn cariad llawn,
    Yn dyner iawn am danynt.[198]

Cyhoeddwyd *Caniedydd Ieuanc yr Ysgol Sabbothol* yn 1852[199] gyda 33 o emynau a thonau mewn hen nodiant. Ymhlith yr emynau hyn mae'r emyn, 'Yma cur a blinder cawn' ar y dôn 'Hyfryd' (Joyful) tôn yn ôl y *Drysorfa* 1835 oedd yn ffefryn gan blant yr Ysgolion Sabothol ac roeddynt yn ei chanu ddydd a nos.[200] Cenid y dôn yng nghymanfaoedd yr Ysgol Sul a cheir cyfeiriadau ati yn yr adroddiadau o'r cymanfaoedd.[201] Mae'r emynau eraill ymhell o fyd a phrofiad plentyn megis, 'Iesu, cyfaill pechaduriaid/Gad im'i dy fynwes ffoi'[202] ar y dôn Vesper; 'Yn y dyfroedd mawr a'r tonau' ar y dôn Boreuddydd[203] a 'Molwch blant eich mwyn Waredwr' ar y dôn *The Children's Hosannah*.[204] Er bod y *Caniedydd Ieuanc* yn agor cwys newydd trwy gyhoeddi'r gerddoriaeth eto i gyd mae'r emynau yn ymwneud â phrofiadau ymhell tu hwnt i gyrraedd a phrofiad plentyn.

Buan iawn y dechreuwyd cyhoeddi emynau ar gyfer y Cyfarfodydd Blynyddol a bu cylch Lerpwl yn doreithiog iawn yn y maes hwn. Yn 1819[205] cyfansoddodd Pedr Fardd wyth emyn, pedwar i'w canu gan gapel Pall Mall, a phedwar gan gapel Bedford Street ac awgrymir tonau ar gyfer yr emynau e.e. Emyn vii, 'Fe g'add y gyfraith berffaith iawn/yn angen Iesu un prydnawn', ar y dôn *Old 100*.[206] Yr un oedd y drefn yn y blynyddoedd oedd yn dilyn ond eu bod yn fwy mentrus trwy gyhoeddi anthemau e.e. 'Bydd lawen ti, ferch Sïon'.[207] Erbyn Cymdeithasfa 1825, cyhoeddwyd pennawd byr uwchben yr emynau gydag awgrym o dôn addas ar gyfer ambell emyn.[208] Emynau oedd y rhain wedi'i paratoi ar gyfer y teulu cyfan yn yr Ysgolion Sul.

Rywbryd rhwng 1835 ac 1845 cyhoeddodd John Jones, Llanrwst[209] bump o lyfrynnau emynau yn wobrau i blant. Llyfrau bychain oedd y rhain, 6cm × 9cm, yn efelychu'r ffasiwn yn Lloegr. Roedd safon yr argraffu ac ansawdd y papur o safon uchel. Rhwymwyd y llyfrynnau mewn dau fath o rwymiad sef papur glas tywyll a phapur coch gydag addurniadau aur ar y cloriau.[210] Teitlau'r pump oedd, 'Casgliad o Hymnau', 'Y Pererin', 'Y Seraph', 'Y Cerub', 'Y Caniedydd'. Saith i wyth o emynau amrywiol oedd ymhob cyfrol wedi'u casglu gan John Jones, oedd ei hun yn fardd ac yn eu plith mae emyn Thomas Williams, (Bethesda'r Fro) 'Adenydd colomen pe cawn'[211] ac emyn Ann Griffiths, 'Er cryfed ydyw'r gwyntoedd'[212] a 'Capden mawr ein hiachawdwriaeth'[213] o eiddo Morgan Rhys. Yn y gyfrol nid oes sôn am awdur na thôn ar gyfer yr emynau a cheir ambell emyn pur wahanol o fewn y cyfrolau:

> Ail law i ni yw'r dillad,
> A'u defnydd gwerthfawr main,
> Bu'r ddafad a'r sidanbryf,
> O'm blaen yn gwisgo'r rhain.
> Am hyn boed i'm ymddiosg
> Oddiwrth bob balchder cas,
> Ac oddifewn ymdrwsio

Ag addurniadau grâs.[214]

Mae'n amlwg fod emynau yn cael eu cyfansoddi ar gyfer achlysuron arbennig fel y daflen ar gyfer *Jubili yr Ysgol Sabbothol* 14 Hydref 1831 a'r emynau wedi'u cyfansoddi gan William Willaims, Llanbrynmair.[215] Ar y daflen ceir wyth emyn Cymraeg ac un Saesneg a'r cyfan yn rhai byr, yr emyn cyntaf a'r emyn Saesneg yn dri phennill, tri emyn dau bennill a phedwar emyn ag un pennill yn unig.

Cyfrol cwbl wahanol yw *Difyrwch Bechgyn Glannau Conwy* o argraffdy John Jones, Llanrwst.[216] Nod y golygydd yw 'gweinyddu difyrwch i'r sawl a ymhyfrydant mewn Caniadau rhyddion'[217] ac yn ei farn ef, 'gwell a mwy dealladwy [na'r pedwar mesur ar hugain] gan y werin, farddoniaeth eglur ac esmwyth, yn mydrau rhyddach'.[218] Mae pedwar ar ddeg o awduron wedi cyfrannu gyda'r golygydd ei hun wedi cyfansoddi'r mwyafrif. Ymhlith yr emynau mae croestoriad o waith gwreiddiol a chyfieithiadau o waith Isaac Watts a phenawdau amrywiol o 'bennillion at wasanaeth yr Ysgol Sabbothol' i 'Ddiolchgarwch am Ddaioni Duw, 1832',

Cawsom ein gwaredu genyt
Rhag y pla sy'n echrys rhaint
Yn tramwyo trwy y gwledydd
Ac yn lladd pob oed a maint[219]

Cynnwys y gyfrol garolau Nadolig a phenillion ar y pedwar tymor ynghyd â cherddi lleol am lannau'r afon Conwy ac englynion i Bont Conwy. Nodwedd amlycaf y gyfrol yw ei hysgafnder a'i llonder hyd yn oed yn yr emynau.[220] Thomas Edwards (Caerfallwch), oedd y cyntaf i gyfansoddi cerddoriaeth i blant a chyhoeddodd ddeuawd mewn hen nodiant ar y geiriau:

Pa ddangosiadau hoff a roed
Y'nghair gwirionedd Duw
am blant a fu ymore eu hoed
Mewn bri yn duwiol ryw.

Iesu, yr hwn yn awr sydd vry,
Yn Vrenin mewn mawrâad
Fu gynt yn blentyn vel myvi,
A gadwodd ddeddv ei Dad.[221]

Yn Nhrysorfa 1835 cyhoeddodd emyn i 'Blant yr Ysgol Sabbothol' ar y dôn Hyfryd (Joyful) mewn hen nodiant.[222] Yn 1846 cyhoeddodd R. H. Pritchard, Y Bala gyfrol *Y Fasged Gerddorol*[223] sef crynodeb o egwyddorion cerddoriaeth ar gyfer plant. Blodeuog iawn yw'r rhagymadrodd i'r *Fasged* gan Edward Jones Stephen (Tanymarian) sy'n honni bod awydd mawr ymysg ieuenctid Cymru i ddysgu canu a bod cyfrol Richard Mills *Yr Arweinydd Cerddorol,*[224] ymhell o'u cyrraedd yn ariannol, felly y fasged amdani am dair ceiniog sy'n llawn o *jewels*. Ei ddymuniad oedd gweld y *Fasged* yn 'nwylaw holl blant ein cynulleidfaoedd, ac wedi eu haddurno â'i thrysorau'.[225]

Wrth bwyso a mesur yr emynau ar gyfer yr Ysgol Sul yn y cyfnod cynnar yr hyn ddaw yn amlwg yw'r ymwybyddiaeth Gristnogol a'r ffurf honno'n amlygu ei hun yng Nghalfiniaeth a bwysleisiai arglwyddiaeth Crist tros y dyn cyflawn ac a lywodraethai ei holl fywyd. Emynau athrawiaethol oeddynt ar y cychwyn ond gyda'r blynyddoedd rhoddwyd mwy o le i'r plentyn fel y gwelwyd yn y *Dywysen* a gyhoeddwyd yn 1874:

> Rwy'n caru gwel'd mewn darlun tlws,
> Yr Iesu'n blentyn llon,
> Yn gorffwys ar hoff liniau Mair,
> Mor gu yn sugno'i bron:
> Rwy'n hoff o feddwl ambell dro,
> Mor ddedwydd oedd ei dydd;
> Yn blentyn bach, fel ti a fi,
> Yn mhlith y blodau blydd.[226]

a'r pennill hwn o *Drysorfa y Plant* ar glawr argraffiad o *Rhodd Mam* 1878:

> O! Dewch i ddysgu geiriau Duw
> O! dewch, O! dewch yn awr;
> Eich braint a'ch dyled penaf yw
> O! dewch, O! dewch yn awr:
> Fe'ch dygir yn ei eiriau Ef
> I ochel uffern, enill nef
> O! dewch, O! dewch yn awr.[227]

Nodwedd amlwg o emynau cyfnod y gyfrol hon oedd mai emynau ar gyfer y teulu cyfan oeddynt gan mai teuluoedd cyfain oedd yn mynychu'r Ysgolion Sul. Ystyrid y teulu yn uned gymdeithasol unigryw ac nid yw hyn yn syndod o gofio'r gymdeithaseg Galfinaidd mai ordinhad cymdeithasol o drefniant Duw ydoedd a hwnnw wedi'i wreiddio mewn cariad. Ni cheir unrhyw ymwybyddiaeth am blant fel dosbarth gwrthgyferbyniol i oedolion ac ni cheid unrhyw syniad o blentyn fel unigolyn sofran.[228] Esgorodd hyn yn ei dro ar rinwedd pennaf y plentyn sef ufudd-dod i'w rieni a hefyd i'r Ysgol Sul:

> Mi fynnwn fod yno yn brydlon ddi lai
> I uno mewn gweddi am faddau fy mai;
> I ofyn yn ufudd ac ymbil yn daer,
> Am gael fy ngoleuo yn meddwl y gair.[229]

Y feirniadaeth amlwg ar gynnwys yr emynau hyn oedd eu bod ymhell o fyd a deallusrwydd y plant ond mae'n rhaid cofio eu hamgylchiadau a'u cefndir. Roedd eu holl fywyd ynghlwm wrth y capel a'r aelwyd a hwnnw wedi ei sylfaenu ar y Beibl a'r catecism. Ar yr aelwyd yn ystod y ddyletswydd deuluaidd darllenwyd yr Ysgrythurau ac adroddwyd catecism a'r un oedd y gynhaliaeth yn yr Ysgol Sul a'r oedfa. Yr iaith hon oedd iaith yr emynau ac yn eu sŵn y prifiodd y plentyn a daeth yr iaith a'r feddylfryd hon yn iaith bob dydd iddo ac yn rhan o'i gynhysgaeth.

John Curwen a'r Tonic Sol-Ffa

Gan fod cysylltiad agos rhwng yr Ysgol Sul a'r Solffa ni ellir anwybyddu'r cwlwm hwn. Mae John Harris, yn ei gyfrol *Grisiau Cerdd Arwest*, yn cyfeirio fod y Cymry, 'yn fore iawn, wedi arfer y drefn o ddysgu canu trwy y Sol-Ffa'.[230]

Er mai yn 1861 y cyflwynwyd y dull Tonic Sol-ffa yng Nghymru, mae'n werth rhoi sylw i John Curwen, (1816 – 1880)[231] yr hwn yn ôl ei gyfaddefiad ei hun a berffeithiodd y dull hwn o ddysgu plant i ganu. Myn Curwen roi'r clod i gyd i Miss Sarah Anne Glover (1786 – 1867),[232] Norwich oblegid ar sail ymweliad â'i hysgol hi y gwelodd Curwen, am y tro cyntaf, y dull Sol-ffa yn cael ei ddysgu. Yn nhymor yr hydref 1841, gwahoddwyd ef, yn rhinwedd ei swydd fel gweinidog gyda'r Annibynwyr, i gynhadledd athrawon a charedigion yr Ysgol Sul yn Hull. Comisiynwyd ef, yn y gynhadledd honno i fynd ati i baratoi ffordd syml o ddysgu plant i ganu a fyddai'n ddull gweddol hawdd gan fod amser yn brin, yn rhad gan fod arian yn brin ac yn gywir gan fod pobl yn caru'r gwirionedd.[233] Yn ystod ei gyfnod fel myfyriwr ymddiddorai Curwen yn nulliau dysgu plant a chafodd gyfle i weithredu'r dulliau newydd hyn yn Ysgol Sul y Barbican. Ychwanegodd at ei brofiad trwy ymweld â David Stow (1793 – 1854)[234] yn y Normal Seminary yn Glasgow a bu'n gefnogwr brwd i ddulliau Jacob Abbott (1803 – 1879) yn Academi Mount Vernon yn Boston.[235] Pan oedd ef ei hun yn dysgu plant i ddarllen ei ddull oedd *Look and Say* a ganolbwyntiai ar y gweledol yn hytrach na chael y plant i ddysgu sŵn a siâp y llythyren. Nodwedd arall o'i athrawiaeth addysgol oedd y pwyslais a roddai ar ddysgu mewn awyrgylch a chefndir a roddai foddhad a phleser i'r plentyn.[236] Gyda'r cefndir addysgol hwn, doedd ryfedd yn y byd i Curwen gefnu ar y weinidogaeth a chanolbwyntio'n gyfan gwbl ar y dull Sol-ffa. Cyhoeddodd *Grammar of Vocal Music* yn 1843 a deng mlynedd yn ddiweddarach sefydlodd y gyfundrefn Solffa. Yn dilyn ei ymweliad â Lerpwl yn 1860, i egluro'r gyfundrefn Sol-ffa ymroddodd dau Gymro, Eleazar Roberts (1825 – 1912)[237] a John Edwards, i ddysgu Sol-ffa i blant Ysgolion Sul Cymraeg y ddinas. Yn Nhachwedd 1862, rhoddodd Eleazar Roberts ddarlith ar y dull newydd a chyfansoddodd John Williams dôn i roi prawf ar allu cerddorol y plant. Yn ôl pob golwg, bu'r arbrawf yn llwyddiant ysgubol, 'darllenwyd y dôn yn bedair rhan ganddynt gyda rhwyddineb, a phob sain yn gywir'.[238]

Un o ladmeryddion y dull newydd hwn yng Nghymru oedd John Roberts (Ieuan Gwyllt) (1822 – 77) a brofodd drosto'i hun ragoriaeth y dull Sol-ffa pan oedd yn arwain Cymanfa Gerddorol Castell Newydd Emlyn yn 1862 ac Eleazar Roberts a'i fab deg oed yn bresennol. Cyfansoddodd John Thomas, Blaenannerch, dôn newydd yn cynnwys amryw o drawsgyweiriadau a rhoddwyd prawf ar y bachgen a llwyddodd yntau i'w ddarllen yn hollol gywir. Bu hyn yn sbardun i'r arweinydd annog yr Ysgolion Sul i ffurfio dosbarthiadau Tonic Solffa.[239]

Cyhoeddodd Eleazar Roberts, yn 1861, ran gyntaf *Hymnau a Thonau* at wasanaeth yr Ysgolion Sul a hwn oedd y llyfr cyntaf erioed i'w gyhoeddi yn y Gymraeg ar y Sol-ffa. Yn y diwedd cyhoeddwyd pump rhan o'r *Hymnau a chafwyd amryw o argraffiadau ohonynt.[240] Ymddangosodd erthyglau eglurhaol yn y *Cerddor Cymreig* rhwng 1861 – 2 a chyhoeddodd *Llawlyfr i ddysgu Tonic Solffa* yn 1862.[241] Cydnabu Curwen ei ddyled i Eleazar Roberts a'r Parchg J. Roberts [Ieuan Gwyllt], 'so that now I think there is no country so forward in Tonic Sol-fa work as Wales is'.[242] Erbyn 1869, lledaenodd y mudiad newydd hwn trwy Gymru benbaladr a daeth yn sefydliad cerddorol annibynnol gyda'i gylchgrawn ei hun, *Cerddor y Tonic Sol-ffa*, dan olygyddiaeth Ieuan Gwyllt. Eithr byrhoedlog fu'r cylchgrawn, a daeth i ben bedair blynedd ar ôl ei sefydlu.[243]

Casgliadau

Nodwedd amlycaf llenyddiaeth yr Ysgol Sul oedd y pwyslais diwinyddol lle mawrygwyd Duw yn ei berthynas â'r greadigaeth a'i holl greaduriaid.

Amlygodd hyn ei hun yng nghynnwys amrywiol y cyfnodolion a baratowyd ar gyfer y teulu cyfan lle roedd rhieni a phlant yn dysgu efo'i gilydd. Trwy'r tudalennau dyrchefir y bobl gyffredin, eu diwydrwydd a'u hymroddiad, gyda'r bwriad o'u argyhoeddi eu bod ynghlwm wrth ddiwylliant newydd, grymus a dylanwadol. Yr un oedd neges y traethodau crefyddol, sef pwysleisio'r iachawdwriaeth yng Nghrist a mynd ati wedyn i gyfeirio at unigolion oedd wedi'u 'hachub' a chroniclo hynny trwy amrywiol gyfryngau ieithyddol. Nid deunyddiau oriau hamdden mohonynt ond cyfryngau i addysgu, goleuo a lledaenu'r ffydd.

Esboniadau ac emynau diwinyddol oedd yr arlwy a hynny er mwyn dyfnhau profiadau ac ymestyn gorwelion yr ysgolheigion. Emynau wedi eu hanelu at ystod eang yr Ysgol Sul oeddynt heb ymgais i gyffwrdd yn benodol â byd a phrofiad plentyn. Dengys hyn pa mor bwysig oedd y cyd ddysgu a ddigwyddai ar aelwyd gartrefol yr Ysgol Sul.

Bu'r amrediad llenyddol a defosiynol o gymorth i greu diwylliant newydd, cyffrous oddi mewn i Ymneilltuaeth rymus mewn cyfnod pan oedd crefydd yn dod yn rym poblogaidd. Daeth canu emynau a'r Sol-ffa yn weithgaredd a dyfodd a bu'n gyfrwng i feithrin chwaeth gwahanol a denu mwy a mwy i ganol bwrlwm newydd, tra roedd y pwrpas sylfaenol o achub enaid yn ddigyfnewid.

Bu dylanwad llenyddiaeth Gymraeg yr Ysgol Sul yn gymorth i leihau'r angen i droi at gynnyrch Saesneg gan nad oedd llythrennedd na deunyddiau defosiwn yn yr iaith honno yn berthnasol i Gymro'r Ysgol Sul. Y Beibl a chynnyrch atodol megis y catecismau, y traethodau crefyddol, esboniadau a chyfnodolion oedd y maeth gan mai dyma oedd cyfrwng astudio, myfyrio, trafod ac addoli.

Daeth y llenyddiaeth hon yn ei thro yn estyniad o'r pulpud a'r pregethu a safodd yn gadarn yn erbyn llifeiriant y diwylliant Saesneg. Roedd iaith a chrefydd y Cymro Cymraeg yn anwahanadwy a'r Ysgol Sul a greodd yr ysfa am lyfrau, cofiannau, pregethau ac emynau a bu'n gyfrwng i feithrin llenorion ac emynwyr. Llwyddodd yr Ysgol Sul nid yn unig i greu deunyddiau perthnasol ond, hefyd, i feithrin ysgrifenwyr newydd o blith ei deiliaid.

7: Llafur y Llywodraeth

'Yr oedd angen rhywbeth mawr iawn i ysgwyd y Methodistiaid o'u llonyddwch, a'r 'rhywbeth mawr' hwnnw oedd Brad y Llyfrau Gleision.'

F. P. Jones [1]

'Dyna, mi gredaf, ydyw arwyddocâd y patrwm crefyddol a geid yng Nghyfrif 1851. Yn ei chrefydd, arwahanrwydd Cymru, ei 'digyffelybrwydd' a oedd yn nodedig, a dyna paham y daeth ei chrefydd yn elfen mor bwysig yn ei chenedligrwydd.'

I. G. Jones [2]

Erbyn diwedd cyfnod yr astudiaeth hon roedd gwawr newydd wedi torri a Chymru bellach yn wlad Ymneilltuol, radicalaidd. Bu collfarnu a phardduo cenedl gyfan gan gomisiynwyr y Llyfrau Gleision yn sbardun i ddeffro a chyffroi y Methodistiaid ac unigolion o blith yr enwadau eraill. Cadarnhaodd ystadegau'r Cyfrifiad Crefyddol fod Ymneilltuaeth wedi hen ennill ei blwyf a bod gafael yr Eglwys wedi llacio.

O ddechrau'r bedwaredd ganrif ar bymtheg ymlaen bu'r Llywodraeth yn archwilio i gyflwr addysg y dosbarth gweithiol yng Nghymru a Lloegr a phenllanw'r mân ymchwiliadau hyn oedd Adroddiad Addysg 1847 a phedair blynedd yn ddiweddarach, yr olaf a'r mwyaf cyflawn o safbwynt Cymru a Lloegr oedd y Cyfrifiad Addysg a gynhaliwyd yn rhan o Gyfrifiad Crefyddol 1851.

Prin fod unrhyw gyhoeddiad yn hanes Cymru wedi denu cymaint o sylw, wedi codi cymaint o atgasedd ac wedi ysgogi cymaint o ffyrnigrwydd ag y gwnaeth Adroddiad Addysg 1847. Hwn oedd y catalydd a ysgydwodd y werin dlawd, Ymneilltuol i ymwroli a chanfod grymusterau newydd. Llwyddodd yr Adroddiad i ysgwyd cenedl gyfan ac arweiniodd hyn yn ei dro at weithgarwch a dycnwch newydd ym myd addysg a'r un pryd deffro'r 'Methodistiaid o'i llonyddwch gwleidyddol a chyhoeddus'.[3]

Meddai Syr Thomas Phillips yn 1849:

> Dissent has, in our, days assumed an aggressive character and manifested a determined hostility towards the Church as a national establishment.[4]

I'r Comisiynwyr, addysg gwbl annigonol ac amherffaith a welwyd yng Nghymru a hynny am ei fod yn grefyddol ac yn Gymraeg. Cododd hyn wrychyn gwŷr cymedrol a gwastad eu hanian, megis y Dr. Lewis Edwards a ddaeth yn amddiffynnydd ac arweinydd ei bobl.[5] Bellach roedd addysgydd a phennaeth Coleg Diwinyddol, asiad perffaith, ar flaen y gad yn arwain ei genedl i ail hanner y ganrif.

Atgyfnerthodd ystadegau Cyfrifiad Crefyddol 1851, pa mor gywir bynnag oedd y ffigyrau, bod Ymneilltuaeth bellach yn rym cadarn, ymledol trwy Gymru. Yn y Cyfrifiad ceir darlun clir o ansawdd crefyddolder Cymru'n gyffredinol, beth oedd nerth dylanwad yr Ymneilltuwyr o'i gymharu â'r Eglwys Sefydledig a beth oedd cryfder yr enwadau unigol o'u cymharu â'i gilydd ac ym mha ardaloedd oeddynt gryfaf. Dengys y Cyfrifiad yn glir fod yr Eglwys Sefydledig wedi colli tir yng Nghymru yn ystod hanner cyntaf y bedwaredd ganrif ar bymtheg gan mai 9% o'r boblogaeth oedd yn bresennol yn yr Eglwysi ar Sul y Cyfrifiad tra roedd 87% yn y capeli.[6] Gellir crynhoi'r gwahaniaeth hwn i agweddau negyddol yr Eglwys, adeiladau ymhell o gyrraedd y plwyfolion, methiant i gynnal oedfaon yn gyson a'r diffyg i ymateb i rymusterau'r Chwyldro Diwydiannol. Ar y llaw arall, nid oedd modd dal llanw Ymneilltuaeth yn ôl.

Un o brif atyniadau'r Ymneilltuwyr oedd eu pregethu nerthol, 'the greatest number invariably attend the sermon' oedd sylw blaenor gyda'r Methodistiaid yng Nghlynnog. Agorodd yr Ysgolion Sul eu drysau i deuluoedd cyfain i'w mynychu a rhydd diacon Carmel, eglwys yr Annibynwyr, yng Nghynwyd ddarlun cynhwysfawr o gyfarfodydd oedd yn digwydd yn y capel bob nos ond nos Wener.[7] Llwyddodd y capeli i ddod yn ganolfannau byw, diwylliannol, cymdeithasol a chrefyddol a'r holl weithgaredd yn digwydd yng nghanol y bobl.

Eglwys oedd yn ei chael hi'n anodd i addasu oedd yr Eglwys Sefydledig er bod rhai unigolion yn gweld yr angen i ymateb i her Anghydffurfiaeth. Eglwys yn ymateb i her a phosibiliadau newydd cymdeithas wahanol oedd yr eglwys Ymneilltuol ac am hynny datblygodd yn rym dylanwadol.

Adroddiad Addysg 1847 (Y Llyfrau Gleision)

William Williams (1788 – 1865),[8] brodor o Lanpumsaint, Aelod Seneddol Coventry a Lambeth wedi hynny, radical amlwg ar y meinciau cefn a gŵr busnes llwyddiannus, ysgogodd drafodaeth ar lawr y Tŷ Cyffredin yn 1846 i ymchwilio 'unto the state of Education in the Principality of Wales, especially into the means afforded to the labouring classes of acquiring a knowledge of the English language'.[9] Fel llawer o Gymry alltud yn Llundain, yn eu plith Thomas Nicholas (1816 – 79) o Solfach[10] a Hugh Owen o Fôn (1804 – 81)[11] coleddai Williams y farn fod y Gymraeg yn annigonol ac yn llyffethair i ddod ymlaen yn y byd. Gwyddai'r Aelod Seneddol ei fod yn annerch cynulleidfa a gytunai ag ef ac ym marn rhai nid oedd angen ymchwiliad gan fod y ffeithiau eisoes yn glir. Ymhell cyn hyn roedd sawl ymchwiliad wedi ymddangos, y cyntaf dan gadeiryddiaeth yr Arglwydd Brougham, yn 1816–8, a'r bwriad ar y dechrau oedd ymchwilio i anghenion addysgol Llundain yn unig ond yn fuan lledaenodd yr ymchwil i gynnwys Lloegr gyfan a Chymru.[12] Rhoddwyd cyfrif o bob ysgol waddoledig ymhob plwyf drwy'r deyrnas a hynny er mwyn profi pa mor druenus ac annigonol oedd y ddarpariaeth ac ar sail yr ymchwil cynigiodd Brougham fesur i greu system o addysg elfennol a honno i'w hariannu gan y Llywodraeth ond ni fu'n llwyddiannus yn ei ymdrechion eithr penderfynwyd yn 1833 roi cymhorthdal o £20,000 i'r ddwy gymdeithas, Y Gymdeithas Genedlaethol (Eglwysig) a'r Gymdeithas Frutanaidd (Anghydffurfiol).[13] Ymddangosodd mân adroddiadau ar gyflwr addysg i'r tlodion yn 1834, 1835 ac 1837–8[14] ac erbyn 1839 â chymhorthdal y Llywodraeth wedi codi i £30,000 penderfynodd y Cyfrin Gyngor benodi arolygwyr i'r ddwy gymdeithas, Genedlaethol a Brutanaidd. Disgwylid iddynt ganolbwyntio ar wahanol ardaloedd ac un o'r rhain oedd cymoedd glofaol De Cymru. Treuliodd Seymour Tremenheere gyfnod yn arolygu ysgolion dyddiol mewn ardal lle roedd Siartiaeth ar ei gryfaf a mwyaf dylanwadol. Dangosodd ei ddadansoddiad nad tlodi oedd wrth wraidd y terfysgoedd ond yn hytrach diffyg ymwybyddiaeth rhieni o fanteision addysg. Mewn sampl o 17,000 o blant rhwng tair a deuddeg oed dim ond 30 y cant a fynychai ysgol. Bu'r ymchwil hwn yn gynsail i Adroddiad Addysg 1847.[15]

Ym marn William Williams roedd gwrthdystiadau cymdeithasol, treisgar a ddigwyddai mewn rhai ardaloedd megis protestiadau'r Siartwyr ym Mynwy (1839) a therfysgoedd Beca yn y De-Orllewin rhwng 1839 ac 1843 i'w priodoli i anwybodaeth y Cymry. Gellir crynhoi ei ddadl i ychydig eiriau; roedd yr addysg yn gyfyng a'r Gymraeg yn annigonol. Cytunodd yr ysgrifennydd gwladol ar y pryd, Syr James Graham, '......a knowledge of the English language would be highly conducive to the welfare of the working classes throughout the whole of Wales'[16] ac aeth ymlaen yn floesg i gyhoeddi bod eu hanwybodaeth yn llesteirio'u ffyniant a'u statws cymdeithasol.

Cydsyniodd y frenhines Victoria (oedd yn 27 oed ar y pryd) i drefnu ymchwiliad i gyflwr addysg yng Nghymru, yn arbennig i gyfleusterau'r dosbarth gweithiol i ddysgu Saesneg. Rhwng Mawrth 1846, dyddiad cynigiad Williams ar lawr y Tŷ Cyffredin, a Hydref 1847 roedd y tri chomisiynydd wedi cwblhau eu tasgau. Daeth gorchwyl J.C. Symons[17] bargyfreithiwr oedd yn arolygu siroedd Brycheiniog, Aberteifi, Maesyfed a Mynwy i law ar 6 Mawrth 1847. Gorffennodd R.R.W. Lingen,[18] bargyfreithiwr oedd yn gyfrifol am siroedd Caerfyrddin, Morgannwg a Phenfro, ei dasg ar 1 Gorffennaf 1847 ac yn ystod Hydref 1847 y cwblhaodd H.V. Johnson,[19] bargyfreithiwr, ei dasg yn siroedd y Gogledd. Cynhwysai'r adroddiadau gyfanswm o 1252 tudalen o wybodaeth fanwl a cheir darlun pur gynhwysfawr o gyflwr addysg Cymru yng nghanol y bedwaredd ganrif ar bymtheg. Rhoddwyd iddynt ganllawiau pendant gan James Kay Shuttleworth (1814-77), (Ysgrifennydd y Cyfrin Gyngor ar Addysg)[20] ac eglurodd mai amcan y Ddirprwyaeth oedd gwybod beth oedd 'nifer yr ysgolion o bob math ar gyfer addysgu plant y gweithwyr, yn ogystal ag ymchwilio i addysg ar gyfer oedolion, cyfanswm presenoldeb, oed y disgyblion a natur y gwersi',[21] fel y gallai'r Llywodraeth ystyried pa fesurau y dylid eu cymryd er mwyn gwella'r ddarpariaeth yng Nghymru.

Anfonwyd llythyr o gyfarwyddiadau at y tri Chomisiynydd (1 Hydref, 1846) yn manylu ar y dyletswyddau i'w cyflawni a'r modd y dylai pob un ohonynt ymddwyn yn ystod yr ymchwiliad. Atgoffodd Kay-Shuttleworth y tri chomisiynydd y byddai llwyddiant y gwaith yn dibynnu 'in a great degree on your courtesy and discretion in the prosecution of your inquires, and on that sense of the importance of your commission which their Lordships trust may pervade all classes'[22] ac na ddylent, 'in no degree infringe the civil privileges of religious congregations, either while in the schools, or by the use you make of the information you may be permitted to acquire'.[23] Awgrymwyd bod y gorchymyn i ymchwilio i arferion moesol y Cymry wedi deillio oddi wrth swyddog anhysbys a'r gred oedd mai'r Ysgrifennydd Cartref oedd hwnnw.[24] Galarnadodd William Williams am brinder ysgolion mewn sawl plwyf ac os oedd ysgol yn bodoli 'it is not uncommon for the schoolmasters to be ignorant, uneducated men'.[25] Gan ei fod mor danbaid o blaid yr iaith Saesneg, iddo ef cwbl ddi-fudd oedd gweld y Cymry'n llafurio 'under a peculiar difficulty from the existence of an ancient language'.[26] Canlyniad hyn oedd fod y Cymry, 'much behind the English in intelligence, in the enjoyment of the comforts of life, and in the means of improving their condition'.[27] Roedd cynnwys ieithwedd fel hyn yn siŵr o fod wedi dylanwadu ar y tri chomisiynydd. Daw hyn i'r amlwg, er enghraifft, pan fo'r tri chomisiynydd yn canmol gwaith yr Ysgolion Sul adleisir geiriau Kay-Shuttleworth (oedd wedi bod yn blentyn, athro ac arolygwr Ysgol Sul yn Rochdale) yn ei gyfarwyddiadau, 'Numerous Sunday-Schools have been established in Wales, and their character and tendencies should not be overlooked......The Sunday-Schools must be regarded as the most remarkable, because the most general spontaneous effort of the zeal of the Christian congregation for education.'[28] Meddai Symons yn ei adroddiad ar yr Ysgolion Sul, 'The Sunday-Schools have proved, *as my instructions led me to expect, a very marked feature in the mental and religious progress of the people....*'[29]

Mae'n amlwg mai pypedau'r Llywodraeth oedd y comisiynwyr a'u nod oedd cadw'n glos at gynnwys y cyfarwyddiadau a roddwyd iddynt. Mewn gair anelai Williams at ysgolion oedd yn cael eu cefnogi a'u llywio gan y Llywodraeth ac y byddai modd felly i gywiro'r sefyllfa a rhoi blaenoriaeth i'r Saesneg.[30] Ond, doedd dim amheuaeth na pharatowyd dogfennau o bwys hanesyddol enfawr ac yn ôl R. T. Jenkins 'their educational findings were not, in general, wide of the mark'.[31] Yn eu gwahanol ranbarthau bu'n angenrheidiol i'r comisiynwyr gyflogi cynorthwywyr oedd yn hyddysg yn y Gymraeg. Penodwyd deg is-gomisiynwyr i gyd, 7 eglwyswr gyda 5 ohonynt yn fyfyrwyr yng Ngholeg Dewi Sant, Llanbedr Pont Steffan; a thri ymneilltuwr. Dengys Lewis Edwards pa mor anghymwys oedd cyfraniad John James, un o'r is-gomisiynwyr Anglicanaidd gan iddo gamgyfieithu a chamarwain[32] ac mae'n amlwg i'r elyniaeth barhau hyd ei farwolaeth yn 1851, yn 36 oed, pan boerodd un o'r galarwyr ar ei arch ddydd ei angladd a'i alw'n fradwr i'w wlad. [33] Y gwir yw fod plant Cymru wedi eu harolygu gan ddynion o gefndir a thraddodiad cwbl ddieithr ac estron ac i roi mwy o halen ar y briw roedd pedwar o bob pump o'r 334 o dystion yn Eglwyswyr.[34]

Ysgolion dyddiol

Cyn mynd ati i ddadansoddi'r sylwadau ar yr Ysgolion Sul canolbwyntir ar themâu canolog yr adroddiad yn eu hymdriniaeth â'r ysgolion dyddiol. Heb os, cwbl ddiffygiol ac aneffeithiol oedd safon yr addysg drwyddo draw heblaw am ambell sefydliad fel ysgol y babanod yng Nghaernarfon a gafodd gryn ganmoliaeth, 'there is not a better infant school in North Wales'.[35] Cyfyng oedd cynnwys y cwricwlwm a gynhwysai'r 3R, a'r Beibl Saesneg oedd llyfr darllen y plant. Ymhlith y deunyddiau 'seciwlar' ceid copïau o *Vyse's Spelling Book, Reading made Easy* a *Murray's Grammar,* cyfrolau ym marn Johnson oedd yn sicrhau fod plant Cymru, 'remain at the close of their education as unintelligible as at the commencement'.[36] I Johnson, heb fawr ddim profiad ym maes addysg, roedd y broblem yn glir a diamwys gan na welodd trwy holl siroedd y Gogledd unrhyw gymhelliad 'to remove the first difficulty which occurs to a Welsh child at the very commencement of his course of instruction in consequence of his ignorance of the English language'.[37] Ni welodd unrhyw gyfarpar fel geiriaduron na llyfrau gramadeg i gynorthwyo'r trosglwyddiad o un iaith i'r llall a chan fod cymaint o bwysau ar ddysgu darllen prin iawn oedd y defnydd o'r iaith lafar i holi, trafod a chynorthwyo'r plant. Daw safon academaidd athrawon dan lach, hefyd, ac ym marn Johnson roeddynt yn perthyn i'r 'lowest class in society'[38] a'r un oedd barn Lingen am athrawon yn siroedd y De.[39] Deuent o bob gradd o alwedigaethau, yn chwarelwyr, morwyr, siopwyr, gwehyddion eithr prin iawn oedd athrawon hyfforddedig ond ceid ambell enghraifft brin o athro fel hwnnw yn ysgol Rhosybol, Môn, a hyfforddwyd am bedwar mis yng Ngholeg Borough Road, Llundain.[40]

Un nodwedd amlwg, ym marn y tri, oedd fod gwahaniaeth dybryd rhwng iaith y cartref ac iaith yr ysgol a hyn yn ei dro yn dwysau'r broblem ac ym marn Symons roedd y rhieni am i'w plant ddysgu'r Gymraeg ond fod anwybodaeth o'r Saesneg yn 'constant and almost an insurmountable obstacle to their advancement in life'.[41]

Gwraidd y methiant yn ddiamau oedd fod plant uniaith Gymraeg yn cael eu boddi mewn Seisnigrwydd ac o'r 578 o ysgolion dyddiol yng Ngogledd Cymru dim ond un oedd yn dysgu trwy gyfrwng y Gymraeg. O drigain o ysgolion Môn, oedd â phoblogaeth o 50,891 roedd 78.3% yn cael eu dysgu'n gyfan gwbl drwy'r Saesneg a'r gweddill sef 21.7% yn ddwyieithog er bod rhwng 70% a 90% o'r boblogaeth yn Gymry. [42] Yn sir Gaernarfon â phoblogaeth o 81,093 cododd y canran i 89.8% yn cael eu dysgu trwy'r Saesneg, 93.7% yn Ninbych, gyda phoblogaeth o 88,866, 98.5% yn Fflint, gyda 66,919 o boblogaeth, 81.7% ym Meirionydd â phoblogaeth o 39,332 a 95.8% yn Nhrefaldwyn gyda phoblogaeth o 62,219.[43] Ond pe byddai'r athrawon yn ddwyieithog a'r dulliau dysgu o'r safon orau, gwêl Johnson yn siroedd y Gogledd rwystr arall arwyddocaol, sef rhagfarn y rhieni'n erbyn eu mamiaith.[44] Eithr pwysleisia'r tri chomisiynydd yr awydd ymysg y Cymry am addysg i'w plant, meddai Symons, 'I can speak in very strong terms of the natural ability and capacity for instruction of the Welsh people. Though they are ignorant, no people more richly deserve to be educated.'[45] Adleisir hyn gan offeiriad o Sais, 'The Welsh people are much quicker than the English......the Welsh have much better and readier powers of perception.'[46] Â Symons ymhellach yn ei ganmoliaeth gan awgrymu y gallai medrusrwydd disgyblion Cymru ar ôl ychydig o hyfforddiant eu codi i dir uchel ymhlith cymunedau gwareiddiol.[47]

Beth bynnag oedd y rhagfarnau yn erbyn y comisiynwyr roedd eu dadansoddiad o'r sefyllfa yn yr ysgolion dyddiol yn eithaf clir. Y nodwedd amlycaf oedd bod y plentyn yn byw mewn dau fyd hollol wahanol, ar y naill law elfennau Seisnig a seciwlar yr ysgolion dyddiol ac ar y llaw arall awyrgylch Gymreig, grefyddol yr Ysgolion Sul oedd yn barhad naturiol o gefndir y mwyafrif[48] a'r gwendid pennaf oedd y methiant i asio'r ddau begwn. Nid trochi'r disgyblion yn Seisnigrwydd yr ysgolion dyddiol oedd yr ateb ond mabwysiadu dulliau dwyieithog er mwyn pontio a sicrhau llwyddiant. Man cychwyn y dysgu yn yr Ysgolion Sul oedd meithrin llafaredd a llythrennedd y disgyblion ond yn yr ysgolion dyddiol prin y gellid meithrin y sgiliau hyn i blant nad oedd ganddynt ddim meistrolaeth ar y Saesneg, na'r athrawon o ran hynny, ac felly gogwyddai'r pwyslais ar yr ysgrifenedig.[49]

Yr Ysgolion Sul

Er mor drylwyr fu'r Comisiynwyr a'r is-gomisiynwyr yn arolygu'r ysgolion dyddiol canfuwyd mwy o drafferthion ynglŷn â'r Ysgolion Sul. Sylweddolwyd pa mor anfoddhaol oedd yr wybodaeth ystadegol gan nad oedd dogfennau ysgrifenedig ar gael a chwbl amhosibl oedd ymweld â phob Ysgol Sul gan mor anhygyrch oeddynt ynghyd â'r ffaith mai unwaith yr wythnos y cynhelid hwy. Penderfynwyd argraffu holiaduron yn y ddwy iaith yn y prif gylchgronau crefyddol yn annog arweinwyr yr ysgolion i'w cwblhau cyn yr ymweliadau.[50] *(gw. Atodiad A)*. Aflwyddiannus fu'r ymdrechion gyda Lingen, ragfarnllyd a miniog ei dafod yn mynegi mai dyma oedd y 'first attempt to apply the rigid forms of statistical investigation among a class of persons who in general had neither the records nor the habits of mind corresponding to such an inquiry'.[51]

Niferoedd

Y nodwedd amlycaf ynglŷn â'r Ysgolion Sul yng Nghymru oedd eu niferoedd sef 2664 o'i gymharu â 1657 o ysgolion dyddiol. Yn chwe sir y Gogledd gyda phoblogaeth o 396,320 (Cyfrifiad 1841) mynychai 116,254 yr Ysgolion Sul yn blant ac oedolion sef 29.3%.[52] Yn siroedd y Canolbarth (Midland Wales fel y cyfeirir atynt yn yr Adroddiad) a'r De, gyda phoblogaeth o 601,362 mynychai 139,341 yr Ysgolion Sul sef 23.2% o'r boblogaeth.[53] Rhagorai hyn yn fawr ar y niferoedd yn yr ysgolion dyddiol gyda 32,033 o ddisgyblion yn eu mynychu yn y Gogledd a 46,794 yn mynychu'r ysgolion yn y Canolbarth a'r De gyda chyfanswm o 78,827 tra mynychai 255,595 yr Ysgolion Sul. (tabl 7: 1). Dengys yr ystadegau fod 25.6%, sef dros chwarter o boblogaeth Cymru yn mynychu'r Ysgol Sul yn 1846 – 7.

Tabl 7:1 Niferoedd y boblogaeth, yr ysgolion dyddiol a'r Ysgolion Sul trwy Gymru [54]

Sir	Poblogaeth (1841)	Ysgolion dyddiol	niferoedd	Ysgolion Sul	Nifer Dan 15	Nifer Dros 15	Cyfanswm
Môn	50,891	60	3,404	132	6,853	7,854	14,707
Caernarfon	81,093	79	5,867	236	13,228	13,535	26,763
Dinbych	88,866	127	7,405	235	12,602	11,204	23,806
Fflint	66,919	131	7,586	133	8,965	6,345	15,310
Meirionydd	39,332	60	3,006	193	7,343	9,616	16,959
Trefaldwyn	69,219	121	4,765	232	9,253	9,456	18,709
Caerfyrddin	106,864	179	7,179	309	14,215	13,933	28,148
Morgannwg	171,188	327	15,659	381	22,198	10,955	33,153
Penfro	87,506	206	8,053	223	11,418	5,998	17,416
Brycheiniog	55,603	96	3,985	181	7,683	5,971	13,654
Aberteifi	68,766	101	3,885	206	10,522	16,609	27,131
Maesyfed	25,356	43	1,381	53	1,974	335	2,309
Mynwy	86,079	127	6,652	150	12,137	5,393	17,530
Cyfanswm	997,682	1657	78,827	2,664	138,391	117,204	255,595

Amrywiai'r niferoedd yn ôl enwad a'r hyn oedd i'w ddisgwyl, (Tabl 7: 2) yn enwedig yn y Gogledd, oedd dylanwad trwm y Methodistiaid Calfinaidd ym mhob un o'r siroedd gyda 545 o Ysgolion Sul a chyfanswm o 896 trwy Gymru gyfan. Gellir priodoli'r cynnydd yn y lle cyntaf i ddylanwad Thomas Charles a'i athrawon teithiol ac yna i gyfundrefn a threfniadaeth drylwyr y Methodistiaid yn y blynyddoedd dilynol. Bellach daeth Methodistiaeth yn rym Ymneilltuol radical, herfeiddiol ac allblyg a nodau amgen yr Ysgol Sul yn dod yn rhan annatod o wead cymdeithas gyfan.[55] O ran cyfanswm y disgyblion yn siroedd y Gogledd roeddynt ymhell ar y blaen gyda 28,368 dan 15 oed a 35,973 dros 15 oed.[56] Isel iawn oedd ffigyrau'r Eglwys Sefydledig yn siroedd y Gogledd o'i gymharu â hyn sef 9,422 dan 15 oed a 2,469 dros 15 oed.[57] Mae ystadegau'r Eglwys drwy'r wlad yn dangos y gogwydd hwn, sef mwy o blant nag oedolion yn cael eu dysgu drwy'r wlad. Mae niferoedd y tri enwad anghydffurfiol eraill yn dangos fod yr Annibynwyr yn cyfrannu addysg i 9,295 dan 15 oed yn y Gogledd,[58] 3,929 yn y Canolbarth[59] a 17,003 yn siroedd y De,[60] y Bedyddwyr 2,957 yn y Gogledd,[61] 2,149 yn y Canolbarth[62] a 11,124 yn y De.[63] Dengys ystadegau'r Wesleaid yr un gogwydd ond bod eu niferoedd gryn dipyn yn is na'r gweddill, 7925 yn y Gogledd,[64] 1126 yn y Canolbarth[65] ond yn cryfhau ryw gymaint yn siroedd y De gyda chyfanswm o 5,569.[66] Addysgwyd 28,050 o blant dan 15 oed yn rhengoedd yr Eglwys Sefydledig trwy Gymru a gellir manylu ar hyn yn siroedd y Gogledd gyda phoblogaeth o 145,762 o dan 15 oed, eithr dim ond 9,422 oedd yn derbyn addysg sef 6.5%.[67] Yn siroedd y De dim ond 22.9% oedd yn derbyn addysg yn yr ysgolion dyddiol, 17.7% yng Nghaerfyrddin, 25.4% ym Morgannwg a 24.7% ym Mhenfro.[68] Gallai'r Eglwys ddadlau fod eu plant yn derbyn addysg yn yr ysgolion Cenedlaethol oedd yn britho'r wlad, ac er mwyn cystadlu â'r Ysgolion Sul anghydffurfiol mewn rhai ardaloedd agorwyd ysgolion Cenedlaethol ar y Sul.[69]

Tabl 7:2 Niferoedd Ysgolion Sul y gwahanol enwadau trwy Gymru. [70]

Enwad	Siroedd y gogledd	Y canolbarth	Y de	Cyfanswm	Nifer dan 15	Nifer dros 15	Cyfanswm
Yr Eglwys Sefydledig	124	150	193	467	28,050	7,665	35,715
Y Bedyddwyr	73	97	171	341	16,230	12,314	28,544
Y Methodistiaid Calfinaidd	545	137	214	896	46,465	57,030	103,495
Yr Annibynwyr	232	145	268	645	30,277	29,037	59,314
Y Wesleaid	183	57	50	290	14,720	10,501	25,221
Eraill	4	14	17	35	2649	657	3,306

Gwelir wrth ddadansoddi niferoedd y disgyblion yn blant ac oedolion trwy Gymru sef 255,595 a niferoedd yr athrawon 36,087 fod y gymhareb athro/disgybl yn (1:7). Yn nhref Caernarfon, er enghraifft, roedd y gymhareb yng nghapel Moreia (MC) (1:10) ac Engedi (MC) (1:10) ac er bod y niferoedd dipyn yn llai yng nghapel arall yr enwad, Turkey Shore, eto roedd un athro ar gyfer 6 o ddisgyblion.[71]

Yr iaith

O ddadansoddi'r darlun ieithyddol mynegodd Symons ei farn yn ddi-flewyn-ar-dafod, 'The Welsh language is a vast drawback to Wales, and a manifold barrier to the moral progress and commercial prosperity of its people'[72] ac ni theimlai Lingen chwaith ronyn o gydymdeimlad tuag at yr iaith yn ei ranbarth ef, 'the Welsh element is never found at the top of social scale.......It is a language of old fashioned agriculture, of theology, and of simple rustic life, while all the world about him is English.'[73] Gwelai Johnson yr un ffenomen yn ysgolion dyddiol y Gogledd, 'Every book in the school is written in English, every word he speaks is to be spoken in English......yet he is furnished with no single help for aquiring a knowledge of English.'[74] Gwelwyd hefyd agwedd daeogaidd athrawon yr ysgolion dyddiol i ddysgu Saesneg i'r plant heb fod ganddynt eu hunain ddigon o feistrolaeth ar yr iaith. Meddai Johnson am athro ym Mhontblyddyn, ym mhlwyf Yr Wyddgrug, 'his knowledge of the English language does not exceed that of a labouring man in England'[75] a'r athro yn ysgol Llanfair-is-gaer, sir Gaernarfon, na fedrai ynganu unrhyw air Saesneg yn gywir.[76] Anfantais arall oedd diffyg hyfforddiant dybryd. Yn siroedd y Gogledd o gyfanswm o 643 o athrawon yn yr ysgolion dyddiol dim ond 10.1% oedd wedi eu hyfforddi a chyfartaledd yr hyfforddiant oedd chwe mis.[77] Rhywbeth tebyg oedd hi yn siroedd y Canolbarth dim ond 9.5% wedi eu hyfforddi a siroedd y De gydag ychydig mwy sef 12.5% wedi eu hyfforddi ond yn sir Fynwy roedd y ffigwr yn uwch 23.5% a daw Symons i'r casgliad fod yr athrawon yn y sir hon yn rhagori ar eu cymheiriaid yn y Canolbarth. Gellir ychwanegu ffactor arall sef diffyg synnwyr cyffredin fel yr athro hwnnw yn ysgol Capel Curig, Sir Gaernarfon, er ei fod yn Gymro Cymraeg, gwrthodai'n bendant holi'r plant yn eu mamiaith.[78] Amlyga'r elfen hon hefyd yn natganiadau'r rhai a holwyd, 'I consider the language to be a nuisance and an obstacle' meddai offeiriad Llanhiledd[79] a choleddai Mr Williams o Lanbedr Pont Steffan fod yr iaith yn 'impediment to the mental improvement of the people'. Ym marn Lingen yn y De diwydiannol, 'so far as the Welsh peasantry interest themselves at all in the daily instruction of their children, they are everywhere anxious for them to be taught English'.[80] Rhestrir yr enghreifftiau hyn er mwyn dangos y gwahaniaeth dybryd rhwng addysg yr ysgolion dyddiol a'r Ysgolion Sul. (Tabl 7: 3)

Tabl 7:3 Canrannau'r defnydd o'r iaith Gymraeg yn yr Ysgolion Sul [81]

	Eglwys	Bed	M.C.	A	W	Eraill
Môn	40.0%	100%	97.1%	90.5%	71.4%	-----
Caernarfon	18.7%	80.0%	99.2%	93.7%	56.5%	-----
Dinbych	6.3%	52.6%	83.7%	72.5%	50.0%	-----
Fflint	8.0%	0	76.2%	33.3%	23.5%	-----
Meirionydd	40.0%	100.0%	98.9%	95.6%	85.2%	-----
Trefaldwyn	16.0%	37.5%	64.3%	62.5%	39.5%	-----
Aberteifi	65.5%	77.8%	87.2%	88.6%	47.4%	-----
Brycheiniog	10.0%	20.0%	80.0%	43.1%	10.0%	-----
Maesyfed	0	0	0	0	0	-----
Caerfyrddin	18.8%	45.5%	68.0%	46.4%	14.3%	-----
Morgannwg	4.3%	13.8%	72.2%	52.6%	-----	-----
Penfro	9.6%	45.5%	50.0%	38.6%	6.7%	-----
Mynwy	3.3%	5.0%	53.3%	11.7%	4.2%	-----

Sir Faesyfed o holl siroedd Cymru, oedd yr unig sir lle nad oedd yr un Ysgol Sul yn dysgu trwy gyfrwng y Gymraeg, er bod chwech o'r pumdeg tair ysgol yn dysgu'n ddwyieithog.[82] Daw yr un patrwm ieithyddol i'r amlwg unwaith eto yn y siroedd gorllewinol, Môn, Caernarfon, Meirionydd ac Aberteifi lle dangosir nifer helaeth yn dysgu trwy gyfrwng y Gymraeg, 89.4% ym Môn, 87.0% yn Sir Gaernarfon, 91.7% yn Sir Feirionydd[83] a 77.1% yn Sir Aberteifi[84] tra roedd Ysgolion Sul Cymraeg siroedd y gororau, Fflint 38.9%,[85] a Mynwy 10.8%[86] yn dangos ffigyrau isel. Dengys ystadegau Sir Feirionydd fod 91.7% yn cael eu dysgu trwy gyfrwng y Gymraeg, 2.1% yn dysgu yn Saesneg a 6.2% yn ddwyieithog[87] tra yn y pegwn arall roedd 88.7% o Ysgolion Sul Maesyfed yn cael eu cynnal yn Saesneg ac 11.3% yn ddwyieithog.[88]

O safbwynt yr iaith mae'n rhaid tynnu sylw at ddadansoddiad meistrolgar Lingen o oblygiadau dwyieithrwydd. Ar y naill law roedd y capel a'r Ysgol Sul wedi creu gwerin lafar, huawdl a hyderus a gwelodd y byddai dysgu Saesneg mewn cyd-destun ffurfiol yr ysgol ddyddiol a honno heb fod yn iaith a ddefnyddid bob dydd yn gwbl ddiffygiol. Yr un gwendid sy'n amlygu'i hun wrth ddysgu Cymraeg fel ail iaith heddiw. Ar y naill law mae bwrlwm Seisnig bob dydd yn cael ei gyfyngu ar lawr y dosbarth, i wersi ffurfiol a diddychymyg ail iaith. Yn siroedd ei arolygiaeth yn y De diwydiannol gwelai y byddai newidiadau cymdeithasol ac ieithyddol yn sicr o ddigwydd ac er fod yr arweinwyr crefyddol am weld y Gymraeg yn bodoli ochr yn ochr â'r Saesneg a bod gafael ar y ddwy iaith yn rhywbeth i'w chwennych ni roddodd Lingen lawer o sylw i'r dadleuon hyn.[89]

Dulliau Dysgu

Mae'n amlwg o'r Adroddiad y dilynid yr un patrwm yn yr Ysgolion Sul trwy'r wlad sef gwasanaeth dechreuol i'r ysgol i gyd, dosbarthiadau yn canolbwyntio ar sillafu a dysgu darllen, dosbarthiadau'n darllen y Testament a dosbarth yn darllen y Beibl gyda gwasanaeth byr, gweddi ac emyn i gloi'r gweithgareddau. Deil Lingen fod 97.7% o Ysgolion Sul ei ranbarth ef yn dechrau a diweddu â gweddi,[90] 96.9% yn rhanbarth Symons[91] a 98.4% yn siroedd y Gogledd.[92] Mae'n amlwg nad oedd canu emynau mor boblogaidd â hynny gan mai ychydig dros hanner yr ysgolion yn y Canolbarth oedd yn canu sef 53.4%;[93] 75.5% yn ysgolion y de[94] a 77.3% yn ysgolion y Gogledd.[95] Beirniadol iawn yw'r tri o safon y dysgu a'r hyn sy'n dod yn amlwg yn eu hadroddiadau yw'r undonedd a'r diffyg dychymyg. Treulir gormod o amser 'nearly an hour in reading the Bible in Welsh, repeating portions by heart, and answering questions.....This is followed by a simultaneous catechising of the whole school from some doctrinal catechism....'[96] Mae'n rhaid cofio fod Ysgolion Sul hanner cyntaf y bedwaredd ganrif ar bymtheg yn cadw'n glos at feddylfryd Thomas Charles a'i bwyslais ar awdurdod y Beibl a gwybodaeth o'r Gair gan mai dyma oedd man cychwyn achub enaid. Yn ôl yr ystadegau roedd dros dri chwarter o'r holl Ysgolion Sul yn cateceisio, 88.7% yn y Gogledd, 86.1% yn y Canolbarth a 77.7% yn y De. Er fod ambell enghraifft glodwiw o drafod ac esbonio'r Catecism, prin iawn oedd hyn a'r norm, fel yn yr ysgolion dyddiol, oedd dysgu'r cwestiynau a'r atebion ar dafod leferydd heb unrhyw esboniad o gwbl. Rhoddwyd bri mawr ar lafur cof sef dysgu penodau cyfain o'r catecism ar y cof; 96.5% o ysgolion y Gogledd,[97] 95.5% o ysgolion y Canolbarth[98] a 94.4% o ysgolion y de[99] yn cyflawni'r tasgau hyn. Ceir sawl enghraifft, fel yng Nghapel Mair yn Sanclêr, o ddarllen o 'ddot i ddot' boed atalnod llawn neu atalnod, a byddai darllen fel hyn yn sicr o dorri ar rediad y darn a chymylu'r ystyr.[100] Gan fod Symons yn gwahaniaethu rhwng Ysgolion Sul yr Eglwys a'r Anghydffurfwyr gwêl fod y dull hwn yn fwy amlwg ymhlith yr Anglicaniaid sef ail-adrodd y Catecism a'r colectau a hynny heb esboniad, trafodaeth na chymhwysiad.[101] Gwêl hyn ar raddfa lai ymhlith yr Anghydffurfwyr, ond fel y dywed arolygwr Ysgol

Sul yr Annibynwyr yn Llanbedr Pont Steffan, 'the general plan is to commence with Genesis and go through the whole Bible'.[102] Er fod rhai Ysgolion Sul ymhlith yr Anghydffurfwyr yn arddangos arfer dda y tueddiad oedd cynnal trafodaeth ar elfennau amherthnasol fel cwestiynu 'pwy oedd yr angel a ymddangosodd i Balaam'.[103] Y gwendid cyffredinol oedd canolbwyntio ar adrannau yn hytrach na thrafod, dehongli a rhoi mwy o sylw i athrawiaethau Cristnogol.[104] Gwêl Lingen ragoriaeth dysgu Pwnc sef a 'point of doctrine printed in question and answers, with Scripture proofs'[105] a rhydd grynodeb o gynnwys y dull hwn o holwyddori a arweiniai yn ei dro at bynciau astrus diwinyddol.[106]

Mae Symons yn feirniadol iawn o'r grefft o ddysgu darllen yn yr Ysgolion Sul; iddo ef gweithgaredd seciwlar oedd hon a dylid ei hepgor a chanolbwyntio ar yr elfennau crefyddol yn unig.[107] Prinder adnoddau oedd cwyn arall y comisiynwyr ac yn ôl Lingen cynhaliwyd yr Ysgolion Sul ar y nesa peth i ddim o gyfalaf gan fod y Beiblau, llyfrau elfennol a'r esboniadau yn eiddo i'r disgyblion.[108] Ni ddefnyddiwyd mapiau yn y gwersi er fod y Parch David Rees, Llanelli, o'r farn fod aelodau'r Ysgolion Sul yn fwy hyddysg yn naearyddiaeth Palestina nag oeddynt yn naearyddiaeth eu gwlad.[109] Llym oedd beirniadaeth Johnson ar safon lenyddol y cyfnodolion ac yn ôl ei ddadansoddiad o 405 o lyfrau roedd 309 yn ymwneud â chrefydd a barddoniaeth, 50 yn ymdrin â phynciau gwyddonol a'r gweddill yn trafod amrywiaeth o bynciau.[110] Barnodd Johnson fod yr eirfa ddiwinyddol wedi gwella iaith lafar y disgyblion ond bod eu hadnoddau ieithyddol mewn meysydd eraill yn ddiffygiol ac annigonol.[111]

Ynghanol y mwrllwch a ddadlennir gan y triawd daw llygedyn o oleuni yma a thraw pan roddir clod i'r Cymry ar draul y Saeson. Myn Johnson, e.e. eu bod yn 'far superior to the same class of Englishmen in being able to read the Bible in their own language'.[112] Canmoliaeth oedd gan Lingen hefyd gan iddo honni, o ganlyniad i ddylanwad yr Ysgol Sul, fod y Cymry yn meddu ar 'mastery over his own language far beyond that which the Englishman of the same degree possesses over his'.[113] Yr un yw neges y Parch Harrison, offeiriad o Sais, a drigai yn Llanelwedd, 'The Welsh people are much quicker than the English......the Welsh have much better and readier powers of perception.....they are, however, beautiful faculties lost here for want of proper cultivation'[114] a chydweld mae'r Parchedig David Parry, ficer Llywel, 'They are for the most part quick, shrewd and clever, in proportion to their advantages.......'[115]

Mae'n amlwg fod Ysgolion Sul â niferoedd mawr o ddisgyblion yn fwy llewyrchus a threfnus na'r ysgolion â niferoedd bychain. Ceir darlun cynhwysfawr o Ysgol Sul y Methodistiaid Calfinaidd yn Aberystwyth gan Symons oedd gyda 700 i 800 o ddisgyblion. Yr hyn ddaw i'r amlwg yn yr ysgol hon yw'r diwydrwydd, awyrgylch ysbrydol a'r cynllunio gofalus a thrylwyr a ddigwyddai yno. Manylir ar yr amseroedd a ganiatawyd ar gyfer y gwahanol dasgau: dechrau am ddau o'r gloch, 10-12 munud o ddefosiwn agoriadol, y wers gyntaf i orffen am 2.45, canu am bum munud, yr ail wers hyd 3.25, canu am bum munud a chateceisio am ddeng munud. Cyn mynd adref byddai un o'r arolygwyr yn annerch yr ysgol i gyd ac yna un o'r athrawon yn cloi gyda gweddi .

Nodwedd arall oedd y paratoi manwl a ddigwyddai bob bore Sul pan fyddai'r athrawon yn cyfarfod i drafod gwaith y dydd. Ar nos Fercher gyntaf o bob mis byddai cyfarfodydd i drafod gwaith a busnes yr ysgol a chyfarfodydd chwarter ar ôl oedfa'r hwyr ar yr ail Sul yn Ionawr, Ebrill, Gorffennaf a Hydref. Yn y cyfarfod blynyddol, ar nos Fercher gyntaf yn Rhagfyr, y dasg fyddai penodi ysgrifenyddion ac athrawon ar gyfer y gwahanol ddosbarthiadau yn ystod y flwyddyn. Bob chwe mis byddai athrawon yn symud i ddosbarthiadau eraill ac yn ôl pob golwg roedd hyn yn peri anniddigrwydd ymhlith aelodau'r dosbarthiadau hŷn gan eu bod wedi cyfarwyddo â threfn yr athro. Gwendid amlwg yn yr ysgol hon oedd derbyn plant bach (dyflwydd a hanner oed) yn rhy gynnar gan fod sŵn y cyfryw rai yn amharu ar ysbrydoledd yr ysgol.[116]

Gellir crynhoi sylwadau tri chomisiynydd ar ddulliau dysgu'r Ysgolion Sul i ddiffyg amrywiaeth yn y dysgu, gormod o bwyslais ar lafur cof a dim digon o drafod a dehongli. Ar y cyfan roedd Ysgolion Sul yr Anghydffurfwyr yn rhagori ar Ysgolion Sul yr Eglwys Sefydledig a hynny ym marn Symons am eu bod yn rhoi mwy o bwyslais ar ysbrydoledd y gynulleidfa gyfan yn hytrach na chanolbwyntio ar hyfforddi plant yn unig yn elfennau addysg grefyddol.[117] Dyrchefir hwy i'r entrychion gan Johnson pan ddywed eu bod yn brif gyfrwng gwareiddiad yng Ngogledd Cymru[118] ac yn ddigon anfoddog cydnabu Lingen eu bod yn 'real fields of mental activity'.[119]

Dadleuai Lewis Edwards yn gryf fod gan y Comisiynwyr a'u meistri yn y Llywodraeth ddarlun pur anghyflawn o bwrpas ac amcan addysg. Pwysleisiwyd ganddynt hwy y tymhorol, yr iwtilitaraidd a'r seciwlar, ac o safbwynt Cymru milwriai dwy elfen arall yn erbyn y cynnydd, sef y gogwydd Ymneilltuol a'r defnydd o'r iaith Gymraeg. Nid oedd unrhyw sôn am sylfaen foesol nac amcanion uwch tra dylai addysg amcanu at ddoethineb a gwarineb i'w deiliaid a'u parchu fel bodau cyfrifol gerbron Duw.[120] Sylfaenwyd holl weithgaredd ac ethos yr Ysgolion Sul ar greu microcosm o gymdeithas wâr lle perchid y plant a'r oedolion a syndod i Lingen, fel y cyfeiria Lewis Edwards, oedd fod 'dynion yn weision trwy yr wythnos, ac yn feistriaid ar y Sabbath'.[121] Anodd iawn oedd i dri chomisiynydd o gefndir Anglicanaidd amgyffred dylanwad diwinyddiaeth Galfinaidd, Feibl-ganolog ar fywydau'r disgyblion gan gofio mai'r dasg oedd archwilio'r hyn oedd yn amlwg ar lawr y dosbarth o ddydd i ddydd. Eithr buont yn ddigon craff i sylweddoli beth oedd prif ddylanwad yr Ysgolion Sul.

Cyfraniad Cymdeithasol yr Ysgolion Sul

Canmolodd y tri ddylanwad yr Ysgol Sul ar y gymdeithas. Ym marn Lingen, 'These schools have been almost the sole, they are still the main and the most congenial centres of education'[122] a sylw tebyg oedd gan Symons, 'The general tendency of the Sunday Schools is decidedly beneficial'.[123] Manylodd Johnson ar eu rhagoriaethau:

> However imperfect the results, it is impossible not to admire the vast number of schools which they have established, the frequency of attendance, the number, energy and devotion of the teachers, the regularity and decorum of the proceedings, and the permanent and striking effect which they have produced upon society.[124]

Pwysleisio'r dylanwad cymdeithasol yn hytrach na'r elfennau pedagogaidd a wneir gan y tri. Codwyd llwyfan i deuluoedd cyfain gydweithio, pwyllgora a threfnu; cyfleoedd fyddai ymhell o'u cyrraedd yn eu cymunedau bob dydd.

Oddi mewn i furiau'r Ysgolion Sul roedd yr oedolion, plant, a'r athrawon i gyd yn perthyn i'r un haen o'r gymdeithas lle nad oedd 'superiors to smile and open their eyes.......They are intelligible or excusable to one another'.[125] Er i Lingen, gan gofio'i gefndir, sarhau'r gyfundrefn, gwelodd mai'r cyfarfod ar y Sul oedd awr fawr y dyn cyffredin. Deuai i'r Ysgol Sul yn ei ddillad parch a chyfaddefodd Lingen na welodd neb yn mynychu'r Ysgolion Sul yn ei garpiau ac yn hynny o beth rhagorai'r Cymry ar yr un dosbarth yn Lloegr.[126] Gwêl Symons yr un tueddiad yn ei ranbarth ef a chanmolir ymroddiad clodwiw deiliaid yr Ysgolion Sul i helpu eu cymdogion o'r un dosbarth ac yn ei farn ef roedd mwy o Samariaid ymysg y tlodion nag oedd ymysg y boneddigion.[127] Aeth ymhellach trwy feio'r bonheddwyr a'r offeiriaid o anwybyddu'r ffermwyr a'r gweithwyr yn eu cymunedau. Deuai'r offeiriaid a'r gweinidogion dan lach hefyd am eu bod yn anwybyddu'r ysgolion gan y byddai eu presenoldeb yn sicr o ysgogi a sbarduno'r athrawon.[128]

Gwêl Johnson ddylanwad pellach yr Ysgolion Sul pan ddywed 'as the influence of the Welsh Sunday Schools decreases, the moral degradation of the inhabitants is more apparent'.[129] Gwelodd enghraifft o hyn ar y gororau yn Sir Fflint a rhydd ddisgrifiad pur fanwl o gyflwr y dref honno.[130] Yr un oedd barn Lingen yn y De gan iddo gydnabod bod addysg yr Ysgolion Sul wedi hybu 'a comparative absence of crime'.[131] Eithr amharod fyddai'r Parch J. W. Trevor, caplan i Esgob Bangor, i gyd-weld gan iddo, yn ei dystiolaeth i'r Comisiynwyr, bardduo'r Cymry am anlladrwydd ac anfoesoldeb a rhydd enghreifftiau o anniweirdeb ac meddai, 'I want to make known, that the moral principles of the Welsh people are totally corrupt.....'[132] a rhydd ficer Nefyn y bai i gyd ar y merched a'r arfer o garu ar y gwely.[133]

Yn fuan wedi ymddangosiad yr Adroddiad miniwyd y cleddyfau ar gyfer yr ymosodiadau chwyrn a digyfaddawd ac ymddangosodd trafodaethau ym mhrif gyfnodolion yr enwadau, *Y Diwygiwr,*[134] *Y Dysgedydd,*[135] *Y Drysorfa,*[136] *Seren Gomer*[137] *Y Traethodydd*[138] a hyd yn oed yn *Yr Haul* cyfnodolyn yr Eglwys Sefydledig. [139]

Ni fu unigolion chwaith yn dawedog. Y llymaf o'r rhain oedd y Parch Evan Jones (Ieuan Gwynedd) (1820 – 1852), cyn-ysgolfeistr a gweinidog gyda'r Annibynwyr yn Nhredegar,[140] a fynnodd fod casgliadau'r comisiynwyr yn wallus, rhagfarnllyd, afresymol, rhyfygus a sarhaus.[141] Efallai mai'r feirniadaeth fwyaf adeiladol ohonynt i gyd oedd eiddo Jane Williams, Ysgafell, (1806 – 85)[142] gwraig fregus ei hiechyd, o wreiddiau Cymreig a fagwyd yn Llundain. Dychwelodd i Gymru a dyfnhawyd ei diddordeb yn hanes a diwylliant Cymru dan ddylanwad Arglwyddes Llanofer.[143] Yr hyn a wnaeth hi oedd tanseilio'u beirniadaethau a'u rhagfarnau adran wrth adran gan gyfeirio at eu diffyg cefndir a gwybodaeth am y wlad, ei phobl a'i hiaith ond yn fwy na dim at anghysonderau a rhagfarnau y rhai a roddodd dystiolaeth iddynt.[144] Tanseiliodd eu ffigyrau am enedigaethau anghyfreithlon a chamweddau troseddol gan ddangos eu bod yn uwch yn Lloegr[145] ac amheuodd y ffaith fod y plant yn anwybodus a hynny ar sail y cwestiynau amhriodol, a roddwyd iddynt, 'The children were very ignorant, and could not say what an angel is. Who can?'[146]

Flwyddyn yn ddiweddarach daeth yr adroddiad dan lach un o bileri'r achos Seisnig yng Nghymru, Syr Thomas Phillips (1801 – 67) bargyfreithiwr a maer Casnewydd.[147] Dewisodd yntau ddilyn Jane Williams trwy danseilio dadleuon y Comisiynwyr ac anghytunodd yn ffyrnig â'r ddadl fod Cymru yn isel ar y raddfa gymdeithasol,[148] ac amheuodd feirniadaeth y Comisiynwyr ar enedigaethau anghyfreithlon[149] a'r ystadegau troseddu yng Nghymru a Lloegr a dangosodd fod ffigyrau Lloegr yn uwch o lawer yn y ddau faes.[150]

Mae'n werth nodi fod ambell Eglwyswr hefyd yn barod ei feirniadaeth fel rheithor Llandyfrydog, a ddaeth yn ei dro yn Ddeon Bangor, y Deon Cotton. Mewn llythyr o'i eiddo wedi'i arwyddo, 'An Unpaid Inspector', mae'n chwyrn iawn tuag at y comisiynwyr oherwydd eu dulliau annheg o holi'r plant. Yn ei farn ef, ac yntau wedi holi plant yn fynych ar ei ymweliadau ag ysgolion, 'the duty of an examiner is not to *teach,* but to learn. His business is not to teach his pupils what he knows, but to *learn* from them what *they know.*'[151] Credai fod y comisiynwyr wedi camarwain y plant trwy roi 'leading questions, so as to delude and entrap the unsuspecting child'.[152] Cawn enghreifftiau ganddo:

Christ was crucified in Bethlehem, was he not?
Noah built the Temple, did he not?
Peter was one of the Prophets, was he not?[153]

Cynhyrfwyd gŵr cymedrol o galibr Lewis Edwards, golygydd y *Traethodydd,* i draethu'n huawdl ar dudalennau ei gyfnodolyn.[154] Sylfaen ei wrthwynebiad oedd agweddau'r comisiynwyr at bwrpas a gwerth addysg a moesoldeb cenedl gyfan. I'r comisiynwyr, o gofio eu tras y seciwlar, yr iwtilitaraidd a'r Saesneg oedd yn cyfrif a doedd ganddynt ddim amgyffred o ddylanwad Ymneilltuaeth na gafael iaith wahanol ar y genedl.[155]

Pinacl ei feirniadaeth oedd ymosodiad y comisiynwyr ar foesau'r Cymry a'r ffaith fod offeiriaid yr Eglwys wedi enllibio a phardduo cenedl gyfan. Aeth ati i gyhoeddi'n floesg ei gondemniad chwyrn ohonynt gan ddatgelu ystadegau oedd yn dangos fod y Cymry yn rhagori o ran moesoldeb ar Loegr a'r ardaloedd yng Nghymru lle roedd yr Eglwys ar ei chryfaf ac Ymneilltuaeth ar ei gwannaf.[156] Galwodd ar ei gyd-wladwyr i ymwroli a gweithredu'n boliticaidd gan fod oes newydd wedi gwawrio. Rhoddwyd y dasg o ddysgu, creu gwareiddiad Cristnogol a chadw'r Gymraeg yn fyw i Ymneilltuaeth radicalaidd lle roedd dylanwad yr Ysgol Sul yn allweddol – roedd oes y Gymru radicalaidd wedi gwawrio.[157]

Cyfrifiad 1851: Cyfrifiad Crefyddol [158]

Penderfynodd Llywodraeth Chwigaidd yr Arglwydd John Russell ymgymryd â'r dasg, fel rhan o'r Cyfrifiad swyddogol, i gasglu ystadegau ar addysg ac ymchwilio i arferion addoli ei deiliaid. Rhwng 1841 ac 1851 chwyddodd y boblogaeth 13% a rhwng 1801 i 1851 cynyddodd 98%.[159] Heidiai pobl o gefn gwlad i'r dinasoedd diwydiannol a lledaenai'r Diwygiad Efengylaidd, Mudiad Rhydychen a'r Diwygiad Methodistaidd. Clafychai'r Eglwys Sefydledig dan gynnydd Anghydffurfiaeth a dechreuodd y dinasoedd a'r trefi mawrion ddod dan ddylanwadau seciwlar. Credai'r Anghydffurfwyr y byddai'r Cyfrifiad yn cadarnhau eu twf tra'r ofnai'r Eglwyswyr y canlyniadau. Ychydig ddyddiau cyn y cyfrif, wrth gyflwyno deiseb yn Nhŷ'r Arglwyddi, cynghorodd yr Esgob Wilberforce, esgob Rhydychen, ei glerigwyr i wrthod cwblhau'r holiaduron (gan fod y cyfan yn wirfoddol) ar sail y byddai'r wybodaeth yn wallus a'r wybodaeth yn cael ei defnyddio fel propaganda.[160] Ym marn golygydd y *Times* byddai gwrthod llenwi'r holiaduron yn gam gwag gan y byddai'r Anghydffurfwyr ar eu hennill.[161] Eithr, bu diffyg brwdfrydedd ac arweiniad yr esgobion yn esgus i lawer o'r clerigwyr wrthod llenwi'r ffurflenni. Rhoddodd Horace Mann, y cyfreithiwr Anglicanaidd,oedd yn gyfrifol am y Cyfrifiad Addoli, ail gyfle iddynt a bu i ryw raddau yn llwyddiannus. Yn niffyg ymateb yr offeiriaid, ceisiodd wybodaeth gan wardeiniaid yr eglwysi, ac o 14,077 o fannau addoli Anglicanaidd yng Nghymru a Lloegr gwrthododd 989 gyfaddawdu.[162]

Ar y Sul, cyn y Cyfrifiad Swyddogol 30 Mawrth 1851, sef y pedwerydd Sul yn y Grawys, Sul y Fam, oer a stormus[163] yn ôl pob tystiolaeth, y nod oedd cyfrif pob unigolyn oedd yn mynychu lle o addoliad yn y bore, y prynhawn a'r hwyr. Gofynnwyd i swyddogion cymwys gyfrannu gwybodaeth am eu mannau addoli. Cynhwysai'r ffurflenni, un benodol i'r Eglwys Sefydledig ac un arall wedi'i hargraffu mewn inc coch i'r Anghydffurfwyr, gwestiynau am enw, man addoli, dyddiad adeiladu, enw'r enwad, nifer yr eisteddleoedd ynghyd â niferoedd oedd yn bresennol ymhob gwasanaeth gan gynnwys y 'Sunday Scholars'. Ar y ffurflen Anglicanaidd holwyd am wybodaeth ychwanegol am gost yr adeiladau, manylion am rentu'r seddau, y degwm a chyfraniadau'r Pasg.[164] (gw. Atodiad B a C). Paratowyd ffurflenni arbennig ar gyfer ysgolion dyddiol, ysgolion nos, cymdeithasau llenyddol a gwyddonol a'r Ysgolion Sul. Cynhwysai ffurflen yr Ysgolion Sul dair adran, yr adran gyntaf yn holi am wybodaeth am enw a lleoliad, pa enwad, pryd y sefydlwyd ac ym mha fath o adeilad y cynhaliwyd yr ysgol. Roedd yr ail adran yn ymwneud â niferoedd ar y llyfrau, y nifer oedd yn bresennol ar ddiwrnod y cyfrifiad a faint oedd â chysylltiad ag ysgol ddyddiol a'r drydedd adran yn ymdrin â niferoedd yr athrawon, a oeddynt yn cael eu talu, beth oedd yn cael ei ddysgu heblaw darllen a gwybodaeth ysgrythurol a beth oedd cyfanswm y treuliau blynyddol.[165] (gw. Atodiad CH).

Penderfynodd chwe eglwys blwyf ym Môn, allan o gyfanswm o 77 o blwyfi, wrthod cyfrannu gwybodaeth am eu heglwysi.[166] Cwynai offeiriad Llanfechell nad oedd yr un anghydffurfiwr wedi mynychu ei eglwys ar y 30 Mawrth a'u bod wedi ymuno â'u *clan* ar y diwrnod hwnnw[167] ac aeth Morris Williams, curad Amlwch, ymhellach trwy gyhuddo'r anghydffurfwyr o gymell a denu addolwyr i fynd i wahanol gapeli ar y Sul penodol hwnnw.[168] Yng Nghymru a Lloegr yn gytûn roedd presenoldeb yr Eglwyswyr rywbeth yn debyg i bresenoldeb yr Anghydffurfwyr, sef 47% yn yr eglwysi a 49% yn y capeli ond yng Nghymru roedd gan y clerigwyr le i bryderu gan mai dim ond 9% oedd wedi mynychu addoldai Anglicanaidd y diwrnod hwnnw tra roedd 87% wedi mynychu capeli anghydffurfiol.[169] Yn ogystal â hyn ymgymerodd Mann â chasglu gwybodaeth am ysgolion dyddiol, eu cysylltiadau crefyddol, dyddiad eu sefydlu a niferoedd yr athrawon a'r disgyblion. Gwnaed hyn dros dridiau, ysgolion nos i gwblhau ar Sadwrn, 29 Mawrth, Yr Ysgolion Sul drannoeth a'r ysgolion dyddiol ar y Llun, 31 Mawrth.[170]

Llafuriodd Mann am ddwy flynedd i ddadansoddi a dehongli'r ffigyrau a'r cwestiwn holl bwysig yw sut y cyrhaeddodd at y canlyniadau a'r ystadegau a gyhoeddwyd ar y 3 Ionawr 1854? O ystyried y Cyfrifiad Addoli ni ellir dibynnu'n llwyr ar yr ystadegau ynglŷn ag addolwyr na niferoedd yr eisteddleoedd, felly ni ellir trafod manylder ond fe ellir cymharu rhwng gwlad a gwlad, sir a sir, enwad ac enwad. Gellir crynhoi'r ystadegau yn fras. Deunaw miliwn oedd poblogaeth Cymru a Lloegr ar y pryd a barnodd Mann na ddisgwylid i bob unigolyn fod yn bresennol mewn addoliad, sef babanod a henoed, cleifion a phobl yn dilyn eu gorchwylion. Felly rhoddodd ffigwr o 30% i gynrychioli'r rhain, sef 7.5 miliwn o'r boblogaeth. Felly roedd 10.5 miliwn o'r boblogaeth yn rhydd i addoli ar y diwrnod hwnnw. Dangosai'r ystadegau fod prinder oddeutu 1.5 miliwn o eisteddleoedd gan gymryd Lloegr a Chymru gyda'i gilydd. Ond a throi at Gymru'n unig gyda phoblogaeth o 1,188,914, 4,006 o adeiladau oedd yn cynnwys 1,005,410 o eisteddleoedd a chan ddefnyddio fformiwla Mann o 30% yn llai roedd mwy na digon o eisteddleoedd ar eu cyfer. Eithr amrywiai hyn o ardal i ardal – y siroedd gyda'r ddarpariaeth isaf oedd ardaloedd diwydiannol Morgannwg a Mynwy tra'r rhai uchaf eu darpariaeth oedd siroedd Meirionnydd a Brycheiniog. Fel yn Lloegr, roedd crefydd yn llai llwyddiannus yn y trefi diwydiannol o'i gymharu â'r ardaloedd gwledig. O safbwynt crefyddoldeb Lloegr a Chymru roedd Cymru ar y blaen. Ar Sul y Cyfrifiad Crefyddol roedd oddeutu 57% o boblogaeth Cymru mewn lle o addoliad ac 87% ohonynt mewn capel neu dŷ cwrdd anghydffurfiol. Dim ond 37% o boblogaeth Lloegr a fynychodd oedfaon ar y diwrnod hwnnw. Yn Lloegr, roedd eisteddleoedd yn yr holl enwadau crefyddol ar gyfer hanner y boblogaeth sef 8.5 miliwn o seddau ar gyfer 16.5 miliwn o bobl sef 51.4%. Yng Nghymru, ar y llaw arall, gallai dros dri chwarter y boblogaeth eistedd mewn man addoli: 898,442 allan o boblogaeth o 1,188,914 sef 75.6%. Dangosodd y Cyfrifiad fod siroedd Gogledd Canolbarth Lloegr yn bennaf, ag eisteddleoedd ar gyfer 64.8% o'r boblogaeth tra roedd Llundain â phrin ddigon o le i 29% o'r boblogaeth. Ar y cyfan roedd Gogledd Cymru ag eisteddleoedd i 83% o'r boblogaeth a De Cymru ag eisteddleoedd i 73% o'r boblogaeth.[171]

Yr Ysgolion Sul

Cofnododd y mwyafrif o'r capeli yng Nghymru bod yr ysgolheigion yn bresennol ymhob un o'r oedfaon a'r unig esboniad ar hyn oedd bod oedolion a phlant yn bresennol efo'i gilydd. Ond fel sy'n wybyddus nid Ysgolion Sul i blant ac ieuenctid yn unig oeddynt ond i oedolion hefyd fel y dengys Adroddiad Addysg 1847. Gwendid y cyfrifiad, gan gofio mai Sais a'i lluniodd, yw nad oedd modd gwahaniaethu rhwng y plant a'r oedolion. Cyfeiria blaenor capel y Drindod, Biwmares, fod mwyafrif o aelodau'r Ysgol Sul, o 180 o ysgolheigion, yn oedolion[172] a blaenor capel Horeb, yn is ardal Llanidan, Môn, yntau'n cadarnhau bod yr ysgolheigion rhwng 3 a 80 oed ond ni cheir unrhyw ddadansoddiad o'r ffigyrau yn y cyfrifiad.[173] Y tebygolrwydd oedd fod plant yn mynychu oedfaon gyda'u rhieni ac felly'n cael eu cynnwys yn y ffigyrau terfynol. Nid oedd modd chwaith gwahaniaethu rhwng yr ysgolheigion a'u hathrawon. Mae John Owen, diacon capel Beulah, ym mhlwyf Aberffraw, Môn, yn ei sylwadau yn dweud, 'Out of the Sunday Scholars deduct 10 Teachers a Secretary and Treasurer',[174] tra mae eglwys Annibynnol Rhosmeirch yn gwahaniaethu rhwng, '80 scholars a 16 teachers'.[175] Barn Ieuan Gwynedd Jones yw fod ystadegau'r Ysgolion Sul yn nes ati gan fod cofrestri manwl yn cael eu cadw o Sul i Sul a chadarnheir hyn yn y ffigyrau gan y cofnodir ffigyrau nad oeddynt yn ffigyrau crwn e.e. yn eglwys Biwmares roedd 167 o ysgolheigion,[176] a 151 yng nghapel Wesleaidd, Gilead, yn is ardal Llangefni.[177] Nodwedd arall fyddai wedi bod o gryn ddiddordeb i haneswyr fyddai nodi gwahanol oedrannau'r plant yn yr Ysgolion Sul. Erbyn cyfnod y Cyfrifiad rhoddwyd pwyslais ar annog plant rhwng tair a chwech oed i fynychu. Er nad oedd dosbarthiadau bychain ar eu cyfer roeddynt yn cael eu dysgu gyda'i gilydd gan athrawesau yn bennaf a'r rheiny ymhlith yr athrawon gorau. Rhoddwyd y cyfrifoldeb ar athrawesau profiadol ac aeddfed gan eu bod yn cynrychioli'r fam ac felly byddai'r plant bach yn dysgu'n rhwyddach yn eu cwmni.[178]

Cyfanswm moel ystadegau'r Ysgolion Sul, yng Nghymru a Lloegr, yn ôl y Cyfrifiad oedd 23,514 o ysgolion gyda 2,407,642 o ysgolheigion yn cael eu dysgu gan 318,135 o athrawon.[179] Mae Cymru, unwaith eto, ar frig y tabl gyda 32.9% o boblogaeth Gogledd Cymru yn mynychu'r Ysgol Sul a 22.4% o boblogaeth De Cymru. Cynhwysai'r ffigwr hwn y plant a'r oedolion. Mae'n arwyddocaol iawn fod holl siroedd Lloegr o dan 20% gyda sir Henffordd, ar ororau Cymru, â dim ond 7.9% o'r boblogaeth yn mynychu Ysgol Sul a'r rheswm am y ffigyrau isel oedd mai plant yn unig a gynhwyswyd.[180]

Y ffaith fwyaf arwyddocaol unwaith eto yw cyn lleied o Ysgolion Sul oedd yn perthyn i'r Eglwys Sefydledig a hynny'n gyson trwy siroedd Gogledd Cymru. Ym Môn, o'r 77 plwyf, dim ond 19 ohonynt oedd ag Ysgol Sul (24.7%), ac yn Ardal Pwllheli â chyfanswm o 30 o eglwysi, dim ond dwsin o Ysgolion Sul Anglicanaidd oedd yn cyfarfod ar y Sul (40%). Mae'n werth ceisio dadansoddi gwendidau'r Eglwys Sefydledig yn ôl y nodiadau a geir gyda'r ystadegau moel. Yr oedd llawer o'r plwyfi gwledig yn anferth o ran eu maint gyda'r mwyafrif o'r boblogaeth yn byw ymhell o'r eglwys blwyf fel y cwynai Robert Williams, offeiriad Clynnog Fawr yn Arfon, gyda'i eglwys 'situated at the extreme end of the Parish nearly six miles square, where the Population is widely scattered'.[181] Ynghlwm â hyn roedd cyflwr yr eglwysi yn druenus fel y cyfeiria rheithor Trefriw, 'the Church has been for about a century in a most dilapidated and wretched condition....not only unfit but highly injurious to their [parishioners] health to attend'.[182] Er nad oes cyfeiriadau at blwyfi oedd yn rhy dlawd i gynnal offeiriaid mae curad Llanfachreth a Llanelltyd yn cystwyo Syr R. W. Vaughan o gadw'r rhan fwyaf o arian y degwm gan roi'r nesaf peth i ddim iddo ef 'at which sum his scullery girl would turn up her nose'.[183]

Yn y pegwn arall ymffrostiai'r Methodistiaid Calfinaidd ym Môn fod 58 o Ysgolion Sul yn perthyn i 65 o gapeli (89.2%) a'r un oedd y darlun yn Ardal Pwllheli, 33 o gapeli o gyfanswm o 36 yn cynnal Ysgol Sul (91.7%). Er fod niferoedd yr Annibynwyr, y Bedyddwyr a'r Wesleaid ym Môn yn is na'r Methodistiaid roedd yr Annibynwyr â 29 o ysgolion mewn 33 o gapeli (87.9%), y Bedyddwyr â 20 o ysgolion mewn 22 o gapeli (90.9%) a'r Wesleaid, ym Môn, ag ysgol ymhob un o'u capeli (100%). Digon tebyg oedd y sefyllfa yn Ardal Pwllheli – yr Annibynwyr â 18 Ysgol Sul mewn 20 capel (90%), y Bedyddwyr â 10 Ysgol Sul mewn 12 capel (88.3%) a'r Wesleaid â 7 ysgol mewn 9 capel (77.8%). Yn siroedd y De a'r Canolbarth o 1638 o

Ysgolion Sul a berthynai i'r pedwar enwad anghydffurfiol a'r Eglwys, mynychai 22.2% Ysgolion Sul yr Eglwys, 26.1% gyda'r Annibynwyr, 22.1% gyda'r Methodistiaid Calfinaidd, 18.6% gyda'r Bedyddwyr a 11.1% yn mynychu Ysgolion Sul y Wesleaid.[184] O ddadansoddi'r ffigyrau gwelir fod 77.8% yn mynychu Ysgolion Sul anghydffurfiol – mae hyn eto'n dangos yn glir y gogwydd oddi wrth Anglicaniaeth. O gymharu'r ystadegau hyn â ffigyrau Adroddiad 1847 gwelir fod cynnydd erbyn 1851 yn niferoedd yr Ysgolion Sul o 8.7%, yn nifer y disgyblion a 9.0%, yn nifer yr athrawon. Yn 1847, talwyd cyflog i 22 o athrawon a'r rheiny i gyd yn perthyn i'r Eglwys Sefydledig ac erbyn 1851 cyflogwyd 31 gan yr Eglwys, cynnydd o 7.1%. Cyflogwyd chwech o athrawon gan y Methodistiaid Calfinaidd a 23 gan y Wesleaid (Tabl 7:4)

Tabl 7:4 Nifer yr Ysgolion Sul, yr ysgolheigion, athrawon, cymhareb athro/disgybl a thaliadau i'r athrawon yn siroedd y Gogledd. [185]

Enwad	Ysgolion	Nifer yr ysgolheigion	Nifer yr athrawon	Cymhareb Athro/disgybl	Athrawon/ Taliadau
Eglwys Sefydledig	168	15,100	1,352	1:11	31
Methodistiaid Calfinaidd	575	67,473	9,829	1:9	6
Annibynwyr	259	20,617	2,827	1:7	----
Bedyddwyr	112	7,754	1,226	1:6	----
Wesleaid	223	18,739	2,576	1:7	23
Cyfanswm	1,337	129,683	17,810	1:7	60

Digon tebyg oedd yr ystadegau yn y De gyda'r Eglwys Sefydledig â chymhareb o 1:12, y Methodistiaid 1:7, yr Annibynwyr 1:7, y Bedyddwyr 1:6 a'r Wesleaid 1:5[186] Nid oes modd gwahaniaethu rhwng ystadegau'r oedolion a'r plant er fod Adroddiad Addysg 1847 wedi dadansoddi'r ffigyrau dros a than bymtheg oed. Gwelir canlyniadau ystadegau Adroddiad Addysg 1847, Môn yn Tabl 7:5

Tabl 7:5 Niferoedd yn Ysgolion Sul y gwahanol enwadau ym Môn yn ôl Adroddiad Addysg 1847[187]

Enwad	Dan 15 oed	Dros 15 oed	Cyfanswm
Yr Eglwys Sefydledig	560	149	709
Methodistiaid Calfinaidd	4,031	5,342	9,373
Annibynwyr	1,067	993	2,060
Bedyddwyr	617	713	1,330
Wesleaid	578	657	1,235

Unwaith eto roedd patrwm yr Eglwys Sefydledig yn gyson trwy'r Gogledd sef mwy o blant nag oedolion. Ymhlith y Methodistiaid, y Bedyddwyr a'r Wesleaid roedd mwy o oedolion yn mynychu tra roedd mwy o blant yn mynychu gyda'r Annibynwyr, ond canran bychan iawn oedd hwn. Yr un oedd y tueddiad yn Sir Gaernarfon, bychan iawn oedd y gwahaniaethau ymysg yr Anghydffurfwyr ond yn yr Eglwys Sefydledig â 1133 o blant dan 15 oed dim ond 322 oedd dros 15 oed.[188]

O dderbyn dadansoddiad Adroddiad Addysg 1847 gellir dosrannu ffigyrau'r Ysgolion Sul, yng Nghyfrifiad 1851, fel â ganlyn ym Môn: (Tabl 7:6)

Tabl 7:6 Niferoedd Ysgolion Sul y gwahanol enwadau ym Môn yn ôl Cyfrifiad 1851[189]

Enwad	Dan 15 oed	Dros 15 oed	Cyfanswm
Yr Eglwys Sefydledig	719	192	911
Methodistiaid Calfinaidd	3,564	4,723	8,287
Annibynwyr	1,204	1,121	2,325
Bedyddwyr	543	628	1,171
Wesleaid	892	638	1,530

Gwelir yn (Tabl 7:7) y niferoedd a fynychai'r Ysgolion Sul, ymhob sir, yng Nghymru gan gofnodi y canran o'r boblogaeth ynghyd â chanran y rhai a fynychodd o'i gymharu â'r niferoedd ar y llyfrau.

Tabl 7:7 Niferoedd yr Ysgolion Sul, a chanran o'r boblogaeth a fynychai trwy Gymru. Dilynir trefn y siroedd fel y mae yn Adroddiad y Cyfrifiad[190]

Sir	Poblogaeth 1851	Ysgolion Sul	Nifer ar y llyfrau	Presennol ar 30 Mawrth	% o'r nifer ar y llyfrau	% o'r boblogaeth yn bresennol
Mynwy	177,130	303	28,882	23,040	79.8%	13.0%
Morgannwg	240,095	431	45,563	37,664	82.7%	15.7%
Caerfyrddin	94,672	265	27,336	21,698	79.4%	22.9%
Penfro	84,472	179	14,846	11,263	75.9%	13.3%
Aberteifi	97,614	287	33,715	26,356	89.5%	27.0%
Brycheiniog	59,178	182	12,962	10,307	79.5%	17.4%
Maesyfed	31,425	51	2,519	1,877	74.5%	6.0%
Trefaldwyn	77,142	312	23,001	16,530	71.9%	21.4%
Fflint	41,047	122	14,900	11,716	78.6%	28.5%
Dinbych	96,915	287	29,360	21,545	73.4%	22.2%
Meirionydd	51,307	226	18,276	14,085	77.1%	27.5%
Caernarfon	94,674	307	35,132	28,236	80.4%	29.8%
Môn	43,243	115	11,662	9,682	83.0%	22.4%

Dengys Cyfrifiad Addysg 1851 fod cynnydd yn niferoedd yr ysgolion a'r disgyblion trwy'r Gogledd, ond yr hyn sy'n arwyddocaol yw fod mwy o athrawon yn hawlio tâl i fyny 36.7% o 1847 gyda'r mwyafrif o'r rhain yn perthyn i'r Eglwys Sefydledig. (Tabl 7:8)

Tabl 7:8 Cymharu nifer Ysgolion Sul, disgyblion ac athrawon Adroddiad 1847 â Chyfrifiad 1851 yn siroedd Gogledd Cymru.[191]

Blwyddyn	Ysgolion Sul	Nifer disgyblion	Athrawon	Cymhareb	taliadau
1847	1,161	116,254	16,559	1:14	22
1851	1,369	132,331	17,810	1:13	60

Adwaith

Yr hyn a geir yn y prif gyfnodolion crefyddol yng Nghymru yw manylion o'r ystadegau ond nemor ddim dadansoddiad a dehongliad heblaw ambell frawddeg ganmoladwy megis honno yn y *Greal,* 'gallwn ddywedyd, trwy drugaredd, am Gymru, nad yw cyfraith Crist wedi bod yn ddieffaith'.[192] Crynodeb o'r ffigyrau a geir yn y *Drysorfa* hefyd,[193] a'r hyn a wna'r *Haul* yw dyfynnu'n helaeth o'r adroddiad ar addysg gan fanylu'n gyffredinol ar y ddarpariaeth yng Nghymru gan dynnu sylw at y 'senior class'. Nid oes unrhyw grybwyll am ffigyrau isel yr Eglwys Sefydledig o'u cymharu â ffigyrau'r Anghydffurfwyr.[194] Mae'r *Diwygiwr* a'r *Cronicl* yn fwy beiddgar a llaw drwm ar fethiant yr 'Eglwys Wladol' oedd mor barod i 'frolio uchafiaeth a llwyddiant, a chyfoeth a gwaith, 'ein heglwys'[195] ar draul yr Ymneilltuwyr tra mae'r *Cronicl* yn mynd ati i gystwyo o'i hochr hi, nid yn unig yr Eglwys ond y Wesleaid hefyd.[196] Mae'r *Amserau* ar y llaw arall yn fwy parod i gynnig ffordd ymwared i'r Eglwys. Ar ôl cyfarfod o Gymdeithas Gymraeg Swydd Efrog a gynhaliwyd gan offeiriaid Cymraeg y sir honno, erfyniwyd yn daer ar y Llywodraeth i benodi esgobion 'a fyddant yn deall yr iaith Gymraeg'.[197] Gwyddys, er enghraifft, nad oedd yr un o esgobion esgobaeth Bangor rhwng 1715/16 ac 1890 yn Gymro Cymraeg[198] ac ym marn yr offeiriaid o Swydd Efrog, esgus oedd cwyno am dlodi esgobaethau: roedd yr ateb yn hollol glir a diamwys. Dangosodd y Cyfrifiad yn glir beth oedd safle'r Eglwys ac ail gyneuwyd y ddadl oedd wedi bod yn mud losgi ers y 30 a'r 40'au ynglŷn â datgysylltu'r eglwys. [199]

Er i Pickering awgrymu mai tawedog fu'r ymateb yn Lloegr, eto i gyd bu cryn ddadlau ar lawr Tŷ'r Cyffredin gydag Esgob Rhydychen ar flaen y gad yn cyhuddo fod diffyg addysg y Pabyddion a'r Anghydffurfwyr wedi arwain at ystumio a chwyddo'r ystadegau ac ategwyd hyn gan Esgob Tyddewi.[200] O safbwynt yr Ysgolion Sul yn Lloegr derbyniwyd y canlyniadau gyda chryn fraw a dychryn. Yn Llundain 1 o bob 17 o'r boblogaeth a fynychai'r Ysgolion Sul, yn Westminster 1 o bob 34, a Birmingham 1 o bob 10. Penderfynodd Undeb Ysgolion Sul Birmingham genhadu o ddrws i ddrws a bu hyn yn llwyddiant mawr gan i chwe mil o blant ymaelodi mewn ysgolion yn y ddinas.[201] Esgorodd y llwyddiant hwn ar ymgyrchoedd tebyg yn Lerpwl, Manceinion a Llundain a gresynai'r Parch David Griffith na fu ymgyrchoedd tebyg yng Nghymru.[202]

Casgliadau

Dengys ystadegau'r Adroddiad Addysg (1847) a'r Cyfrifiad Crefyddol (1851) ar y naill law gyfraniad cymdeithasol yr Ysgolion Sul ac ar y llaw arall eu datblygiad ymhlith y Cymry Ymneilltuol yn bennaf. Er mai cyfyng oedd eu hapêl addysgol gyda'r pwyslais wedi'i ganoli ar y Beibl maent yn dangos yn glir eu heffaith ar foesoldeb a dulliau byw y werin Gymraeg. Yn gwbl groes i ddaliadau ysgolion dyddiol y cyfnod nid oes ddadl na fu'r Ysgolion Sul yn foddion i gadw a hybu'r iaith Gymraeg a'i gwneud yn iaith lafar, rymus a agorodd ddrysau i amryfal feysydd. Mae'n deg cydnabod nad yr elfen gwricwlaidd a ganmolwyd gan y Comisiynwyr. Yn wir daeth hynny dan lach y tri, yn hytrach ymroddiad a thrylwyredd gwerin i greu cymdeithas wâr a dyrchafol a'u sobrwyd. Llafur cariad cymdeithas werinol fu'n gyfrifol am drawsnewid cymdeithas a'r sefydliad plwyfol hwn oedd canolbwynt diwylliannol y dosbarth gweithiol. Gyda phwyslais cadarnhaol y tri chomisiynydd yn unfryd fod yr Ysgol Sul yng Nghymru yn rhan o fudiad oedd wedi trawsnewid cymdeithas eithr yr hyn na allodd y tri ei ddirnad oedd y pwyslais a roddwyd ar y Beibl oedd yn sylfaen y diwylliant Calfinaidd ac yn sylfaenol i'r dasg o achub eneidiau.

Er fod ystadegau Cyfrifiad 1851 wedi dangos pa mor niferus oedd yr Ysgolion Sul ymhlith yr Ymneilltuwyr yng Nghymru, yn enwedig y Methodistiaid Calfinaidd, collwyd cyfle i fanylu a dosrannu'r ystadegau fyddai wedi bod o gymorth i'r hanesydd. Gan na wyddai Mann am drefn yr Ysgolion Sul yng Nghymru, sylfaenodd ei holiadur ar y tueddiadau yn Lloegr ac felly nid oes ffigyrau am Gymru a ddangosai gymhareb oedolyn a phlentyn na chwaith oedrannau'r plant. Eithr dengys yn glir dueddiadau crefyddol y Cymry o'i gymharu â'r Saeson, y twf yn Ysgolion Sul yr Ymneilltuwyr o'i gymharu â rhai'r Eglwys Sefydledig, a'r canrannau uchel oedd yn mynychu'r ysgolion hynny ymhlith yr Ymneilltuwyr.

Dengys y ddau ymchwiliad, heb os, arwahanrwydd y Gymru Anghydffurfiol gyda'r pwyslais ar lefeinio'r gymdeithas werinol, naturiol Gymraeg ac nid rhywbeth a orfodwyd arni gan bwerau allanol, boed Lywodraeth neu rym pendefigaidd. O blith y bobl y cododd yr Ysgolion Sul, eu dulliau democrataidd hwy a lywiai'r cyfan a hynny trwy gyfrwng eu hiaith eu hunain. Gan fod crefydd yn rhan annatod o gymdeithas bu'n gyfrwng i gadw hen draddodiadau yn fyw a thrwy eu hyblygrwydd crëwyd tueddiadau newydd a thrwy hynny asio'r gorffennol â'r presennol, yr hen a'r newydd. Heb amheuaeth roedd Cymru'n wlad Ymneilltuol a thrwch y boblogaeth, nid yn unig wedi cefnu ar yr Eglwys Sefydledig, ond hefyd wedi codi iddynt eu hunain ganolfannau amgen i addoli a derbyn hyfforddiant.

Cododd Adroddiad Addysg 1847 wrychyn yr Anghydffurfwyr a thrwy hynny eu hymwroli i fynd ymlaen i achub eu cam a chamu ymlaen i faes y frwydr. Rhoddodd ystadegau Cyfrifiad Crefyddol 1851 riniog cadarn i Ymneilltuaeth, a'r Methodistiaid bellach o fewn y gorlan, i fynd ymlaen i greu nefoedd a daear newydd i'r Cymry. Daear oedd hon wedi sylfaenu ar barch i'r Saboth, mynychu moddion gras, prynu'r amser (roedd diogi'n bechod) byw yn sobr, yn ddiwyd ac yn ddarbodus – rhinweddau Efengyliaeth. Y bregeth, y cyfarfod gweddi, y ddyletswydd deuluaidd a'r Ysgol Sul oedd cyfryngau gras i baratoi'r unigolyn am y nefoedd newydd lle byddai'r Barnwr cyfiawn yn cosbi'r annuwiol a gwobrwyo'r da.[203]

CASGLIADAU

Y Dylanwadau

Dosrennir casgliadau'r ymchwil dan bedwar pennawd, sef y dylanwadau addysgol, cymdeithasol, ieithyddol a chrefyddol.

Y dylanwad addysgol

Ysgolion a gynhelid ar y Sul oeddynt ac felly'n rhoi cyfle i'r gweithiwr cyffredin eu mynychu a thrwy gyfrwng y Gymraeg, iaith mwyafrif y wlad, y cynhelid y dosbarthiadau. Ysgolion cyfun, heb na thâl mynediad na ffioedd dysgu oeddynt lle roedd aelodau'r teulu cyfan yn dysgu gyda'i gilydd. Dyrchafodd yr Ysgol Sul y dyn cyffredin trwy roi urddas a statws iddo a'i gymell i ymgymryd â swyddi yn nhrefniadaeth yr ysgolion a fyddai, hefyd, yn ei baratoi ar gyfer cymuned ehangach. Dyna un ochr i'r geiniog ond yr hyn sy'n codi'r mudiad i dir uwch ydi'r wedd grefyddol, ddiwinyddol a drawsnewidiodd gwerin gyfan. Mewn oes ddiwinyddol y tyfodd yr Ysgol Sul a gwrtaith Efengyliaeth gynnes fu'n gynhaliaeth iddi.

Nid oes amheuaeth nad un ymhlith llawer oedd Thomas Charles pan ddechreuodd ar ei ymgyrchoedd addysgol ond ef oedd y cyntaf i roi ei ysgolion cylchynol ar waith a hynny yn 1785.[1] Gwyddys i'r Dr Edward Williams gychwyn ar ei Ysgolion Sul yng Ngogledd Cymru yn gynnar yn 1787 [2] a hynny trwy haelioni cyfraniadau ariannol preifat gan Henry Thornton, Trysorydd Cymdeithas yr Ysgolion Sul. Yng nghylch Pwllheli bu David Thomas (Dafydd Du) 1759 – 1822 a John Roberts (Sion Lleyn) 1749 – 1817 yn llafurio.[3] Yn y De, yn ôl Esgob Llandaf, roedd ymgyrch ar droed i gychwyn Ysgolion Sul yn nhrefi mawr ei esgobaeth [4] a cheir tystiolaeth fod Raikes wedi ymestyn ei diriogaeth i Ddeheudir Cymru.[5] Nodwedd amlycaf yr ymdrechion i gyd heblaw am ysgolion cylchynol Thomas Charles oedd mai Saesneg oedd y cyfrwng dysgu. Llafuriodd Morgan John Rhys o blaid Ysgolion Sul yn Ne Cymru a'r syndod yw fod Bedyddiwr wedi arloesi canys gwyddys pa mor elyniaethus oedd yr enwad hwnnw i'r Ysgolion Sul ar y cychwyn.[6] Rhwng 1792 a 1794 gosododd sylfaen gadarn i'w Ysgolion Sul cyn iddo ffoi am America yn haf 1794. Yn ei gyfrol, *Cyfarwyddyd ac Annogaeth i Sefydlu Ysgolion Sabbothol* (1793) [7] eglurir trefniadaeth a'r dull o gynnal yr Ysgolion Sul a hynny am y tro cyntaf trwy gyfrwng yr iaith Gymraeg. Yn ei *Gylchgrawn Cyn-mraeg* lledaenodd ei neges i sylw'r genedl gyfan ac enynnodd hyn gryn drafodaeth ymhlith ei gyd-Gymry. Ei freuddwyd oedd sefydlu Ysgolion Sul Cymraeg ymhob plwyf a phentref drwy Gymru gyda'r pwrpas o sefydlu Cymdeithas Ysgolion Sul anenwadol i Gymru'n unig. Mae'n anodd cytuno â Thomas Shankland pan ddywed fod gwasanaeth Rhys i 'addysg genedlaethol yn fwy, a phwysicach na gwasanaeth Charles'[8] gan gofio fod Charles wedi llafurio gyda'i ysgolion cylchynol ers 1785 a bod ei Ysgolion Sul ar droed erbyn dechrau'r 90'au cyn i Rhys ddechrau arni. Serch hynny nid oes amheuaeth fod cyfraniad unigolion, yn arbennig Morgan John Rhys, wedi deffro ac adfywio'r enwadau yng Nghymru.

Sylfaenodd Thomas Charles ei ysgolion ar batrwm ysgolion cylchynol Griffith Jones Llanddowror. Er nad oedd Griffith Jones ymhlith arloeswyr pennaf addysg Gymraeg ef oedd y cyntaf 'to grasp the exact need of Wales, and to make an attack – guerilla fashion – on the ignorance of the Welsh people as a people'.[9] Gwyddai o brofiad gydag ysgolion y Gymdeithas er Taenu Gwybodaeth Gristnogol y cymerai ddwy i dair blynedd i ddysgu plentyn uniaith Gymraeg i ddysgu darllen yn Saesneg ond prin dri mis a gymerai i feistroli'r sgil yn ei famiaith. Amddiffynnodd ei fwriad i ddysgu trwy gyfrwng y Gymraeg ar sail ei brofiad gan iddo gyhoeddi yn un o'i adroddiadau blynyddol, 'Welsh is still the Vulgar Tongue and not English'.[10] Gwelodd Charles drosto'i hun mai adfywio ymgyrch yr ysgolion hyn oedd y dull gorau, yn hytrach na dilyn y patrwm Seisnig fel y gwnaeth Edward Williams a Morgan John Rhys.[11] Dilynodd yn ôl troed ei ragflaenydd trwy ddefnyddio'r famiaith a'r un oedd ei genadwri pan ymwelodd â'r Gwyddelod yn 1807 ar iddynt ddefnyddio'r Wyddeleg[12] ac mewn gohebiaeth â gwŷr amlwg yn yr Alban anogodd hwy i ganolbwyntio ar y Gaeleg yn yr Ucheldir.[13]

Eisoes ar ei deithiau pregethu ledled y Gogledd ymboenai Charles am gyflwr ei genedl a sylweddolodd pa mor aneffeithiol oedd pregethu i genedl anwybodus. Credai yntau fel Grifith Jones o'i flaen mai hyfforddi athrawon i ddysgu trwy gyfrwng y Gymraeg yn yr ysgolion cylchynol oedd y cam cyntaf a phenderfynodd eu cyflogi fel y gwnaed ar y cychwyn yn yr Alban.[14] O'r ysgolion cylchynol hyn y tyfodd a datblygodd yr Ysgolion Sul. Nodwedd amlycaf ei Ysgolion Sul oedd eu bod yn cynnwys y teulu cyfan, plant, ieuenctid ac oedolion. Cyfyng oedd y cwricwlwm a gynhwysai ddysgu'r wyddor, sillafu a dysgu'r sgil o ddarllen a hynny er mwyn darllen y Beibl gan ddechrau gyda'r Testament Newydd a symud ymlaen i'r Hen Destament. Hyd y gwelir yr un oedd y drefn i'r oedolion gyda chryn bwyslais ar ddysgu ar y cof ond pwysleisiodd hefyd fod 'deall' yn anhepgor. Enghraifft orchestol o hyn oedd gweithred Dafydd Cadwaladr (1752 – 1834), pregethwr a chyfaill agos i Thomas Charles, pan fu darogan y deuai'r Pabyddion i reoli'r wlad a llosgi

Beiblau y werin. Penderfynodd ddysgu'r Testament Newydd a'r rhan fwyaf o'r Hen Destament ar ei gof fel na fyddai ei Feibl ef byth yn cael ei losgi.[15]

Beth felly oedd cyfraniad addysgol Charles? Gwelwn ynddo addysgwr crefyddol cydwybodol a sylfaenodd ei athrawiaeth ar atebolrwydd y Cristion yn nydd y Farn. Mentrodd ar fudiad a fyddai'n paratoi'r ffordd ac yn symud ymaith pob anwybodaeth er mwyn cyrraedd ei nod o achub enaid a chreodd ethos gynnes, deuluaidd gan bwysleisio'r cadarnhaol a'r dyrchafol a gosododd nod i ymgyrraedd ati. Llwyddodd i wneud hyn trwy roi'r boddhad personol o lwyddo wrth symud o'r naill ddosbarth i'r llall, y pleser o baratoi ar gyfer cymanfaoedd yr Ysgolion Sul a'r llawenydd a'r antur o dreulio diwrnod cyfan oddi cartref yn perfformio'n gyhoeddus yn y cymanfaoedd yn adrodd y catecism a rhannau helaeth o'r Beibl. Daeth yr Ysgol Sul yn ganolfan antur a chyffro mewn cyfnod llwm.

Y dylanwad crefyddol

Ni ellir gwadu nad ymdrechion a nodweddion Efengyliaeth a ddyfeisiodd yr Ysgol Sul gyda'r pwrpas o genhadu a hynny er mwyn achub enaid yr unigolyn. Y Beibl oedd llawlyfr yr ysgolion ac yn hwnnw yr oedd holl ddysgeidiaeth trefn y cadw. Nid digon oedd gwrando ar bregethau a hynny'n aml heb eu deall, rhaid oedd addysgu'r gwrandawyr a'r dull mwyaf effeithiol oedd dysgu darllen a hynny'n ei dro yn arwain yr unigolyn i ddeall athrawiaethau'r Beibl a fyddai'n sylfaen wedyn i wrando, deall a dehongli pregethau yn ogystal â darllen eu Beiblau eu hunain. Sail gweledigaeth Thomas Charles fel eraill o'i gyfoeswyr oedd fod y Beibl yn cynnwys y cyfan oedd yn angenrheidiol ar gyfer achubiaeth. Cyfunodd y ddwy elfen, yr addysgol a'r crefyddol, i greu fframwaith gadarn ar gyfer ei ysgolion, 'tra anhawdd yw dysgu gwybodaeth i bobl na fedrant ddarllen a dysgu iddynt ddeall pregethu, heb addysgu blaenorol trwy *gateceisio'*.[16] Ei sylfaen ddiwinyddol oedd Calfiniaeth Gymedrol gyda'r pwyslais ar sofraniaeth Duw, cwymp dyn trwy bechod a gras achubol Duw yn Iesu Grist yn ymaflyd yn yr unigolyn ac ni ellir pwysleisio pa mor angerddol y credai Charles yn llwyredd gwaith Crist yn marw tros bechadur. Dengys llenyddiaeth yr Ysgol Sul pa mor eang oedd y cwmpas Calfinaidd hwn a'r cyfan wedi'i osod oddi mewn i fframwaith Efengyliaeth yn y llyfrau diwinyddol a defosiynol, esboniadau, catecismau a chyfnodolion. Y nod oedd hyfforddi pobl i ddarllen eu Beiblau a'r holl gynnyrch atodol tu mewn i ffiniau diwinyddol penodol.

Wrth ddewis ei athrawon, nod amgen Charles oedd ymarweddiad crefyddol yn hytrach na dewis ar sail sefyllfa neu haen gymdeithasol.

Cenhadon oedd yr athrawon yn cael eu hanfon i addysgu a diwyllio'r werin. Yn holl rwydwaith yr ysgolion amlygwyd y pwyslais cenhadol a chyrhaeddodd ei anterth yn y Cymanfaoedd gan y byddai'r diwrnod hwnnw yn ddydd o uchelwyl. Gorymdeithiai'r disgyblion bob yn ddau am filltiroedd trwy bentrefi ac ardaloedd ar eu ffordd i gapel penodedig gan dreulio diwrnod cyfan gyda'i gilydd. Nid yn unig roedd y Gymanfa yn foddion i ysbrydoli'r ysgolion ond, hefyd, i ddeffro a sobri ardaloedd a phentrefi cyfain. Er mai pwyslais crefyddol oedd i holl weithgareddau'r ysgolion eto bu cryn wrthwynebiad o du crefyddwyr y gwahanol enwadau. Beirniadwyd hwy gan yr Eglwys Sefydledig am eu bod yn hybu a chefnogi Methodistiaeth; torri'r Saboth oedd eu pechod ymhlith yr hen Ymneilltuwyr ac ni fu'r Methodistiaid eu hunain yn brin o'u pardduo.[17]

Paratowyd yn helaeth ar gyfer y dysgu ar lawr y dosbarth gyda'r catecism yn cael y lle blaenaf ac fe'i defnyddid ar gyfer hyfforddiant llafar a chadarnhau egwyddorion gwaelodol y ffydd Gristnogol.[18] I'r unigolyn daeth yn llawlyfr hwylus i grynhoi'r athrawiaeth Gristnogol, yn gyfrwng llafar, yn arf i finiogi'r cof ac yn y pendraw yn ddull effeithiol o loywi a grymuso iaith lafar fyddai'n atgyfnerthu cystrawen a mynegiant. Gan mor bwysig y credai Charles yn effeithiolrwydd y catecism byddai'n paratoi rhai byrfyfyr yn ei law ysgrifen ei hun i ddiwallu anghenion sefyllfaoedd penodol.[19] Eithr cyfraniad pennaf Charles i werin yr Ysgol Sul oedd ei gyfrol ddiwinyddol *Y Geiriadur Ysgrythyrol* a gyhoeddwyd mewn pedair cyfrol rhwng 1805 ac 1811 a chrynhodd ei athrawiaeth a'i ddiwinyddiaeth ar ffurf geiriadur. Ei nod, fel y dywed yn y rhagymadrodd yw bod 'yn ddefnyddiol i rwyddhau y ffordd tuag iawn ddeall yr Ysgrythyrau'[20] gan y credai yn eu hawdurdod di-gwestiwn. Wrth esbonio'r Ysgrythurau mae'n symud yn rhwydd at gyfundrefn o ddiwinyddiaeth a'r gyfundrefn honno wedi sylfaenu ar Galfiniaeth Gymedrol a gwêl, fel ein hatgoffir gan Gwilym H. Jones, bod cyfle i ddiwinydda ar bynciau lle na ddisgwylid llawer o ddiwinyddiaeth.[21] Trwy gyfrwng ei 'orchest gawraidd' a gyrhaeddodd ei seithfed argraffiad o fewn pedwar ugain mlynedd[22] rhoddodd fframwaith ddiwinyddol bendant i ddeiliaid yr Ysgolion Sul. Er mai mewn ysguboriau, ffermdai a mannau cyffelyb y cynhelid yr Ysgolion Sul cynnar llwyddodd y Beibl a'r cyfarpar ategol i godi ymwybyddiaeth yr ysgolheigion ac fel y dengys E. A. Williams y patrwm mewn sawl ardal oedd sefydlu Ysgolion Sul mewn tai annedd cyn sefydlu eglwysi.[23] O ganlyniad i dwf yr Ysgolion Sul y cam nesaf oedd codi neu symud i gapel er mwyn cael digon o le er fod Adroddiad Addysg (1847) yn cofnodi fod rhai ysgolion yn dal i gael eu cynnal mewn ffermdai.[24] Llwyddodd yr Ysgolion Sul i greu hinsawdd deuluol gyda'r pwyslais ar y teulu cyfan a hyn yn ei dro a roddodd fod i gnewyllyn 'eglwys' a ddatblygodd yn naturiol o weithgaredd yr ysgolion.

Ym mlynyddoedd olaf hanner cyntaf y ganrif ciliodd y pwyslais crefyddol ac wrth i'r Ysgol Sul gael ei secwlareiddio magodd naws gymdeithasol.[25] Y pwyslais ym mlynyddoedd cynnar y ganrif oedd meithrin safonau i ymagweddu ger bron y Duw hollalluog, bellach yr amcan oedd ymagweddu'n deilwng a pharchus gerbron cymdeithas, ond er y newid arhosai'r pwyslais ar iachawdwriaeth yr unigolyn.[26] Mewn cyfnod o chwyldro diwydiannol, pan gynyddai'r boblogaeth a'r symud o'u cynefinoedd i ardaloedd cwbl ddieithr, yng nghanol yr argyfwng cynyddodd llais Efengyliaeth. Yn sgil hyn dyrchafwyd y 'personol' a rhoddwyd pwyslais ar y 'galon unigol' fel y gallai'r credadun fynd ati i gyfeirio at 'lais cydwybod' neu 'lais Duw' a phendraw hyn oedd galw ar bob unigolyn i ymdrechu hyd eithaf ei allu i sicrhau ei iachawdwriaeth.[27] Yn sgil hyn daeth magu cymeriad a chydwybod, ymarweddiad a buchedd lân yn nodau amgen i lywio pererindod dyn ar y ddaear ac i'w baratoi ar gyfer 'y byd a ddaw'. Cyngor R. J. Derfel i ieuenctid oedd yn awyddus i ddod ymlaen yn y byd oedd bod 'crefydd wirioneddol yn codi dyn yn y byd hwn. Mae'n ris o dan draed – yn gam pwysig at ddyrchafiad. Elw mawr yw duwioldeb.'[28] Ond i'r gwrthwyneb oedd hi i sawl un er eu gonestrwydd a'u dyfalbarhad, aros mewn tlodi oedd eu tynged ond roedd y wobr yn sicr:

> Er tloted ydym ni yn awr
> Er gwaeled yw ein gwedd,
> Mae inni etifeddiaeth fawr
> Yr ochr draw i'r bedd.[29]

Y cyfryngau i ymgyrraedd at y rhinweddau hyn oedd y bregeth, y cyfarfod gweddi a'r Ysgol Sul – rhain oedd cyfryngau gras. Dechreuodd y pregethwyr symud oddi wrth y pregethu athrawiaethol at bregethu mwy efengylaidd gyda'r apêl at yr unigolyn, at y gydwybod a'r galon unigol. Symudodd y pendil o geisio achub athrawiaeth i achub enaid,[30] a'r amser perffaith i ddeffro'r feddylfryd hon oedd yng nghyfnod plentyndod. Dyna paham y pwysleisiwyd o'r cychwyn nad oedd gan y plentyn ei rinweddau na'i ofynion ei hun; yn hytrach person heb gyrraedd ei lawn dwf ydoedd. Ni roddwyd bri ar chwarae; gwaith oedd yn bwysig a dyna paham yr anfonwyd plant bach i weithio ar ffermydd ac mewn diwydiant. Dyna paham nad llenyddiaeth oriau hamdden oedd cynnwys y cyfnodolion ond cynnyrch gwaith a'r amcan oedd bwydo'r ieuenctid â llenyddiaeth ddyrchafol a dyna pam y daeth dysgu adnodau a phenodau o'r Beibl mor allweddol gan mai'r Beibl oedd yr adnodd pwysicaf i fagu cymeriad. Yn yr Ysgolion Sul trafodwyd safonau, hybu cwrteisi ac egwyddorion gan mai'r rhain fyddai'r canllawiau i'w galluogi i wynebu profedigaethau a threialon bywyd ac mewn cyfnod o ansicrwydd hwn fyddai'n llusern iddynt ar hyd y daith. Bellach nid oedd unrhyw adran o fywyd yn cael ei reoli gan unrhyw draddodiad nac athrawiaeth, y gydwybod oedd yn rheoli.[31] Bu cyfraniad yr Ysgolion Sul yn allweddol i fagu a meithrin cymeriadau cadarn, annibynnol ac urddasol ac yn foddion i fwydo llenyddiaeth dda a dyrchafol i'w deiliaid. Yn raddol tyfodd Cymru'n genedl ddiwylliedig a'r diwylliant hwnnw yn troelli o gwmpas y capeli oedd wedi datblygu'n ganolfannau ysbrydol, cymdeithasol ac addysgol. Eithr bu raid i Ymneilltuaeth dalu'n ddrud am y *plethora* hwn oherwydd daeth yr eilbeth yn bwysicach na phriod waith yr eglwys. Ond nid clefyd diwedd y ganrif oedd hwn. Protestiai'r *Dysgedydd,* 'mae llawer o'r cyfarfodydd a gynnelir y dyddiau hyn yn waeth na di-fudd.....'[32] a'r un oedd neges *Y Drysorfa,* 'Crybwyllwyd fod arferion anweddus a llygredig yn dyfod i mewn i'n capeli mewn cysylltiad â'r *tea-parties,* eisteddfoda &c'[33] ac erbyn 1867 roedd yr Ysgolion Sabothol yn 'canu dan chwifio banerau......gwneir cyfarfodydd cystadleuol gyda gwobrau; llawer o gyrddau te a chyngherddau gydag ystafelloedd wedi eu haddurno at yr achlysuron' a'r arferion hyn yn 'temtio ein pobl ieuainc y dyddiau hyn nad ellir eu hystyried mor ddiniwed ynddynt eu hunain'.[34] Mae'r *Dysgedydd* yn cwyno nad oedd modd arwain aelodau'r eglwysi i ymddiddori 'yn y pethau ysbrydol' ar ôl i'r eisteddfodau ymddangos, 'pa ddifyrrwch bynnag sydd yn oddefol ac yn ddiniwed, nid i'r eglwys y perthyn ei ddarpar'.[35]

Yn dilyn ffigyrau Cyfrifiad Crefyddol 1851 a ddangosodd fod Cymru'n wlad Ymneilltuol datblygodd yr Ysgol Sul yng Nghymru yn sefydliad enfawr fel mae ystadegau'r blynyddoedd yn dangos. Erbyn 1852 gallai William Roberts (Nefydd) sôn am 'yn agos i gan mil o blant dan 15 oed' yn cael eu dysgu gan oddeutu 25,000 a 30,000 o athrawon.[36] Cyhoeddodd Thomas Rees ei ystadegau yn 1883, a ddangosai fod 461,468 o ddisgyblion yn Ysgolion Sul yr Ymneilltuwyr[37] ond ni chynhwysodd ystadegau'r Eglwys Sefydledig a phe byddai wedi'u cynnwys byddai'r rhif dros hanner miliwn o boblogaeth Cymru (1,571,267) yn mynychu'r ysgolion.[38] Ymhlith y Methodistiaid Calfinaidd rhwng 1885 a 1900 cynyddodd yr ysgolion o 1,483 yn 1885 i 1,664 a'r disgyblion o 186,740 i 202,759 yn 1900 gan gyrraedd ei anterth gyda 222,239 o ddisgyblion yn 1905. Wedi hynny gostyngodd y niferoedd ac yn 1933 158,208 oedd yn mynychu'r Ysgolion Sul.[39]

Y dylanwad ieithyddol

Yn dilyn Deddf Cyfieithu'r Beibl (1563), Deddf Unffurfiaeth (1662) ac egwyddor y bedwaredd erthygl ar hugain roedd yn ofynnol i Eglwys Loegr gynnal gwasanaethau Cymraeg mewn ardaloedd lle roedd y mwyafrif yn siarad yr iaith honno. Nid ar chwarae bach yr ymaflwyd yn yr her hon gan fod llyffetheiriau'n wynebu'r Eglwys o gyfeiriad ei hesgobion a'i chlerigwyr. Saeson oedd y mwyafrif o'r esgobion a drigai y rhan helaethaf o'r flwyddyn mewn ardaloedd yn Lloegr gan ymweld â'u plwyfi'n achlysurol. Nid oedd cyflogau'r esgobion[40] na'r tramwyo yn ôl a blaen o Lundain[41] yn eu plesio ac ym marn Robert Hay Drummond, esgob Llanelwy (1748 – 1761) mewn pregeth yn 1753 gwell fyddai anwybyddu'r Gymraeg a chlosio'n nes at y Saeson.[42]

Gormodiaith fyddai honni fod ysgolion cylchynol Griffith Jones wedi achub yr iaith Gymraeg ond rhoddodd drothwy cadarn a chryfhaodd yr achos trwy lynu wrth yr egwyddor mai'r Gymraeg fyddai iaith y dysgu ar lawr y dosbarth. Hwn oedd y cyfle cyntaf i addysgu gwerin Cymru ac amcangyfrifir bod oddeutu hanner y boblogaeth yn y cyfnod hwnnw wedi dysgu darllen Cymraeg.[43] Bu hyn yn foddion i fraenaru'r tir ar gyfer y Diwygiad Methodistaidd a dilynodd Thomas Charles, trwy ei ysgolion cylchynol yntau, yn dynn wrth ei sodlau. Cadarnheir hyn mewn llythyr o'i eiddo ar 24 Mawrth 1787, 'I have attempted and succeeded far beyond my expectations in setting up charity schools, with a view *only* of teaching poor children and young people to read ye Bible in a language they understood.'[44] Ond y mae'n rhaid cofio nad crwsâd i achub iaith nag unrhyw ddiddordeb mewn cenedligrwydd Gymreig oedd nod amgen y Methodistiaid ond darganfod y ffordd orau, gyflymaf i achub enaid yr unigolyn. Myn Eryn M. White:

> Unlike writers like Griffith Jones and Theophilus Evans, Methodists did not appeal to the past or refer to traditional links between the Christian faith and the Welsh Language. They preferred to celebrate their connections with other movements across the world.[45]

Yn dilyn condemniad Adroddiad Addysg 1847 ar yr iaith Gymraeg rhygnu ymlaen weddill y ganrif fu'r pardduo a'r dilorni ac amlygwyd y rhagfarnau gan addysgwyr amlwg megis Mathew Arnold, y bardd a'r AEM, pan ddywedodd, 'the sooner the Welsh language disappears as an instrument of the practical political social life of Wales, the better, the better for England, the better for Wales'.[46] Crisialwyd yr un feddylfryd yn Adroddiad Addysg Newcastle (1859) pan gollfarnwyd y llyfrau a'r cyfnodolion Cymraeg am eu bod yn amddifadu'r Cymry uchelgeisiol o'r cyfle i lwyddo mewn gwahanol feysydd ac ni welai'r Adroddiad unrhyw werth mewn dwyieithrwydd. Roedd un iaith yn ddigonol a honno oedd y Saesneg.[47] Ond nid peth newydd oedd hyn; bu David Owen (Brutus) yn finiog ei dafod cyn cynhared ag 1824 pan gyhoeddodd fod y Gymraeg:

> yn rhwystr i ni gynyddu mewn gwybodaeth ac i ymgeisio at wybodaeth am hynny ein dyledswydd ydyw gwneuthur aberth o honni a'i dileu.......yr wyf yn gofyn i bob meddwl diduedd.....pa un gwell ganddynt fod yn Saeson enwog neu yn Gymru anenwog?[48]

Y syndod yw fod y Gymraeg wedi ffynnu o gwbl. Mae'r diolch i gnewyllyn o arweinwyr craff a gododd o blith y bobl a dycnwch gwerin uniaith a esgorodd ar fudiad a ddaeth yn gyfystyr a phopeth Cymraeg a Chymreig. Roedd Thomas Charles yn gwbl gadarn a diysgog:

> By teaching the Welsh *first* we prove to them we are principally concerned   about their souls, and thereby naturally impress their minds with the vast importance of acquiring the knowledge of divine truths, in which the way of salvation, our duty to God and man, is revealed; whereas that most important point is totally out of sight by teaching them English; for the acquisition of the English is connected *only* with their temporal concerns...[49]

Yn nosbarthiadau'r Ysgol Sul, yn yr ymddiddan a'r trafod cyfoethogwyd iaith y disgyblion. Rhoddwyd lle amlwg i'r llafar ac adroddid iaith rywiog yr Ysgrythurau a'r catecismau o Sul i Sul. Geiriau ac ymadroddion y Beibl a ddefnyddid yn y gwersi sillafu a brawddegau byrion o'r Ysgrythur oedd sail y deunydd darllen.[50] Y Beibl oedd y llyfr gosod ac ar lawr y dosbarth meistrolwyd yr eirfa, y cystrawennau, y mynegiant a choethder ymadrodd a hynny nid er ei fwyn ei hun ond i arwain yr unigolyn ar hyd ffordd iachawdwriaeth.

Mae'n werth crynhoi'r dylanwad, yn arbennig y lefeinio a fu ar y gymdeithas gyfan. Ysgolion bychain lleol oeddynt gyda dosbarthiadau o oddeutu hanner dwsin o ddisgyblion wedi'u trefnu ar lefel ddemocrataidd dynn a'r rhyngweithio rhyngddynt â pheirianwaith a chefnogaeth y gwahanol enwadau. Yn achlysurol deuai'r ysgolion at ei gilydd mewn ardal a chylchdaith ac ar ddiwrnod y Gymanfa byddai ysgolion cyfain yn gorymdeithio drwy ardaloedd a broydd ac atsain y Gymraeg i'w chlywed yn y parablu a'r canu. Gyda'r blynyddoedd ysgubodd y llanw hwn trwy Gymru benbaladr a phob ardal yn cynnal eu cymanfaoedd a dydd o uchelwyl. Bu hyn yn ei dro yn gyfrwng i greu addysg genedlaethol Gymraeg trwy'r wlad, yr hyn na lwyddodd y ddau fudiad addysgol, Seisnig i'w gyflawni. Yn wir bu'r ddau fudiad estron, yr ysgolion Cenedlaethol a Brutanaidd 'yn wir elyn i bopeth a gynrychiolai'r Ysgol Sul.'[51]

Llwyddodd y deunydd print ategol, y cyfnodolion a'r traethodau i ehangu ffiniau'r Gymraeg trwy gyhoeddi deunyddiau ar grefydd, addysg, barddoniaeth, cymdeithaseg, gwleidyddiaeth a gwyddoniaeth, heb anghofio'r pytiau o wahanol wledydd ac arferion byw y trigolion. Tueddiad y cyfnod diweddar yw eu sarhau a chollfarnu eu cynnwys a'u hieithwedd. Ond buont yn gloddfa o ddeunyddiau gwahanol i wersi'r dosbarth o Sul i Sul a llwyddasant i ehangu gorwelion a chynnig testunau ymestynnol i ddarllenwyr mewn cyfnod hesb.

O dir Cymru, o groth yr iaith y tyfodd yr Ysgol Sul a hynny roddodd egni iddi ffynnu a pharhau'n rym dylanwadol am gynifer o flynyddoedd, ac yn ôl geiriau Adroddiad y Pwyllgor Adranol [sic] ar safle'r iaith Gymraeg yng Nghyfundrefn Addysg Cymru, 'Mae'n werth crynhoi'r dylanwad yn arbennig yr hyn a wnaethant er cadw'r iaith yn fyw'.[52]

Cryfder yr Ysgolion Sul yn hanner cyntaf y bedwaredd ganrif ar bymtheg oedd mai Cymraeg yn unig oedd cyfrwng y dysgu ac erbyn ail hanner y ganrif rhoddwyd y dasg o ddysgu'r Gymraeg yn gyfan gwbl ar ysgwyddau'r Ysgolion Sul tra roedd yr ysgolion dyddiol yn canolbwyntio ar ddysgu drwy gyfrwng y Saesneg. Yn raddol esgorodd hyn ar y syniad mai ar gyfer rhai meysydd yn unig y gellid defnyddio'r Gymraeg a chrefydd yn un ohonynt. Daethpwyd i gredu fod y Saesneg yn fwy addas ar gyfer meysydd eraill a dyma'r pwyslais a welid yn yr ysgolion dyddiol.[53]

Y dylanwad cymdeithasol

O blith gwerin dlawd yr Ysgolion Sul anghydffurfiol y cododd arweinwyr canol y bedwaredd ganrif ar bymtheg. Treuliai llawer o'r ffermwyr, y llafurwyr a'r chwarelwyr eu horiau hamdden o gwmpas cylch y capel. Canolwyd eu holl ymdrechion ar sawl Bethel, Seion a Saron a oedd yn britho'r pentrefi bychain; yma y cyfranasant o'u harian prin ac yma y rhoddasant o'u gorau. Trwy weithgareddau'r capel a swyddi yn yr Ysgolion Sul hyfforddwyd unigolion i ymgymryd â dyletswyddau a chyfrannu at beirianwaith cymuned gyfan. Yn araf tyfodd cymdeithas wâr a pharchus â gweledigaeth gref ganddi, cymdeithas a welai anghyfiawnder a throseddu yn llyffethair i dwf a datblygiad. O blith cymdeithas fel hon, o blith y bobl eu hunain, y cododd arweinwyr a ddaeth yn eu tro yn feddygon, twrneiod, athrawon a gweinidogion heb sôn am sefydlwyr mân fusnesau yn y gymuned. O blith y rhain y cododd gwŷr fel W. J. Parry (1842 – 1927) Bethesda, gŵr busnes, arweinydd diflino chwarelwyr Dyffryn Ogwen a fu ar flaen y gad yn ei ymgyrch yn erbyn gormes yr Arglwydd Penrhyn adeg y streic fawr.[54] Yn seler capel yr Annibynwyr, Bethesda, Arfon mewn dosbarth Ysgol Sul dan arolygiaeth crydd o'r ardal, y bu ef a'i debyg yn bwrw eu prentisiaeth, dysgu darllen a chael cyfle i siarad ac arwain yn gyhoeddus. Deiliaid yr Ysgol Sul a'r capel oedd y mwyafrif o'r rhain erbyn canol y ganrif. Dyma oedd barn un ynad Cymreig pan ganmolodd y Parch Ebenezer Morris, gweinidog gyda'r Methodistiaid Calfinaidd, am gadw trefn a chynnal yr heddwch ymysg y bobl.[55] I ŵr fel hwn doedd dim rhaid iddo dyngu llw ar lawr y llys, meddai'r ynad 'No, No! There is no necessity that Mr Morris should swear at all; *his* word is quite enough'.[56]

Myn Thomas Rees fod y dosbarth gweithiol yng Nghymru yn rhagori ar y dosbarth cyffelyb yn Lloegr a pharthau eraill o fewn y Deyrnas Unedig. Yn siroedd Cymru dim ond un o bob 294 o'r boblogaeth oedd yn euog o ddrwg weithredu tra yn Lloegr roedd un o bob 168 o'r boblogaeth. Yr un oedd hanes nifer y carcharorion. Yng Nghymru carcharwyd un o bob 2711 o'r boblogaeth tra yn Lloegr roedd un o bob 1628 yn y carchar. Mae'n mynd ymhellach yn ei ddadansoddiad o 3,774 o ddrwgweithredwyr yng Nghymru gan fanylu ar eu tras. Dangosai'r ffigyrau bod 791 o'r rhain yn Saeson, 612 yn Wyddelod, 59 yn Albanwyr, 32 o'r Trefedigaethau, 119 yn dramorwyr a 47 heb gyfeiriad pendant, ac felly'n gadael dim ond 2114 o Gymry.[57] Daw i'r canlyniad fod cyfartaledd o ddrwgweithredwyr i'r boblogaeth yng Nghymru 40% yn llai na'r hyn oedd yn Lloegr,[58] a'r prif reswm am hyn, yn ôl Rees, oedd eu hymlyniad crefyddol.[59] Yr un oedd barn Richard Davies, y Methodist ariannog a'r Anghydffurfiwr cyntaf i ddod yn Aelod Seneddol Môn, pan ddywedodd fod hyfforddiant crefyddol dan adain anghydffurfiaeth wedi arwain at 'the paucity of crime in Wales'.[60]

Rai blynyddoedd ynghynt gwelwyd yr un gogwydd yn natganiadau Comisiynwyr y Llyfrau Gleision. Daeth Johnson, oedd yn gyfrifol am siroedd y Gogledd, i'r casgliad fod lefelau o ddeallusrwydd yn cyd-fynd â'r addysg a gyfrannwyd yn y gwahanol ardaloedd. Gwelodd fod y Cymry, oherwydd eu hymlyniad â'r Ysgolion Sul, yn llawer mwy llythrennog na'u cymheiriaid yn Lloegr ac oddi mewn i'r strwythur crefyddol roeddynt yn eithriadol o alluog a chymwys.[61] Mae'n mynd ati i ddadansoddi cyflyrau ac amgylchiadau carfanau o bobl yn y gymdeithas, yn ffermwyr, morwyr a chwarelwyr a cheisio dadansoddi eu hamgylchiadau yn hytrach na'u pardduo. Daw i'r casgliad mai o blith y dosbarth gweithiol y cododd arweinwyr yr Ysgol Sul a'r addysg grefyddol a gyfrannwyd iddynt a'u dyrchafwyd uwchlaw eu hamgylchiadau tlawd a difreintiedig.[62] Ehanga ar hyn trwy gymharu a chyferbynnu gwerthoedd moesol gwahanol ardaloedd a amrywiai o amgylchfyd amaethyddol a chwarelyddol i drefi a phorthladdoedd a daw i'r canlyniad po agosaf oeddynt tua'r 'English border' mwyaf llygredig oedd y cymunedau.[63] Ym marn Ieuan Gwynedd Jones, llwyddodd yr Ysgolion Sul yng nghymoedd y De i rwystro rhwygiadau rhwng gwerthoedd y dref ddiwydiannol ar y naill law a thraddodiad cefn gwlad ar y llaw arall. Heidiai'r teuluoedd o blwyfi a chymunedau clos, gwledig i gymdeithas newydd, fregus a didraddodiad. Gyda phoblogaeth newydd, ddi-gyfeiriad a digyswllt gallai anwybodaeth ac anobaith dreiddio a gwanychu. Ond ni ddigwyddodd hyn yn Ne Cymru gan fod y teuluoedd wedi dod â'u traddodiad a'u crefydd gyda hwy a bu hyn o gymorth i asio cymdeithas.[64]

O safbwynt dylanwadol penodol mae'n werth sylwi ar ddwy elfen, sef y pwyslais democrataidd a'r sylw a roddid i gwrteisi a pharchusrwydd. O blith y bobl eu hunain y dewiswyd holl swyddogion yr Ysgolion Sul er mai Charles ar y dechrau a ddewisai ei athrawon yn ofalus. Wedi ei farwolaeth aethpwyd ati i gadw'n glos at ei reolau wrth ddewis athrawon cymwys. Nid digon oedd athrawon o rinweddau da, awgrymodd y dylid sefydlu pwyllgor neu 'Eisteddfod o Ddirprwywr' i drefnu gweithgareddau'r ysgol ac aelodau'r pwyllgor i'w codi o blith 'blaenoriaid y lle, y dref neu'r gymdogaeth i arolygu ac annog gwaith yr Ysgolion Sabbothawl'.[65] Yr Ysgol Sul leol a benodai'r swyddogion yn ddemocrataidd a rhoddodd hyn yn ei dro statws a llwyfan i arweinyddion yr ysgolion a doedd ryfedd yn y byd i Lingen, y mwyaf treiddgar o Gomisiynwyr Adroddiad Addysg (1847) gyhoeddi fod y 'Welsh working man rouses himself for them. Sunday is to him more than a day of bodily rest and devotion. It is his best chance... of showing himself in his own character'.[66]

Pwysleisiodd Charles fod dysgu 'ymddygiadau' i blant yn rhan o ddyletswydd yr ysgolion am ei fod 'yn hardd a hyfryd ynddo ei hun'.[67] Rhoddir enghreifftiau pendant o ddiffyg cwrteisi, 'poeri ar y llawr, tori gwynt i fyny yn ddiatalfa a gochel cnoi ffwgws neu roddi ffwgws-lwch yn y ffroenau gan ddysgu sefyll ar y traed yn syth, cerdded yn uniawn a'u holl ystumiau corphorol yn addas ac yn hardd'.[68] Pwrpas y rheolau hyn oedd parchuso a dyrchafu'r werin a'u gwneud yn aelodau boneddigaidd a gwâr o'r gymdeithas ond yn fwy na dim rhoi urddas ac anrhydedd i bobl oedd wedi eu hanwybyddu a'u bychanu am genedlaethau gan y dosbarth canol a'r haen uwch.

Diweddglo

Llwyddodd yr Ysgol Sul yn hanner cyntaf y bedwaredd ganrif ar bymtheg i greu microcosm o wareiddiad wedi'i sylfaenu ar egwyddorion ac athrawiaethau'r Beibl. Dyrchafwyd y werin a'i gwneud yn werin lafar, hyderus gan greu cymdeithas glos gyda chonsyrn am eraill yn nod amgen. Rhoddwyd bri ar addysg a diwylliant a gwnaed y Gymraeg, nid yn unig yn iaith carreg yr aelwyd ond hefyd yn iaith dysgu ac hyfforddi, ymryson a dadlau, pwyllgora a threfniadaeth. Oddi fewn i Seisnigrwydd y bonheddwyr a'r offeiriaid nid gormod yw dweud mai'r Ysgol Sul a achubodd y Gymraeg a rhoi hyder a llwyfan i'w defnyddio mewn amryfal feysydd. Gwarchodwyd a chynhaliwyd yr holl weithgareddau hyn gan gynhesrwydd a chenhadu grymus Efengyliaeth a fu'n foddion ac yn ysbrydoliaeth i rychwantu amrediad eang crefyddol,

Atodiadau

Atodiad A

Ymchwil i Sefyllfa Dysgeidiaeth yn Nghymru

Anfonwyd yr holiadau canlynol i ni gan y *Commissioners* a benodwyd gan y Llywodraeth i chwilio i ansawdd Addysg yn Nghymru, a'r rhai sydd yn awr yn y Dywysogaeth yn cyflawni eu gorchwyl. Yn y Siroedd y buont eisoes, yr oedd y *Commissioners* yn profi cryn anhawsder mewn rhai lleoedd i gael atebion cywir a manwl i'r cwestiynau oddiwrth arolygwyr Ysgolion Sabbothol; ac y maent yn tybied y symudir yr anhawsder i ryw radd , os telir sylw i'r cwestiynau cyn eu dyfodiad hwy neu eu Cynnorthwywyr. Cofied pawb wrth roddi eu hatebion fod o'r pwys mwyaf i'r holl gyfrifon a'r hysbysiadau a roddir fod y fath ag a ddaliant yr ymchwiliad manylaf. Efallai mai y ffordd oreu ydyw i'r atebion, wedi eu profi, gael eu dwyn i gyfarfod Athrawon, i'w hardystio ganddynt hwy, ac yna i'w gadael gydag Arolygwr yr Ysgol, hyd nes y galwer arno gan y *Commoissioners*, neu eu Cynnorthwywyr. Dyna yr hyn a annogir gan y Dirprwywyr eu hunain. Dymunir hysbysu hefyd os dymunai Arolygwyr ac Athrawon rhyw Ysgol Sabbothol, yr hon yr ymwelwyd â hi eisoes gan y *Commissioners*, roddi i mewn gyfrifon mwy rheolaidd a manwl nag a roddasant, fod yn rhydd iddynt wneuthur hyny trwy anfon, naill ai at *R. R. W. Lingen, Esq.* neu *H. Vaughan Johnson, Esq.* neu *J. C. Symonds, Esq. Privy Council Office, London.*

*Ysgol Sabbothol*_____

Pa Swydd?

Plwyf?

Lle?

Gyda pha Eglwys neu gynnulleidfa grefyddol y mae yr ysgol yn gysylltiedig?

Pa bryd y sefydlwyd yr ysgol?

Beth yw mesurau y Tŷ yn mha un y mae yr ysgol yn cael ei chynal; a beth yw cyflwr y dodrefn, a'r pethau perthynol i'r adeiladaeth?

A ydyw yr adeilad yn cael ei ddefnyddio at ryw wasanaeth heb law cynnal ysgol Sabbothol; ac os yw, pa beth ydyw?

Beth yw nifer yr athrawon?

    Gwrrywod?

    Benywod?

A ydynt yn cael eu talu am eu gwasanaeth?

Pa fodd y mae'r draul yn cael ei thalu?

Rhoddwch nifer yr ysgoleigion yn y daflen gysylltiedig?

Nifer ar y llyfrau				Nifer y rhai sydd yn arferol o ddyfod ynghyd		Nifer yn bresennol pan yr ymwelwyd a'r ysgol	
Dan 15 ml. oed		Dros 15 ml. oed					
Gwrrywod	Benywod	Gwrrywod	Benywod	Gwrrywod	Benywod	Gwrrywod	Benywod

Pa nifer o'r ysgolheigion sydd yn myned i ysgol ddyddiol?

Pa nifer sydd yn byw rhagor na milldir a hanner oddiwrth yr ysgol?
A ddysgir y ddau ryw yn nghyd, neu ar wahan?
A oes rhyw addysg neu annogaeth i'r holl ysgol gyda'u gilydd yn cael eu rhoddi?
Gan bwy y rhoddir y cyfryw addysg neu annogaeth?
A ydyw yr addysg yn cael ei rhoddi yn Gymraeg neu yn Saesonaeg, neu yn y ddwy?
A oes rhyw addysg bydol yn cael ei rhoddi: os oes, beth yw?
Pa nifer sydd yn alluog o ddarllen yn yr ysgrythyrau?
A ydyw yr ysgrythyrau yn cael eu dysgu ar gôf?
A yw'r pethau canlynol yn cael eu dysgu? sef
Holwyddoreg, neu ryw reol grefyddol arall?
Hymnau?
Daearyddiaeth Ysgrythyrol?
Pa lyfrau neu faterion eraill?
Gan bwy y mae llywodraeth ac addysg yr ysgol yn cael ei weinyddu?
A ydyw yr athrawon yn holi yr ysgoleigion ar bob peth y maent yn ei ddarllen fel y byddo iddynt ei ddeall?
A ydyw yr holiadau yn argraffedig, neu yn cael eu gadael i ddoethineb yr athraw?
Ar ba oriau y cynnelir yr ysgol?
A oes rhai, ac os felly, pa nifer o'r ysgoleigion sydd yn myned yn nghyd i'r addoliad cyhoeddus yn yr Eglwys, neu y Capel, yn y boreu neu'r prydnawn?
A ydyw yr ysgol yn cael ei dechreu a'i diweddu gyda gweddi a chyda hymn?
Ysgrifenwch enw y gweinidog, neu rhyw berson arall, cysylltiedig a'r ysgol, yr hwn y gellir cyfrinachu ag ef.

ARWYDDWYD_____ Person oddiwrth yr hwn y cafwyd y wybodaeth

_____ Cynnorthwywr

_____ dydd o _____ 184

Drysorfa (1847)32

Atodiad B

Form A

CENSUS OF GREAT BRITAIN, 1851.
(13 & 14 Victoriae, Cap. 53.)

A RETURN of the several Particulars to be inquired into respecting the under-mentioned Church or Chapel in England, belonging to the United Church of England and Ireland.

A similar Return (*mutatis mutandis*) will be obtained with respect to Churches belonging to the Established Church in Scotland, and the Episcopal Church there, and also from Roman Catholic Priests, and from the Ministers of every other Religious Denomination throughout Great Britain, with respect to their Places of Worship.

		NAME AND DESCRIPTION OF CHURCH OR CHAPEL		
I				
II	WHERE SITUATED	Parish Eccleiastical Division or District, Township, or Place	Superintendent Registrar's District	County and Diocese
III	WHERE CONSECRATED OR LICENSED	UNDER WHAT CIRCUMSTANCES CONSECRATED OR LICENSED		

	IN THE CASE OF A CHURCH OR CHAPEL CONSECRATED OR LICENSED SINCE THE 1st JANUARY 1800; STATE	
IV	HOW OR BY WHOM ERECTED	COST, HOW DEFRAYED
		By Parliamentary Grant - - - Parochial Rate - - - Private Benefaction or Subscription, or from other Sources - Total Cost - - £

V	VI
HOW ENDOWED	SPACE AVAILABLE FOR PUBLIC WORSHIP
£ £ Land - - - Pew Rents - - - Tithe Fees - - - Glebe Dues - - - - Other Permanent En- Easter Offerings - - dowment Other Sources - -	Free Sittings - - - - Other Sittings - - - - Total Sittings -

ESTIMATED NUMBER OF PERSONS ATTENDING DIVINE SERVICE ON SUNDAY, MARCH 30, 1851	AVARAGE NUMBER OF ATTENDANTS during Months next preceding March 30, 1851 (See Instructions VII.)
Morning Afternoon Evening Evening	Morning Afternoon

General Congre-
VII gation - - - -
    Sunday   Scholars
Scholars
        Total -

General Congre-
gation - - - -

Sunday

        Total -

VIII	REMARKS	

I Certify the foregoing to be a true and correct Return to the best of my belief.
Witness my hand this _____ day of _____ 1851
    IX. (*Signature*) _____
       (*Official Character*) _____ *of the above-named*

(*Address by Post*) _____

Atodiad C

Form B.

(13 & 14 Victoriae, Cap. 53.)

A RETURN of the several Particulars to be inquired into respecting the under-mentioned Place of Public Religious Worship.

[N.B. – A similar Return will be obtained from the Clergy of the Church of England and also from the Ministers of every other Religious Denomination throughout Great Britain.]

II			III	IV	V	VI	VI	VIII				IX
Where situate; specifying the			Religious Denomination	When erected	Whether a seperate and entire Building	Whether used exclusively as a Place of Worship (except for a Sunday School)	Space available for Public Worship Number of Sittings already provided.	Estimated Number of Persons attending Divine Service on Sunday March 30, 1851				remark
Parish or Place	District	County					Free Sittings Other Sittings			Morn	Aft	Eve	
(1)	(2)	(3)					(4) (5)	General Congregation					
								Sunday Scholars					
								TOTAL					
							Free Space or Standing Room for	Average Number of Attendants during Months. (See Instructions VIII)					
								General Congregation					
								Sunday Scholars					
								TOTAL					

I certify the foregoing to be true and correct Return to the best of my belief.

Witness my hand this _____ day of _____ 1851

    X (*Signature*)_____

    (*Official Character*)_____ of the above-named of Place Worship

    (*Address by Post*) _____

_____

I. G. Jones, *The Religious Census of 1851*
A calendar of returns Relating to Wales
1 (Cardiff 1981) appendix A

Atodiad CH

CENSUS OF GREAT BRITAIN, 1851

Form C.

A RETURN of the several Particulars in accordance with the Act of 13 & 14 Vict. c.

53., to be returned respecting the under-mentioned

SUNAY SCHOOL.

1. Name and Locality of School (*See Instruction,* 1.)	1.
2. Religious Denomination to which the School belongs	2.
3. Date at which the School was established (*See Instruction,* 3.)	3.
4. In what Building is the Instruction carried on? (*See Instruction,* 4)	4.

	5	6	7	8	9	10
	Number of Scholars on the Books of the School. (*See Instruction,* 5.)	Number of Scholars at the School, and actually receiving Instruction, on Sunday, March 30, 1851. (*See Instruction,* 6.)	Number of Scholars on the Books who make any Payment for their Instruction. (*See Instruction,* 7.)	Number of Scholars on the Books who provide their own School Books.	Number of Scholars on the Books who also attend some Day School.	Number of Scholars on the Books who have *formerly* attended some Day School, and have now ceased to do so.
Males						
Females						
Total						

11. Number of Teachers	11.	Males	Females	Total	
" " Paid					
" " Unpaid					
12. What (if anything) is taught beyond Reading and Religious Knowledge?	12.				
13. Total Annual Expense	13.				
14. From what source is this Expense defrayed?					

The above is a true Return

Signature of Informant _____

Capacity in which the Informant Signs _____

Address _____

Reference to Queries

INSTRUCTIONS AS TO THE PROPER MODE OF MAKING THE ABOVE RETURN.

1. If the School itself has no distinctive name, state the name of the Church or Chapel to which it is attached, as "*St. Mark's Sunday School*," "*King Street Chapel Sunday School*," &c., as the case may be.

3. The date of establishment may be stated *as nearly as possible*. Where difficulty arises, from remoteness of time, the answer may be thus:- "Before 1810," or "Before 1800;" mentioning the earliest date at which it can be remembered as a School.

4. State whether the Church or Chapel is used as a Schoolhouse – whether a seperate building is appropriated for the purpose – or whether *part* only of a house or building is used.

5. If no books are kept, this column should be filled up with number of Children who are in the *habit of constantly attending the School.*

6. In this column only those actually present *at one time* on Sunday, March 30th, are to be entered. If, from any circumstance, the School should be temporarily closed at the period of this Return, the number *usually attending* may be inserted: the requisite alteration being, in that case, made in the heading.

7. If any payment is made by any of the Scholars, the amount per Scholar should be indicated by a note in the margin of the Return.

Census of Great Britain 1851, Education England and Wales. Report and Tables (London 1854) *cvi*

Llyfryddiaeth Ddethol

Dogfennau'r Llywodraeth

A copy of the instructions given to the Commisioners appointed to enquire into the state of Education in Wales (London 1846)
Census of Great Britain 1851: Religious Worship: England and Wales (London 1853)
Census of Great Britain 1851: Education: England and Wales (London 1854)
First report of the Commissioners appointed to collect information in the manufacturing districts relative to the Employment of Children in Factories (1833)
Hansard: Parliamentary Debate, Third Series lxxxiv (10 March 1846)
Reports of the Commissioners of Inquiry unto the State of Education in Wales appointed by the Committee of Council on Education (London 1847)

Adroddiadau Addysg

Addysg yng Nghymru, 1847 – 1947, Education in Wales, (London 1948)
Y Gymraeg mewn Addysg a Bywyd (Llundain 1927)

Newyddiaduron, Cyfnodolion, Traethodau Crefyddol, Emynau, Esboniadau, Catecismau a Rheolau
(a) Newyddiaduron

[Yr] Amserau, 1843 – 59
Caernarvon and Denbigh Herald, 1836 –
Gloucester Journal, 1722 – 1906
North Wales Chronicle, 1807 – 1827
North Wales Gazette, 1808 – 1827
The Times, 1785 –

(b) Cyfnodolion

[Yr] Adolygydd, 1850
Addysgydd, 1823
[Yr] Addysgydd, 1826
Arminian Magazine 1778 [newidiwyd i] *The Methodist Magazine 1798*
[Yr] Athraw, 1836 – 1844
Athraw i Blentyn, 1827 – 1878
[Yr] Athraw Crefyddol, Hanesyddol, Eglwysig a Gwladol, 1827 – 1830
Barn, 1962 –
[Y] Cenhadydd Cymreig, [newidiwyd i] *Y Cenhadydd 1840 – 1841*
[Y] Cofiadur, 1923 –
Cronicl yr Ysgolion Sabbothol, 1880 – 1884
Cydymaith yr Ieuenctid, 1826 – 1827
Cyfaill Plentyn, 1835 – 1837
Cyfaill Rhinwedd, 1844 – 1846

[Y] Cyfarwyddwr, 1900 – 1903
Cylchgrawn Cymdeithas Hanes y Methodistiaid Calfinaidd, 1916 –
[Y] Cylch-grawn Cyn-mraeg, 1793 – 1794
Cymru, 1891 – 1910
[Y] Cynniweirydd, 1834
[Y] Dirwestydd, 1836 – 1839
[Y] Diwygiwr, 1835 – 1911
[Y] Drych, 1825 – 1827
[Y] Drysorfa, 1831 – 1968
[Y] Drysorfa Ysprydol, 1799 – 1801
[Y] Dysgedydd, 1821 – 1968
[Yr] Esboniwr, 1844
[Yr] Eurgrawn Wesleyaidd, 1809 – 1875
Evangelical Magazine, 1793 – 1812
Gentleman's Magazine, 1731 – 1833
Goleuad Cymru, 1818 – 1830
Goleuad Gwynedd, 1818 – 1820
[Y] Greal, 1805 – 1807
Greal y Bedyddwyr, 1827 – 1837
[Y] Gwir Fedyddiwr, [newidiwyd i] *Y Bedyddiwr, 1842 – 1859*
Hanesydd, 1823
[Yr] Hanesydd, 1839
[Yr] Haul, 1835 – 1983
[Y] Llusern, 1869 – 1871
[Y] Morgrugyn, 1843
Pethau Newydd a Hen, 1826 – 1829
[Y] Rhosyn, 1832 – 1836
[Y] Seren Foreu, 1846 – 1847
Seren Gomer, 1818 – 1983
Sunday School Magazine 1825 –
Sunday School Teachers' Magazine, 1813 - 1831
[Y] Traethodydd, 1845 –
Trysor i Blentyn, 1825 – 1842
Trysor i'r Ieuangc, [newidwyd i] *Trysor i'r Ieuengctid, 1826 – 1827*
Trysorfa Ieuenctyd, 1828
Trysorfa yr Ieuenctid, 1833 – 1834
Trysorfa'r Ysgol Sabbothol, 2 rifyn d.d.
Tywysydd yr Ieuainc, 1837 – 1851
[Y] Wawr-ddydd, 1830
[Y] Wawrddydd, 1850 – 1851
Welch Piety, 1737 – 1777
[Y] Winllan, 1848 – 1965
Ymdeithydd yr Ysgolion Sabbathol, 1836

Traethodau crefyddol, emynau, esboniadau a chatecismau

Charles, T., *Crynodeb o Egwyddorion Crefydd neu: Gatecism Byrr i Blant ac Eraill i'w ddysgu* (Trefecca 1789)

Charles, T., *Esponiad Byrr ar y Deg Gorchymyn ac Eraill i'w ddysgu* (Caerlleon 1801)
Charles, T., *An Exposition on the Ten Commandments; By way of Question and Answers* (Bala 1805)
Charles, T., *Geiriadur Ysgrythyrol* (Bala 1805 – 1811)
Charles, T., *Hyfforddwr yn Egwyddorion y Grefydd Gristnogol* (Bala 1807)
Jones, G., *Hyfforddiad Gymmwys i Wybodaeth Iachusol o Egwyddorion a Dyledswyddau crefydd: Sef Holiadau ac Attebion Ysgrythyrol Ynghylch Athrawiaeth a Gymhwysir yng Nghatecism yr Eglwys, Anghenrheidiol i'w Dysgu gan Hen ac Ieuaingc* (Llundain 1749)
Parry, J., *Rhodd mam i'w phlentyn yn cynnwys y Catecism Cyntaf* (Llanrwst 1811)
Parry, J., *Rhodd y Tad i'w Blant sef yr Ail Gatecism i Bobl Ieuainc* (Caerlleon 1838)
[Y] Pererin, sef Pigion o Hymnau ar Amryw Destynau (Llanrwst d.d.)

Rheolau a llawlyfrau

Charles, T., *Rheolau i Ffurfiaw a Threfnu yr Ysgolion Sabbothawl* (Bala 1813)
Crynodeb o'r amrywiol ddyledswyddau perthynol i'r Ysgolion Sabbothol a'i swyddwyr perthynol i Ddosbarth Maentwrog (Bala 1829)
Davies, J., *Y Lloffyn Addfed* (Abertawe 1852)
Fox, T. B., *Hints to Sunday School Teachers* (Boston 1840)
Hanes, Cyfansoddiad, Rheolau Disgyblaethol ynghyda Chyffes Ffydd y Corff o Fethodistiaid Calfinaidd yng Nghymru (Conwy 1910)
Hanes fer am Ddechreuadau yr Ysgolion Sabbothawl ynghyd ag ychydig Reolau er cynnorthwy i Arolygwyr ac Athrawon yr Ysgolion (Llanrwst 1825)
Hyfforddiadau ar Sefydliad a Threfniad Ysgolion Sabathawl yn nghyd a ffurf y llyfrau angenrheidiol er cadw cyfrif trefnus o'r Ysgolheigion (Llundain 1828)
Richard, E., *Rheolau y rhai a dybir yn wir angenrheidiol er mwyn iawn drefn, llwyddiant a budd parhaus yr Ysgolion Sabbothawl* (Aberystwyth 1845)
Roberts, W., *Arweinydd i Athrawon yr Ysgolion Sabbothol Y'Nghymru wedi ei gasglu gan mwyaf allan o waith y Parchedig J. A. James a T. Raffles* (Bala 1818)
Rheolau a Dibenion yr Ysgol Sabbothol ym Môn (Bala 1820)
Rheolau a Threfniadau Yr Ysgolion Sabbothol: a gytunwyd arnynt yn nghyfarfod Chwech Wythnosol, Llanarmon, Swydd Fflint 1819 (Caerlleon 1819)
Rheolau Cyffredinol i'r Ysgolion Sabbothol (Caerlleon [1836])
Rheolau Cyffredinol i Ysgolion Sabbothol y Methodistiaid Calfinaidd yn Siroedd Gwynedd a benderfynwyd arnynt yng Nghymdeithasfa y Wyddgrug (Dinbych 1836)
Rhys, M. J., *Cyfarwyddyd ac Annogaeth i sefydlu ysgolion Sabothol ac wythnosol yn yr iaith Gymraeg drwy Gymru* (Caerfyrddin 1793)
Thomas, R., *Crochan Aur yn llawn o fanna i Athrawon yr Ysgol Sabbothol* (Llanrwst 1840)
Trimmer, S., *The Oeconomy of Charity or An Address to Ladies adapted to the present state of Charitable Institutions in England* (London 1801)

Cyfrolau

Altick, R. D., *The English Common Reader*(Chicago 1957)
Allen, W. O. B., E. McClure, *Two Hundred Years: The History of the SPCK* (London 1898)

Ariès, P., *Centuries of Childhood* (London 1962)

Bassett, T. M., *Bedyddwyr Cymru* (Llandysul 1977)

Bebb., W. A., *Yr Ysgol Sul: Llyfrau'r Dryw* (Llandybie 1944)

Bebb, W. A., *Canrif o Hanes y Tur Gwyn (1854 – 1954)* (Bangor 1954)

Bebbington, D. W., *Evangelicalism in Modern Britain: A History from 1730s to the 1980s* (London 1989)

Booth, F., *Robert Raikes of Gloucester* (Redhill 1980)

Bradley, I., *The Call to Seriousness: The Evangelical Impact on the Victorians* (Oxford 2006)

Brown, K. T., *Fathers of the Victorians* (Cambridge 1961)

Brown, R. L., *Evangelicals in the Church in Wales* (Welshpool 2007)

Bunge, M. J. (ed.), *The Child in Christian Thought* (Grand Rapids, Mich. 2001)

Burnett, J., H. G. Williams, *A Wandering Scholar: The Life and Opinions of Robert Roberts* (Cardiff 1991)

Cavenagh, F., *The Life and Work of Griffith Jones of Llanddowror* (Cardiff 1930)

Chadwick, O., *The Victorian Church 1* (London 1966)

Clarke, W. K. L., *A History of the SPCK* (London 1959)

Clement, M., *The SPCK and Wales, 1699 – 1740* (London 1954)

Cliff, P. B., *The Rise and Development of the Sunday School Movement in England 1780 – 1980* (Redhill 1986)

Cotton, J. H., *Remarks upon the Report of the Commissioners on the State of Education in North Wales. Intended to be addressed to the Editor of the North Wales Chronicle* (1848)

Cunningham, H., *Children and Childhood in Western Society Since 1500* (London 1995)

Curwen, J., *The Teacher's Mannual of the Tonic Sol-fa Method* (London 1875)

Davies, C., *Hanes Dechreuad a Chynnydd y Methodistiaid Calfinaidd ym Mhorthaethwy* (Dolgellau 1888)

Davies, E., *The Works of Edward Williams D.D. 4 cyfrol* (London 1862)

Davies, E., *The Beddgelert Revival* (Bridgend 2004)

Davies, E. T., *Religion in the Industrial Revolution in South Wales* (Cardiff 1965)

Davies, E. T., *Religion and Society in the Nineteenth Century* (Llandybie 1981)

Davies, H., *Cyngor Difrif Periglor i'w Blwyfolion* (Caernarfon 1801)

Davies, J., *Hanes Cymru* (Llundain 1990)

Davies, J. H., *The Life and Opinions of Robert Roberts, a Wandering Scholar* (Cardiff 1923)

Davies, T., *Diwygiad yr Ysgol Sabbothol* (Rhydybont 1846)

Dienw, *Ychydig gofnodau am fywyd a marwolaeth Dafydd Cadwaladr* (Bala 1836)

Edwards, L., *Traethodau Duwinyddol* (Wrexham d.d.)

Edwards, L., *Traethodau Llenyddol* (Wrecsam 1867)

Evans, D., *The Sunday Schools of Wales* (London 1883)

Evans, D., *Life and Work of William Williams M.P. for Coventry 1835 – 1847 M.P. for Lambeth 1850 – 1865* (Llandysul [1939])

Evans, J., *Some Account of the Welch Charity Schools and of the Rise and Progress of Methodism in Wales, Through the Means of Them* (London 1752)

Evans, J., *Memoirs of the Life and Writings of the Rev William Richards LL.D.* (Chiswick 1819)

Evans, J. J., *Dylanwad y Chwyldro Ffrengig ar Lenyddiaeth Cymru* (Lerpwl 1928)

Evans, J. J., *Morgan John Rhys a'i amserau* (Caerdydd 1935)

Gilbert, J., *Memoir of the Life and Writings of the late Rev Edward Williams* (London 1825)

Gittins, C. (ed.), *Pioneers of Welsh Education* (Swansea 1964)

Gouge, T., *The Works of the late Rev and pious Mr Thomas Gouge collected into one volume......To which is prefixed the authors funeral sermon and a large account of his life and charitable deeds by Arch-Bishop Tillotson with a preface to the whole by Timothy Rogers* (London 1706)

Gregory, A., *Robert Raikes, Journalist and Philanthropist* (London 1877)

Griffith, D., *Yr Ysgol Sabbothol a'r Oes* (Wrecsam 1858)

Griffith, D. M., *Nationality in the Sunday School Movement* (Bangor 1925)

Griffith, G. W., *Yr Ysgol Sul* (Caernarfon 1936)

Griffith, J. T., *Morgan John Rhys* (Caerdydd d.d.)

Groser, W. H., *A Hundred Years Work for the Children* (London 1903)

Hanway, J., *Comprehensive View of Sunday Schools* (London 1786)

Harris, J. H., *Robert Raikes: The Man and his Work* (Bristol 1899)

Harrison, B., *Drink and the Victorians: The Temperance Question in England 1815 – 1872* (London 1971)

Hobley, W., *Hanes Methodistiaid Arfon: Dosbarth Dinorwig* (Caernarfon 1921)

Hobley, W., *Hanes Methodistiaid Arfon: Dosbarth Bethesda* (Caernarfon 1923)

Hoskins, D., O. Jones (goln), *Hanes Ysgolion Sabbothol Dosbarth Ffestiniog* (Blaenau Ffestiniog 1906)

Hughes, H., *Hanes Cyfarfod Ysgolion Sabbothol y Methodistiaid Calfinaidd yn Nosbarth Eifionydd* (Caernarfon 1886)

Hughes, H., *Hanes Diwygiadau Crefyddol Cymru* (Caernarfon 1906)

Hughes, H., *Methodistiaeth Brynsiencyn* (Caernarfon 1924)

Hughes, H. E., *Eminent Men of Denbighshire* (Liverpool 1946)

Hughes, J., *Methodistiaeth Cymru, 3 cyfrol* (Gwrecsam 1851, 1854)

Hughes, W., *The Life and Speeches of the Very Rev. J. H. Cotton* (Bangor 1874)

Hughes, W. (ed.), *Life and Letters of the Rev Thos. Charles of Bala* (Rhyl 1881)

Ivimey, J., *Memoir of William Fox founder of the Sunday School Society* (London 1831)

James, J. S., *Hanes y Bedyddwyr yn Nghymru, 4 cyfrol* (Caerfyrddin 1903)

Janeway, J., *A token for Children, being an exact account of the Conversion, Holy and Exemplary lives and Joyful Deaths of several young children* (London 1671)

Jenkins, D. E., *The Life of the Rev. Thomas Charles of Bala, 3 cyfrol* (Denbigh 1908)

Jenkins, D. E., *Calvinistic Methodist Holy Orders* (Caernarvon 1911)

Jenkins, D. E., *Rhamant yr Ysgol Sul ymysg y Methodistiaid Calfinaidd* (Caernarfon d.d.)

Jenkins, G. H., *Y Chwyldro Ffrengig a Voltaire Cymru* (Caerdydd 1989)

Jenkins, G. H., *Cadw Tŷ mewn Cwmwl Tystion: Ysgrifau Hanesyddol ar Grefydd a Diwylliant* (Llandysul 1990)

Jenkins, G. H. (gol.), *Y Gymraeg yn ei Disgleirdeb* (Caerdydd 1997)

Jenkins, G. H. (gol.), *Gwnewch Bopeth yn Gymraeg* (Caerdydd 1999)

Jenkins, R. T., *Hanes Cymru yn y Bedwaredd Ganrif ar Bymtheg* (Caerdydd 1933)

Jenson, D. H., *Graced Vulnerability: A Theology of Childhood* (Cleveland, Ohio 2005)

John, E. S. (gol.), *Y Gair a'r Genedl: Cyfrol Deyrnged i R. Tudur Jones* (Abertawe 1986)

Jones, D., *Life and Times of Griffith Jones, sometimes Rector of Llanddowror* (London 1902)

Jones, D. A., *Griffith Jones, Llanddowror* (Wrexham 1923)

Jones, E., *Facts, Figures and Statements in Illustration of the Dissent and Morality of Wales* (London 1849)

Jones, F. P., *Thomas Jones o Ddinbych* (Dinbych 1956)

Jones, F. P., *Radicaliaeth a'r Werin Gymreig yn y Bedwaredd Ganrif ar Bymtheg* (Caerdydd 1977)

Jones, G. E., G. W. Roderick, *A History of Education in Wales* (Cardiff 2003)

Jones, G. H., *Geiriadura'r Gair* (Caernarfon 1993)

Jones, H., *Hanes Wesleyaeth Gymreig*, 4 cyfrol (Bangor 1912)

Jones, H. M., *Durkheim: Y Meddwl Modern* (Dinbych 1984)

Jones, I. G., *Explorations and Explanations: Essays in the Social History of Victorian Wales* (Llandysul 1981)

Jones, I. G., *The Religious Census of 1851. A Calendar of Returns Relating to Wales* (Cardiff 1981)

Jones, I. G., *Communities: Essays in the Social History of Victorian Wales* (Llandysul 1987)

Jones, I. G., *Mid Victorian Wales: The Observers and the Observed* (Cardiff 1992)

Jones, J. *Cofiant y Parch Thomas Jones o Ddinbych* (Dinbych 1897)

Jones, J. E., *Ieuan Gwyllt: ei fywyd, ei lafur, ei athrylith, ei nodweddion a'i ddylanwad ar Gymru* (Treffynnon 1881)

Jones, J. I., *A History of printing and printers in Wales, to 1810 and of successive and related printers to 1923. Also a history of printing amd printers in Monmouthshire to 1923* (Cardiff 1925)

Jones, J. M., W. Morgan, *Y Tadau Methodistaidd, eu llafur a'u llwyddiant gyda gwaith yr Efengyl yng Ngyhmru....* (Abertawe 1895 – 7)

Jones, M. G., *The Charity School Movement* (Cambridge 1938)

Jones, M. G., *Hannah More* (Cambridge 1952)

Jones, R., *Drych yr Amseroedd* (Trefriw 1820)

Jones, R. M., *Emile: Detholion o waith Jean Jacques Rousseau. Ysgrifau ar Addysg,* (Caerdydd 1963)

Jones, R. T., *Hanes Annibynwyr Cymru* (Abertawe 1966)

Jones, R. T., *Thomas Charles o'r Bala: Gwas y Gair a Chyfaill Cenedl* (Caerdydd 1979)

Jones, R. T., *Ffydd ac Argyfwng Cenedl: Hanes Crefydd yng Ngyhmru 1890 – 1914 I* (Abertawe 1981)

Jones, R. T., *Ffydd ac Argyfwng Cenedl: Hanes crefydd yng Nghymru 1890 – 1914* (Abertawe 1982)

Jones, R. T., *Yr Ysgol Sul: Coleg y Werin* (Caernarfon 1985)

Jones, R. W., *Y Ddwy Ganrif Hyn* (Caernarfon 1935)

Jones, T., *Anrheg i Blentyn sef hanes cywir am ddychweliad grasol, bucheddau duwiol a marwolaethau dedwyddol amryw Blant Ieuaingc* (Dinbych 1816)

Jones, T., *Cofiant neu Hanes Bywyd a marwolaeth y Parch Thomas Charles, Gwyryf yn y Celfyddydau, yn ddiweddar o'r Bala Sir Feirionydd....*(Bala 1816)

Jones, W., *Nodweddiad y Cymry fel Cenedl* (Llundain 1841)

Kelly, T., *Griffith Jones, Llanddowror: Pioneer in Adult Education* (Cardiff 1950)

Kendall, G., *Robert Raikes: A Critical Study* (London 1939)

Lambert, W. R., *Drink and Sobriety in Victorian Wales c.1820 – c.1895* (Cardiff 1983)

Laqueur, T. W., *Religion and Respectability: Sunday Schools and the Working Class Culture 1780 – 1850* (New Haven 1976)

Levi, T., *Canmlwyddiant Ysgol Sabbothol Cymru* (Llundain [1885])

Locke, J., *Some Thoughts Concerning Education* (London 1639)

Mathews, H. F., *Methodism and the Education of the People 1791 – 1851* (London 1949)

McFarland, J. T., *The Encyclopedia of Sunday Schools and Religious Education*, 3 cyfrol (New York 1915)

McLeod, H., *Religion and the Working Class in the Nineteenth-Century Britain* (London 1984)

More, H., *Works of Hannah More* (New York 1853)

Morgan, D. (gol.), *Gwŷr Llên y Ddeunawfed ganrif a'u cefndir* (Llandybie 1966)

Morgan, D. (gol.), *Gwŷr Llên y Bedwaredd ganrif ar bymtheg a'u cefndir* (Llandybie 1968)

Morgan, D. D. (gol.), *Grym y Gair a Fflam y Ffydd* (Bangor 1998)

Morgan, D. D., *Lewis Edwards* (Caerdydd 2009)

Morgan, D. Ll., *Pobl Pantycelyn* (Llandysul 1986)

Morgan, E., *The Life and Labours of the Rev T. Charles* (London 1852)

Morgan, E., *Essays, Letters and Interesting Papers of the late Rev Thomas Charles* (London 1886)

Morgan, P. (gol.), *Brad y Llyfrau Gleision* (Llandysul 1991)

Orchard, S., J. H. Y. Briggs (eds), *The Sunday School Movement* (Milton Keynes 2007)

Owen, R., *Ysgolfeistriaid Mr Charles o'r Bala* (Dolgellau 1898)

Owen, T. E., *Hints to Heads of Families* (London 1801)

Owen, T. E., *Methodism Unmasked* (London 1802)

Owen, W. T., *Edward Williams DD, 1750 – 1813: His Life, Thought and Influence* (Cardiff 1936)

Palmer, J., *The Sunday School: its History and Development* (London 1880)

Parry, E., *Llawlyfr ar Hanes y Diwygiadau Crefyddol yn Nghymru* (Corwen 1898)

Parry, E., *Llawlyfr ar Hanes y Diwygiadau Crefyddol yn Nghymru* (Corwen 1898)

Pole, T., *The History of the Origin and Progress of Adult Schools* (Bristol 1815)

Power, J. C., *The rise and progress of the Sunday Schools* (New York 1863)

Pritchard, J., *Methodistiaeth Môn* (Amlwch 1888)

Rainbow, B., *John Curwen – A Short Critical Biography* (London 1980)

Rees, R. O., *Mary Jones: y Gymraes fechan heb yr un Beibl* (Wrecsam 1879)

Reid, I., *Sunday Schools: a suitable case for treatment* (London 1980)

Richards, T., *A History of the Puritan Movement in Wales* (London 1920)

Roberts, E ap N. (gol.), *Corff ac Ysbryd: Ysgrifau ar Fethodistiaeth* (Caernarfon 1988)

Roberts, G. M., *Bywyd a gwaith Peter Williams* (Caerdydd 1943)

Roberts, G. M., *Dafydd Jones o Gaeo* (Aberystwyth 1948)

Roberts, G. M. (gol.), *Hanes Methodistiaeth Galfinaidd Cymru: Cynnydd y Corff* (Caernarfon 1978)

Roberts, G. T., *The Language of the Blue Books* (Cardiff 1998)

Roberts, R., *A Ragged Schooling: Growing up in the Classic Slum* (Manchester 1976)

Roberts, W., *Memoirs of the Life and Correspondence of Mrs Hannah More* (London 1834)

Sangster, P., *Pity My Simplicity: The Evangelical Revival and Religious Education of Children 1738 – 1800* (London 1963)

Shaw, W., *Life of Hannah More, a Critical Review of her Writings* (London 1802)

Stott, A., *Hannah More: The First Victorian* (Oxford 2004)

Stratford, J., *Robert Raikes and others: The founders of the Sunday School* (London 1880)

Taylor, T., *Memoir of Mrs Hannah More, with notices of her works, and Sketches of her Contemporaries* (Rickerby 1883)

Torrance, T. F., *The School of Faith* (London 1959)

Walters, H., *Llyfryddiaeth Cylchgronau Cymreig 1735 – 1850* (Aberystwyth 1993)

Walters, H., *Llyfryddiaeth Cylchgronau Cymreig 1851 – 1900* (Aberystwyth 2003)

Watson, W. H., *History of the Sunday School Union* (London 1853)

Watson, W. H., *The First Fifty Years of the Sunday School* (London 1862)

Williams, J. L. (gol.), *Ysgrifau ar Addysg* (Caerdydd 1963)

Williams, J. L., G. R. Hughes (eds), *The History of Education in Wales'!* (Swansea 1978)

Williams, W., *Jubili yr Ysgol Sabbothol, 14 Hydref 1813* (Machynlleth 1831)

Williams, W. M. (ed.), *Selections from The Welch Piety* (Cardiff 1938)

Erthyglau mewn cyfrolau a chyfnodolion

Boylan, A. M., 'Sunday Schools and Changing Evangelical Views of Children in the 1820's', *Church History XLVIII* (1979) 320 – 333

Brown, C. G., 'The Sunday School Movement in Scotland 1780 – 1914', *Records of the Scottish Church History Society XXI* (1981) 3 – 26

Davies, B. L., 'Anglesey and the Reports of the Commissioners of Inquiry into the State of Education in Wales in 1847 (The Treachery of the Blue Books)' *T.C.H.N.M.* (1981) 83 – 112

Dick, M., 'The Myth of the working class Sunday School', *History of Education* (1980) 29-30, 34 – 6

Hughes, D. R., 'Thomas Gouge: Cymwynaswr o Sais' *Y Traethodydd XX* (1952) 27 – 36

Hughes, M., 'Methodistiaeth a'r Ysgol Sul', E ap N. Roberts (gol.), *Corff ac Ysbryd: Ysgrifau ar Fethodistiaeth* (Caernarfon 1988) 116 – 130

Jenkins, D. E., 'Cychwyn Ysgolion Sul Thomas Charles' *Y Traethodydd V* (1936) 105 – 111

Jones, I. G., 'Thomas Charles (1755 – 1814)', C. E. Gittins (ed.), *Pioneeers of Welsh Education* (Swansea d.d.) 31 – 55

Jones, R. T., 'Diwylliant Thomas Charles o'r Bala', J. E. C. Williams (gol.), *Ysgrifau Beirniadol IV* (Dinbych 1969) 98 – 115

Jones, R. T., 'Darganfod plant bach: sylwadau ar lenyddiaeth plant oes Victoria,' J.E.C. Williams (gol.), *Ysgrifau Beirniadol VIII* (Dinbych 1974) 160 – 204

Jones, R. T., 'Awr Anterth Efengylyddiaeth yng Nghymru 1800 – 1850', D. D. Morgan (gol.), *Grym y Gair a Fflam y Ffydd* (Bangor 1998) 285 – 308

Levi, T., 'Cymdeithas y Traethodau Crefyddol' *Y Traethodydd XXXVII* (1832) 453 – 461

Morgan, D. D., 'Calvinism in Wales': c1590-1909 *The Welsh Journal of Religious History IV* (Bangor 2009) 22 – 36

Morgan, D. D., 'Lewis Edwards (1809 – 87) a'i oes,' *Y Traethodydd CLXV* (2010) 92 – 105

Owen, H., 'Gruffydd Jones' Circulating Schools in Anglesey,' *T.C.H.N.M.* (1936) 94 – 109

Pederson, S., 'Hannah More meets Simple Simon: Tracts, Chapbooks and Popular Culture in Late Eighteenth Century England,' *Journal of British Studies XXV* (1986) 84 – 113

Shankland, T., 'Dechreuad yr Ysgolion Sabbothol yng Nghymru,' *Cymru XXII* (1902) 153 – 156, 245 – 250, 310 – 314

Snell, K. D. M., 'The Sunday School Movement in England and Wales: Child Labour, Denominational Control and Working Class, Culture,' *Past and Present CLXIV* (1999) 122 – 168

Thomas, B., 'Mudiadau Addysg Thomas Charles', G. M. Roberts (gol.), *Hanes Methodistiaeth Galfinaidd Cymru II* (Caernarfon 1978) 431 – 455

Thomas, B., 'Ysgolion Sul', *Education for Development Special Issue: Perspectives on the History of Education in Wales X* (1985) 47 – 56

Wadsworth, A. P., 'The First Manchester Sunday School', *Bulletin of the John Rylands Library* (1951) 299 – 326

Wright, E. G., 'Dean John Jones, (1650 – 1727)' *T.C.H.N.M.* (1952) 34 – 43

Traethodau Anghyhoeddedig

Owen, T. J., 'The Educational and Literary Work of Griffith Jones, Llanddowror' (M.A., University of Wales, Bangor 1923)

Williams, Ff., 'The Educational Aims of Pioneers in Elementary Welsh Education, 1730 – 1870.' (M.A. thesis University of Wales Bangor 1929)